D0449906

Les Éditions du Boréal
4447, rue Saint-Denis
Montréal (Québec) H2J 2L2
www.editionsboreal.qc.ca

Le Camp des justes

DU MÊME AUTEUR

Douces colères, VLB, 1989.

Trente artistes dans un train, Art global, 1989.

Chroniques internationales, Boréal, 1991.

Québec, Hermé, 1998.

Nouvelles douces colères, Boréal, 1999.

Un dimanche à la piscine à Kigali, Boréal, 2000 ; coll. « Boréal compact », 2002.

La Seconde Révolution tranquille, Boréal, 2003.

Une belle mort, Boréal, 2005 ; coll. « Boréal compact », 2010.

Le Monde, le lézard et moi, Boréal, 2009.

Je ne veux pas mourir seul, Boréal, 2010.

Gil Courtemanche

Le Camp des justes

chroniques

Boréal

© Les Éditions du Boréal 2011
Dépôt légal : 4ᵉ trimestre 2011
Bibliothèque et Archives nationales du Québec

Diffusion au Canada : Dimedia
Diffusion et distribution en Europe : Volumen

*Catalogage avant publication de Bibliothèque et Archives nationales du Québec
et Bibliothèque et Archives Canada*

Courtemanche, Gil, 1943-2011

    Le camp des justes : chroniques

    ISBN 978-2-7646-2150-9

    1. Relations internationales. 2. Politique mondiale. 3. Canada – Politique et gouvernement –
1993-2006. 4. Canada – Politique et gouvernement – 2006- . 5. Nouvel ordre économique international. 6. Courtemanche, Gil, 1943-2011 – Pensée politique et sociale. I. Titre.

JZ1242.C68   2011   327   C2011-942168-2

ISBN PAPIER 978-2-7646-2150-9

ISBN PDF 978-2-7646-3150-8

ISBN ePUB 978-2-7646-4150-7

Pour Emma

Note de l'éditeur

Gil Courtemanche souhaitait faire paraître un recueil de ses chroniques du Devoir, mais la mort ne lui a malheureusement pas laissé le temps d'en rassembler la matière. C'est donc l'éditeur qui a sélectionné les textes que vous allez lire. Ce choix, réalisé à partir de plus de quatre cents articles parus entre 2002 et 2011, veut témoigner de la diversité des sujets traités par le chroniqueur, qui vont de la politique et de la société québécoises à la politique internationale, en passant par la vie de son quartier. Il veut également témoigner des lieux qu'il aimait, des causes qui lui tenaient à cœur, des indignations qui étaient chez lui indissociables de l'acte même d'écrire.

Ces chroniques sont présentées par ordre chronologique, reflétant ainsi une actualité toujours mouvante que Gil Courtemanche savait analyser avec une acuité souvent prémonitoire mais qui parfois a su prendre un tour inattendu. Toutefois, son regard s'exerçait chaque fois avec la même franchise, le même ardent désir de faire la part des choses, le même refus de l'indifférence et de la démission.

« L'odyssée de Youssef », à la page 267, est un fragment inédit d'un essai en préparation que l'auteur a fait parvenir aux Éditions du Boréal la veille de son décès.

La forteresse canadienne

17 août 2002

Durant sept heures, dans un avion qui déborde presque, vous avez entendu cinq bébés hurler sans arrêt pour cause de biberons trop froids, de parents négligents ou de tympans douloureux. Après cinq semaines de vacances délicieuses, vous n'êtes vraiment pas content de rentrer au Canada, de retourner au travail dans une canicule qu'on vous annonce démente. On vous avait dit de vous rendre à l'aéroport quatre heures avant le départ. Cela fait donc environ treize heures que vous êtes coincé dans un autobus ou un avion.

Quand, du hublot, vous voyez Montréal au loin, vous poussez un soupir de soulagement, non pas de joie, mais de libération. Enfin, de l'air, de l'espace, puis la maison qu'on retrouvera malgré tout avec plaisir. Et puis, il y a tous ces touristes français qui font en famille leur premier voyage au Canada et qui admirent, ébahis, les grands espaces de cette terre de liberté. L'avion prend des airs festifs. Nous sommes arrivés. Nous sommes libérés.

Eh bien, non ! Parce que la pire partie d'un voyage vers le Canada, c'est l'entrée au Canada. Déjà que Dorval est conçu comme un aéroport de province russe ou de capitale africaine. Mais passons. Après les couloirs mornes et mal aérés, on arrive au contrôle des passeports et des déclarations douanières. Devant nous, plus de 400 personnes qui font la file devant les kiosques des douaniers. Une seule fois depuis des dizaines d'années ai-je vu autant de personnes parquées sans égards en attente de fonctionnaires à l'air méfiant. C'était à l'aéroport d'Alger, aux prises avec une vague de terrorisme quotidien. À Dorval, dans ce pays plus calme que le plus calme des cantons suisses, cette aberration constitue la norme.

Les bébés se sont remis à hurler. Les touristes ont retrouvé leur mine renfrognée et nombreux sont ceux qui se demandent, interloqués, dans quel État policier ils sont arrivés. Car en Europe, pourtant bien plus menacée que nous par le terrorisme, cela fait des lunes et des lunes que le contrôle des passeports se fait en un clin d'œil souriant, qu'on ne remplit pas de déclaration d'importation et qu'on passe les contrôles en cinq minutes ou moins. Je vous parle de l'Europe, mais je pourrais tout aussi bien parler du Rwanda où je suis entré sans visa et sans formalité aucune, de pays du bloc soviétique, du Kenya ou de l'Éthiopie, qui sont tous des modèles de courtoisie et de célérité si on les compare aux douaniers canadiens, première ligne de défense dans la guerre des civilisations.

Il faut quand même avouer que, chez nous, on ne fait pas de discrimination. Peu importe votre couleur ou votre turban, que vous soyez une mémé de Bretagne ou un jeune Bleuet du Saguenay, peu importe d'où vous venez et quelle est votre citoyenneté, tous les passagers qui entrent au Canada semblent représenter un danger potentiel. Réjouissons-nous, on ne fait pas de *racial profiling* au Canada, nous sommes tous et unanimement des trafiquants, des terroristes ou des fraudeurs potentiels.

Il fut un temps lointain où les franchises d'importation pour les citoyens canadiens étaient tellement pingres que plus d'un était tenté, moi le premier, de mentir sur le montant réel de ses achats à l'étranger. Ce n'est plus le cas depuis qu'on peut importer en franchise 750 dollars, peu importe le nombre de déplacements de sept jours qu'on effectue dans l'année. On ne ment plus. Alors, pourquoi ces questions méfiantes sur le genre d'achats, sur l'objet le plus dispendieux acheté ? Je ne vois qu'une seule explication : la bêtise pure et simple.

Nous ne sommes pas seulement des fraudeurs potentiels, nous sommes aussi tous dangereux. Peu importe que vous arriviez de vacances dans un pays aussi suspect que la France ou d'un voyage de travail au Rwanda, on scrute votre passeport avec la même méfiance policière. Tout citoyen canadien que vous soyez, on vous demande de préciser de quelle nature était votre travail ou vos vacances. On va même jusqu'à vous demander si vous avez des amis en France. En entendant cette question, je suis resté interloqué. Si je dis non, le fin limier imberbe qui m'interroge va peut-être suspecter un mensonge ; et si je réponds oui, entre autres un médecin algérien et communiste ou un autre, leader dans la lutte contre la mondialisation, va-t-on me ficher comme ennemi potentiel ? J'ai répondu au douanier que ça ne le regardait pas. Avec une mine patibulaire de flic frustré, le douanier consciencieux m'a répondu sur un ton qui ne souffrait pas de réplique : « Monsieur, ça me regarde parce que moi, je suis ici pour vous protéger. »

Cela fait trois fois que je rentre au Canada en avion depuis le 11-Septembre et que j'ai l'impression que de tous les pays que j'ai visités, le seul qui soit menacé est le Canada. Trois fois que nous sommes des centaines de personnes à sortir de Dorval convaincues que nous venons d'entrer dans un pays d'idiots et d'ignorants, de fonctionnaires pointilleux dénués de bon sens, trois fois en onze mois que j'ai l'impression non pas de rentrer dans mon pays mais dans une forteresse assiégée et menacée de toutes parts. Trois fois que j'ai l'impression de rentrer aux États-Unis.

L'arrogance des médecins

9 novembre 2002

À l'instar de presque tous les Québécois et d'une majorité de commentateurs, j'ai toujours hésité à critiquer les médecins. Il y a d'abord la complexité du dossier, mais surtout une sorte d'admiration mythique pour ces gens qui sauvent des vies, de telle sorte qu'il est difficile de conclure devant leurs revendications répétées qu'ils se conduisent souvent comme de simples commerçants qui veulent augmenter une marge de profit déjà plus que respectable et que, pour y parvenir, ils sont prêts à recourir au chantage et à la pire des propagandes.

Le chantage, c'est la menace permanente du départ vers les États-Unis ou le Canada anglais, chantage qui ne s'est jamais concrétisé dans les faits. À la fin des années 1960 et au début des années 1970, les collèges de médecins, appuyés par les millions de dollars fournis par l'American Medical Association, ont mené une lutte de propagande contre l'assurance hospitalisation et l'assurance maladie, médecine socialiste comparable à celle des bolcheviques.

La propagande, quant à elle, a toujours été constante : « Dans les conditions actuelles, nous ne pouvons assurer des soins de qualité, et le système met la santé publique en danger », dit-on à chaque négociation salariale, même si, depuis trente ans, la performance du système public, malgré des problèmes indéniables, n'a fait que des progrès. Le dernier message télévisé de la Fédération des médecins spécialistes, qui nous montre ce malade perfusé, anonyme dans la foule, marchant inexorablement vers une mort implicite, démontre une absence de responsabilité civique proprement scandaleuse. Encore une fois, ces gens nous disent implicitement qu'ils se situent en dehors des normes que la société accepte. Ce sont des dieux.

*   *   *

Quand un enseignant sort de l'université, il pose sa candidature dans une commission scolaire. Il soumet ses notes et espère qu'on lui trouve un emploi qui ne soit pas très loin de chez lui. Il fait de la suppléance, remplit des tâches dans lesquelles il n'est pas spécialiste, travaille dans des milieux défavorisés. On pourrait dire la même chose de tous les métiers pratiqués au Québec, sauf deux : les avocats et les médecins. Les avocats ne gueulent jamais à propos de leur salaire, sauf s'ils sont procureurs de la Couronne. Ils prennent le risque d'aller généralement en pratique privée et de gagner de l'argent en observant les lois du commerce ignoble qui est le leur. Tant pis s'ils ne réussissent pas. C'est pour cela qu'il existe des avocats très riches et des avocats très peu riches. Les avocats, dans le fond, ne se prennent pas pour d'autres. Ils se prennent pour des plombiers. Ils sont toujours trop chers. Mais les médecins, eux, sont les papes de la vie, les dépositaires de notre bien-être. Les médecins, ce n'est pas rien, c'est la vie.

L'OCDE a souligné dans plusieurs études qu'un des principaux problèmes du système de santé est le mode de rémunération à l'acte. En effet, pour accepter l'instauration du système de santé public, ils se sont taillé un mode de mise en marché de leurs services absolument surréaliste. La très grande majorité des actes médicaux qu'ils posent est remboursée automatiquement par l'État, mais ils ont trouvé le moyen, en plus de cette sécurité absolue, d'agir comme des pigistes ou des entrepreneurs privés. De plus, pour s'assurer que leur part du gâteau financier ne diminue jamais, ils ont convaincu les gouvernements successifs de limiter le nombre de nouveaux médecins et d'interdire concrètement l'engagement des médecins étrangers. Cela s'appelle un marché fermé et monopolistique. Moins il y a de médecins, plus la rémunération minimale augmente en fonction de la croissance des actes faits. Ce n'est pas sorcier.

*   *   *

Pour des raisons que je ne comprends pas, tous les gouvernements ont généralement plié devant le lobby médical. Cela tient probablement à la peur politique d'affronter franchement et ouvertement cette profession qui, ici, est mythique et dont les membres, de tous les professionnels, sont les plus estimés et les plus admirés par la population.

Le ministre Legault, jeudi, s'est opposé à la propagande des médecins spécialistes. J'aurais aimé qu'il le fasse plus vigoureusement et qu'il dénonce cette démagogie de bas étage, digne des politiciens les plus abjects. Il aurait pu en profiter pour rappeler à ces gens que comparativement à tous leurs confrères de l'Occident (à l'exception des États-Unis, où la médecine est devenue un vulgaire commerce), les spécialistes jouissent ici d'un statut et de revenus infiniment supérieurs et privilégiés. Il aurait pu leur rappeler qu'au bout du compte, ils sont des salariés du gouvernement et non des entrepreneurs privés, et que s'ils veulent prendre le risque du privé, ils n'ont qu'à le faire en sortant du régime. Il aurait pu enfin leur dire que des centaines de médecins spécialistes européens, tout aussi compétents qu'eux, seraient plus qu'heureux de venir s'installer au Québec pour doubler ou tripler leur revenu. Il n'a pas osé le faire ; je le fais donc à sa place, convaincu que, dans son for intérieur, il n'est pas loin de penser comme moi.

Démocratie de participation.
Porto Alegre, ville modèle

27 janvier 2003

Porto Alegre — Chaque fois qu'il rencontre un visiteur étranger, Eduardo Macunso, responsable des relations internationales de la Ville de Porto Alegre, lui offre un verre d'eau aux couleurs de la ville et lance en riant : « C'est l'eau de la ville, de l'eau populaire, démocratique et absolument pure. » La qualité de l'eau, pour lui, illustre le mieux la transformation de cette ville qui était complètement délabrée quand le Parti des travailleurs a pris le pouvoir en 1989. En fait, la ville était en faillite.

Aujourd'hui, tous les habitants de la ville ont accès à de l'eau potable, 98 % ont accès à l'électricité, 100 % de la population est alphabétisée (les écoles publiques relèvent de la municipalité au Brésil), le réseau d'égout couvre 92 % de la ville et 1 800 autobus modernes sillonnent cette ville d'une superficie de 470 kilomètres carrés.

Quand le PT remporte la mairie, le Brésil sort de la dictature. La corruption et l'évasion fiscale constituent la norme. Seul le centre de la ville (10 % de la superficie) est doté de services publics. Le PT sera élu sur un programme de transformation radicale de la culture politique brésilienne : la démocratie de participation. « Tous les spécialistes, rappelle Macunso, nous ont dit que notre programme mènerait à l'anarchie populaire et à la paralysie administrative. Nous avons prouvé exactement le contraire. »

En 1993, les mécanismes du budget participatif sont en place.

Depuis, l'équivalent de plus de 800 millions de dollars canadiens ont
été dépensés en fonction des priorités décidées par le Conseil du budget participatif. Ce conseil est formé de deux représentants élus lors des
délibérations qui se déroulent chaque année dans les seize quartiers de
la ville, deux conseillers qui sont liés par les résultats des consultations.
Cette année, environ 70 000 personnes ont participé au processus. Les
citoyens participent aussi aux discussions de six assemblées plénières
thématiques dont les discussions servent à préciser les orientations
dans des domaines comme l'éducation, le développement économique ou la culture.

De plus, la municipalité a mis sur pied vingt conseils qui servent
de lien permanent et de lieux de discussion entre les élus, la société
civile et des travailleurs.

*   *   *

Eduardo Macunso admet sans hésiter que tout ce processus
consomme beaucoup de temps et que la culture démocratique est
exigeante mais, dit-il, « ce que nous perdons en temps, notre bilan le
démontre, nous le gagnons au centuple en efficacité parce que nous
agissons toujours en harmonie avec les véritables besoins du terrain ».

Le succès de Porto Alegre a fait des petits. Macunso souligne avec
fierté qu'une centaine de villes au Brésil ont adopté le budget participatif. Lors du Forum mondial des autorités locales, la mairesse de São
Paulo (sept millions d'habitants) a déclaré que la mégapole du Brésil
se lançait dans cette direction. Le maire de Rosario, une des villes les
plus importantes de l'Argentine, a indiqué que pour lui, Porto Alegre
constituait un modèle essentiel. Quand on demande à Macunso si le
modèle de sa ville peut s'appliquer partout, il prononce un non franc.
« Nous pouvons inspirer, mais chacun doit inventer sa démocratie. »

Gustave Massiah, spécialiste reconnu de la question urbaine, est
du même avis que Macunso mais souligne qu'environ 1 000 villes dans
le monde tentent de suivre la voie tracée par Porto Alegre. Cependant,
il faut prendre conscience de deux risques toujours présents, rappelle
Massiah. « Comment réussir à faire participer des gens à une discus-

sion technique comme celle d'un budget sans tomber dans la techni-cité qui peut occulter le politique ? Et surtout, comment concilier le fait que les gens qui participent sur une base volontaire, même s'ils ne sont pas nombreux, ne représentent pas tout le monde dans la cité ; ils n'en représentent qu'une partie. C'est pourquoi je réponds aux gau-chistes qui veulent faire disparaître les élus qu'il faudra toujours des gens qui détiennent un mandat de l'ensemble de la population. »

Devine qui vient dîner

8 novembre 2003

Barcelone — La semaine dernière, ils sont apparus comme de grotesques nénuphars flottant au large des côtes de l'Espagne, sur ce littoral que, par beau temps, on peut apercevoir du Maroc. Des corps ballottés par les vagues, puis s'échouant lentement sur le sable encore chaud d'un automne doux. Quelques-uns au début, puis des dizaines.

Finalement, c'est une quarantaine de cadavres qu'on a recueillis sur la terre promise, quarante Africains démunis qui s'étaient embarqués sur un Zodiac après avoir payé à des passeurs sans scrupules quelques milliers de dollars pour fuir la pauvreté de leurs villages.

Ce ne sont pas les premiers qui meurent ainsi à quelques centaines de mètres de l'Espagne ou de l'Italie. Ils viennent de partout, du Tchad, du Burkina Faso, de l'Algérie, du Bénin. Ils traversent le désert, les frontières poreuses du Maroc ou de la Tunisie et cherchent le bateau qui réussira à accoster de nuit sur une île comme Lipari ou au sud de l'Espagne. Après, se disent-ils, ils pourront vivre normalement.

Les autorités espagnoles ont fait une grande colère. Elles ont demandé au gouvernement marocain de mieux contrôler ses côtes. Les Marocains ont répondu avec raison qu'il est difficile de surveiller toutes les pistes du Sahara. Elles auraient pu ajouter qu'elles comprenaient bien ces jeunes hommes qui étaient prêts à tout pour quitter l'Afrique. Elles ne l'ont pas dit.

Il y a quelque chose de pathétique, d'insupportable dans la vision d'une forme humaine que transportent les flots. L'Espagne s'est donc émue, mais rapidement l'annonce des fiançailles du prince héritier avec une roturière, présentatrice à la télévision, a renvoyé les pantins flottants dans la mer de l'oubli.

L'Espagne, le Canada, les États-Unis et la France sont des pays civilisés, généreux dans leurs discours, attachés à la Déclaration universelle des droits, impliqués dans la coopération internationale et qui parfois ouvrent leur énorme portefeuille pour « aider » l'Afrique.

Il y a environ un mois, ils étaient tous présents à Cancún, au Mexique, pour la grande messe néolibérale de l'Organisation mondiale du commerce, dont l'objectif officiel est de créer un environnement économique juste et équitable pour tous les pays. Cette justice se fonde sur un principe, l'ouverture des marchés et la libre circulation des biens et des capitaux. George Bush comme Aznar, son copain de guerre espagnol, ne jurent que par ce onzième commandement de Dieu.

Mais voilà que, dans la ville mexicaine, quatre petits pays africains, parmi les plus pauvres du continent, réclament poliment cette égalité des chances. De mémoire, je crois que ce sont le Tchad, le Bénin, le Burkina Faso et le Cameroun. Ce sont de grands producteurs de coton et ils voudraient bien vendre celui-ci dans les pays riches. Ils croient, avec raison, que, si le marché mondial leur était ouvert, les plus pauvres de leurs paysans pourraient vivre décemment. Malheureusement, il existe encore quelques producteurs de coton dans la Louisiane américaine et je ne sais trop où dans quelques pays riches, quelques producteurs qui survivent à coups de subventions et dont les coûts de revient sont infiniment supérieurs à ceux des cultivateurs africains. Ces producteurs occidentaux votent. Il n'est pas question de les aliéner. Les pays riches ont donc décidé de maintenir d'importants tarifs douaniers sur le coton africain, ce qui en réalité ferme le marché occidental aux pays africains.

*   *   *

Revenons à ces cadavres qui flottent sur les eaux paisibles de la Méditerranée et qui ont tant ému les Espagnols avant que le prince ne décide de se fiancer. Parmi ces restes d'humains, il y avait peut-être le fils d'un producteur de coton du Niger ou du Tchad. Voyant l'avenir bouché, son père peinant à survivre de ses champs, ses frères et sœurs mal nourris, il s'est fait un petit pécule, a emprunté autour de lui, a effectué le long et pénible voyage jusqu'au Maroc d'où, les yeux écarquillés, il a pu discerner la terre promise qui refuse d'acheter le coton de son père. Et c'est ainsi qu'il a payé un prix exorbitant, s'est embarqué sur un frêle canot pneumatique et s'est noyé à moins d'un kilomètre d'un travail, n'importe lequel, qui aurait permis à son père d'attendre que les Américains ou les Européens achètent son coton.

Voilà l'incroyable paradoxe. L'Occident, en particulier les Américains et les Européens, dépense des milliards pour contrer l'immigration illégale tout en maintenant ou en créant les conditions pour que celle-ci croisse. On multiplie les patrouilles, les murs frontaliers, les expulsions, les enquêtes policières. On fait la traque systématique à celui qui veut s'asseoir à notre table pour dîner. Puis, dans un grand élan de charité, on disperse quelques dollars dans les pays pauvres au nom de l'aide au développement ou de la solidarité. Les Africains qui fuient n'ont pas besoin de cette charité hypocrite. Ils réclament, dans le cas du coton par exemple, l'égalité des chances, la libre concurrence, des principes qui, paraît-il, nous sont chers et à propos desquels nous nous livrons des guerres commerciales féroces. Les pays pauvres ne possèdent pas les moyens de faire la guerre commerciale, ils nous envoient donc des hommes qui veulent bien risquer la mort pour venir manger avec nous.

Mario le plombier

24 septembre 2004, 19 h 12

Au temps de la préhistoire des jeux vidéo, il y eut Pacman, cette petite créature éternellement souriante qui, en bouffant tout sur son passage, devait franchir neuf labyrinthes et finalement triompher. Cela, me disais-je à l'époque, ressemblait étrangement au parcours rempli d'embûches d'un jeune homme ambitieux qui rêve de devenir premier ministre. Puis, la technologie aidant, Pacman s'est transformé en joyeux plombier éternellement souriant qui s'engage dans la même course aventureuse, triomphant par sa dextérité, son opportunisme, son esprit d'invention, sa rapidité d'esquive et surtout son sourire éternel. Mario était né et fit le bonheur de tous les jeunes, précisément cette génération qui travaille dans l'ADQ et qui croit fondamentalement que le mérite personnel et la débrouillardise constituent les deux piliers de la vie politique. Après tout, dans la plomberie, c'est de la technique et de l'efficacité qu'il faut pour réussir.

Notre Mario à nous avait commencé son parcours sous des auspices prometteurs. Délaissant la stratégie de l'attente embusquée et de la soumission hypocrite des jeunes loups, il a choisi une marque de commerce audacieuse, celle de l'affirmation dissidente. Il avait compris que dans le parti de Robert Bourassa, trop de loups étaient en meilleure posture que lui; aussi, pressé de passer à un autre niveau, celui de petit chef, il a décidé de lancer la plomberie ADQ, qui proposerait le système de plomberie Allaire. C'était un système original qui se situait entre ceux du PQ et du Parti libéral et proposait de laisser à Ottawa le pouvoir de déterminer la couleur des tuyaux.

Quelque temps plus tard, la Plomberie Mario Dumont a été élue meilleure PME de Rivière-du-Loup. La compagnie jouissait d'une bonne image de marque, on voyait souvent son président à la télévision, mais les ventes ne suivaient pas. Le chiffre d'affaires demeurait désespérément plat. Il fallait diversifier. Un jour, en 1995, Mario a reçu une proposition alléchante du géant souverainiste PQ-Bloc : une alliance stratégique avec de gros vendeurs. Ébloui par les promesses de profits, il a signé, abandonné le système Allaire, et s'est mis à vendre du système souverainiste. Bien sûr, en bon patron de PME, il a pris soin de ne pas consulter les actionnaires de l'entreprise qui, du jour au lendemain, devaient vendre un système qu'ils n'aimaient pas. Qu'à cela ne tienne : quand on est en affaires, on est en affaires. Mario, on s'en souvient, est passé à 50 000 votes près de devenir président d'une filiale du Parti québécois ou peut-être ministre dans un gouvernement élargi.

Il fallait construire sur cette nouvelle notoriété en ajoutant un produit audacieux à la gamme de systèmes qu'il partageait avec ses concurrents. Eurêka ! Une rapide analyse du marché lui a fait découvrir que le PQ visait un marché politiquement progressiste pour sa nouvelle campagne de vente et que le Parti libéral empruntait un chemin plus conservateur. À la bourse des idées ne restaient disponibles que la révolution reaganienne, celle du bon sens de l'Ontario et celle du laisser-faire albertain. Voilà des produits révolutionnaires qui séduiront les Québécois, s'est dit le jeune chef d'entreprise, toujours sans consulter ses actionnaires, sinon pour faire approuver sa décision après l'avoir rendue publique. Mais, on le sait, les Québécois sont frileux, ils n'aiment pas les changements brusques et ont des valeurs différentes de celles des Albertains ou des Américains qui appuient Bush. Le lancement en grande fanfare du nouveau produit s'est soldé par une faillite retentissante ; la Plomberie Dumont courait à la banqueroute.

En désespoir de cause, on a fait une étude de marché dans un petit marché prometteur, le secteur Vanier, à Québec. La conclusion était aussi évidente que deux et deux font quatre : les produits Dumont semblaient souverainistes ou néolibéraux et les consommateurs préféraient se procurer les produits originaux et non de pâles copies. Un seul segment du marché demeurait prometteur : celui de la diffamation, de l'injure, de la rumeur, de la démagogie. Les deux autres compagnies refusaient d'investir ce domaine car elles le jugeaient dangereux mais prometteur comme la pornographie. Rendement assuré auprès d'un segment de la population qui aiderait la PME à renverser la vapeur. Le petit plombier, toujours sans consulter ses actionnaires, a donc lancé la gamme de produits CHOI et Scorpion. Ce fut un succès de marketing instantané, évitant la banqueroute à l'entreprise. Cela a légèrement indisposé le marché montréalais, mais la PME avait décidé d'oublier ce marché étranger pour le moment.

Et puisqu'il fallait compléter le repositionnement de la PME et que, chez Dumont, on ne se réunit jamais en assemblée de marchés locaux comme les autres entreprises le font pour proposer des idées de produit, le conseil d'administration a sorti cette semaine le nouveau système de plomberie dit «autonomiste». Les actionnaires se réunissent en fin de semaine pour approuver rétroactivement les nouveaux produits. Y aura-t-il un président de l'aile jeunesse qui refusera et se fera expulser de la PME? Peu probable: la PME Dumont, c'est une PME unie.

P.-S.: J'aurais pu intituler cette chronique «Chercher le vent», mais je tiens à l'amitié de Guillaume Vigneault.

Étranger à Belgrade

23 octobre 2004

Belgrade — Comme toutes les villes en bonne partie détruites par les bombardements de la Seconde Guerre mondiale, Belgrade est une cité grise qui tente de se donner des couleurs. Je me souviens de Lorient, en Bretagne, ou de Dresde, en Allemagne. Mais ici, comme pour créer un peu plus de tristesse, on retrouve cette architecture sombre et pompeuse qui caractérise souvent les anciens pays communistes.

Ici, pour se faire une image plus joyeuse mais aussi pour vivre mieux, on a multiplié les restaurants, les cafés, les bars et surtout les terrasses. Durant cet été indien, car il fait beau ici, on boit beaucoup et longtemps, on discute fort et on se couche tard.

D'ordinaire, dans les pays considérés comme normaux, les gens se soucient modérément de l'opinion du voyageur étranger qui ne transporte pas avec lui une usine ou un contrat dans ses valises. On est curieux, certainement, mais sans plus; c'est une sorte de curiosité polie. Cependant, la Serbie n'est pas un pays normal. Belgrade, qui fut la capitale de l'ancienne et grande Yougoslavie de Tito, îlot réfractaire à Moscou, n'est pas une ville normale. Sur la rue Knesa Milosa, où se trouve l'ambassade canadienne, un édifice de dix étages complètement éventré trône comme une cicatrice mortuaire. C'était le ministère de la Défense jusqu'à ce que les frappes américaines le transforment en carcasse sinistre. C'est une des rues les plus passantes de la ville, et cette ruine rappelle quotidiennement aux piétons qu'en 1999 Belgrade était l'ennemi de l'Occident. La planète entière avait décidé de donner une leçon aux méchants Serbes, responsables de cette guerre civile dont le symbole tragique fut Sarajevo et, plus tard, responsables aussi du nettoyage ethnique qui força à l'exil des centaines de milliers d'Albanais du Kosovo.

Maintenant que la paix est revenue, que la fière et prestigieuse Yougoslavie s'est scindée en cinq pays indépendants mais toujours aussi pauvres, les Serbes, que l'Occident a désignés comme étant responsables de dix années de mort et de sang, angoissent à propos de leur image.

À la blague, j'ai demandé à une jeune étudiante qui s'inquiétait de mon opinion sur les Serbes de me dire elle-même ce que nous devrions penser d'eux. Le lendemain, une lettre parvenait à mon hôtel : « Nous, en Serbie, sommes amicaux, pas compliqués. Nous sommes remplis d'émotions, très sérieux dans nos relations sentimentales, heureux, et nous possédons une âme fraîche. La plupart des gens dans le monde pensent que les Serbes sont méchants et dangereux. Regardez-nous et jugez-nous objectivement. Je vous souhaite un bon séjour dans notre pays. Mitena Panic. »

Depuis quatre jours, pas une heure ne passe sans qu'on me demande ce que je pense d'eux, pas une heure sans qu'on me rappelle que nous avons tout faux et que certes, si des bavures sont survenues, tout ce qui s'est écrit sur les conflits dans la région est truffé de faussetés et de propagande bosniaque. Une journaliste a tenté de me convaincre qu'il n'y avait pas eu de camps de concentration en Bosnie occupée par les Serbes et que les reportages à la télévision n'étaient que des mises en scène. Cette femme qui se décrivait comme progressiste ne défendait pas les Serbes extrémistes de Bosnie, elle défendait tous les Serbes.

Paradoxalement, la Serbie est aussi une sorte de roc impassible planté dans un océan où rugissent les ouragans. Ici, par exemple, l'angoisse qui étreint une bonne partie de la planète à la veille de l'élection présidentielle américaine n'existe pas. Ce n'est ni un sujet de conversation ni une priorité pour les médias. Il m'est impossible autrement que par Internet d'obtenir des informations sur le déroulement de la campagne ou sur les derniers sondages. Ici, dans ce pays qui se dit parfois le plus ancien pays du monde, un empire qui effrayait Alexandre le Grand, dans ce pays qui s'est inventé un passé plus glorieux et plus prestigieux que celui des Grecs, dans ce pays solitaire et farouche, le monde semble lointain et incapable de troubler le solide Serbe. Agrippés à leur dernier rocher, les Serbes observent donc placidement le monde en espérant qu'on les aimera un jour comme ils le méritent.

Et pour bien démontrer qu'ils sont différents de tout le monde, les Serbes souhaitent la réélection de Bush. On savait qu'Israël et la Pologne se distinguaient du reste de l'opinion mondiale, mais voici un troisième pays qui aime le cow-boy fringant. J'ai demandé pourquoi à un charmant professeur de sociologie. Il m'a rappelé que c'est Bill Clinton qui a mis la Serbie au pas. Il a soutenu que les Albanais du Kosovo ont un lobby très influent auprès des démocrates et que Bush, qui n'aime pas les Nations unies, va affaiblir l'organisation internationale, qui administre aujourd'hui le Kosovo. On me dirait que beaucoup de Serbes ne sont pas mécontents que les Américains débarrassent la terre de milliers de musulmans que cela ne me surprendrait pas. Ce que je comprends surtout, c'est que le nationalisme serbe n'est pas mort du tout et qu'après son expression brutale pendant la guerre en Bosnie et au Kosovo, il prend maintenant la forme de l'indifférence au reste du monde… sauf quand l'étranger vient à Belgrade.

Après la générosité, la transparence

15 janvier 2005

L'émotion est parfois mauvaise conseillère. C'est ainsi que, la semaine dernière, dans ma chronique, j'ai exagéré l'importance historique de la catastrophe humanitaire en Asie. Dans les années 1970, un tremblement de terre en Chine et des inondations au Bangladesh ont fait énormément plus de victimes que les tsunamis du 26 décembre. Je m'en excuse.

Je crois que, tout comme des millions de personnes dans le monde occidental, j'ai été emporté par l'élan unique de compassion et de solidarité qui s'est traduit par une générosité individuelle et institutionnelle sans précédent. Comment l'expliquer et surtout quelles leçons en tirer pour l'avenir ?

La télévision, bien sûr. L'impression d'avoir assisté presque en direct au désastre grâce aux images des survivants, qui ont sorti leurs caméras vidéo, images qui se retrouvèrent rapidement sur le Web ou à la télévision. Dans le passé, on constatait les dégâts une fois l'horreur passée. Rivés à nos télés durant cette période de congé, nous avons vu des enfants emportés par les vagues, des villes en ruine flotter sur les flots rugissants. Nous étions là. Le fait que les premières images de destruction et les décomptes initiaux de victimes nous soient parvenus de Thaïlande et de Phuket en particulier joua un rôle déterminant. En ce 26 décembre, des milliers de touristes occidentaux peuplaient ce petit paradis qui est aussi un haut lieu de tourisme sexuel. Très rapidement, on apprit au Canada, en Suisse, en Allemagne, en Suède qu'un ami ou une connaissance faisait peut-être partie des victimes. Pour la première fois, des milliers d'Occidentaux faisaient partie d'une catastrophe naturelle survenue dans le Sud. Nous étions partie prenante. Cela explique en bonne partie la mobilisation médiatique qui a enclenché le mécanisme de solidarité. Il ne s'agit pas ici de déprécier la réaction et la générosité, il s'agit de la comprendre. Ce n'est pas par hasard que c'est beaucoup plus tard que nous parvinrent les images des pays qui furent le plus lourdement touchés par les tsunamis, l'Indonésie et le Sri Lanka. Dans ces deux pays, ce sont des régions éloignées des grands centres qui furent touchées, des zones en proie à des conflits séparatistes où les Occidentaux se font rares.

Dans *Le Devoir* d'hier, Rony Brauman décrivait avec justesse et franchise les dérives qui risquent de se produire, en toute générosité, durant l'action humanitaire. Mauvaise allocation des ressources, délire catastrophique, chevauchement, désorganisation. Ce sont là des réalités que tous les humanitaires connaissent trop bien mais qui font rarement la manchette parce que la reconstruction et l'utilisation des fonds recueillis se font dans le long terme et attirent rarement l'attention des médias.

Il en est ainsi des promesses d'aide faites en catastrophe par les gouvernements. Par exemple, des centaines de millions promis à la suite du tremblement de terre à Bam, en Iran, quelques pauvres millions ont été effectivement versés. Les promesses des États à l'ONU n'ont pas été respectées dans plusieurs cas. Mentionnons la République démocratique du Congo, l'aide à l'Autorité palestinienne ou encore le programme de lutte contre le sida en Afrique. Les médias doivent effectuer un travail plus serré de vérification et de suivi en ce domaine. Le gouvernement canadien pourrait aussi profiter de cette occasion unique pour donner l'exemple et mettre sur pied un système qui permettrait régulièrement de faire le point sur l'aide humanitaire promise et son utilisation.

La générosité sans précédent qui s'est exprimée en Occident et qui a vu diverses organisations non gouvernementales recueillir des sommes dont personne n'aurait osé rêver pose un défi exigeant et fournit une occasion historique à ces organismes qui sont un peu les mandataires de notre solidarité collective: celui de la transparence, qui est aussi un moyen de nous associer à leur action. Quoique maladroitement, Médecins sans frontières a tracé le chemin en déclarant que l'ONG n'avait plus besoin de dons pour les victimes des tsunamis. Loin de moi la pensée que la Croix-Rouge ou Oxfam, ou encore Médecins du monde, nous dissimulent des choses et que notre générosité s'égare dans les méandres administratifs et bureaucratiques. Mais cette générosité exceptionnelle requiert une information exceptionnelle si on veut que la fibre solidaire ne se tarisse pas. Les ONG ont tout intérêt à informer périodiquement, non seulement leurs membres, mais le public en général des progrès qu'elles font, des difficultés qu'elles éprouvent. J'ai parlé de mandataires plus haut, ajoutons que nous sommes aussi les actionnaires de ces organismes et qu'à ce titre nous avons droit à nos rapports semestriels d'activité.

La situation politique qui règne en Indonésie et au Sri Lanka pose aussi un problème délicat et complexe pour lequel le devoir de transparence est aussi fondamental. Il s'agit de l'instrumentalisation politique et parfois de la militarisation de l'aide humanitaire. En ce domaine, les ONG marchent souvent sur des œufs, prises qu'elles sont en zone de conflit entre insurgés et autorité centrale, mais la nécessité d'informer demeure impérieuse. Somme toute, la générosité exceptionnelle dont ont fait preuve les Canadiens présente une occasion en or d'associer plus intimement et plus systématiquement les citoyens au monde de la coopération internationale. Aux ONG d'en profiter.

L'absolu gâchis

22 janvier 2005

Comment définir un gâchis politique absolu? La définition n'existe dans aucun manuel de science politique. Par contre, avec le navrant épisode du financement des écoles privées juives, nous disposons d'un mode d'emploi qui décrit dans le menu détail tout ce qu'un gouvernement ne doit pas être. Un gâchis politique absolu, c'est une décision qui ne fait que des perdants et qui laisse derrière elle une forte odeur de soufre.

Les premiers perdants, ce sont bien sûr MM. Charest et Reid ainsi que le Parti libéral du Québec. Ce triste épisode digne d'un opéra bouffe les poursuivra jusqu'aux prochaines élections. L'ensemble du caucus est perdant lui aussi. Comment les députés expliqueront-ils à leurs électeurs qu'ils ont appris cette décision en lisant les journaux? Le Conseil des ministres fait aussi partie des «dommages collatéraux» provoqués par l'étourderie et la bêtise politique de la garde rapprochée de Jean Charest. Un des rôles du Conseil des ministres consiste aussi à étudier la justesse politique (dans le sens noble du terme) d'un projet, sa correspondance avec la société québécoise, sa pertinence sociale. Voilà donc qu'ils découvrent que, selon les besoins de sa politique personnelle, le premier ministre n'hésite pas à se passer d'eux. Et que dire de la Dame de fer, la Jeanne d'Arc de la comptabilité, qui découvre que son patron attend qu'elle soit en vacances pour faire approuver un projet auquel elle s'oppose vertement? Une personne moins ambitieuse que Mme Jérôme-Forget aurait remis sa démission devant un tel affront. Jacques Chagnon, qui s'est plié aux caprices du premier ministre, sort de cette histoire avec l'image d'un valet prêt à tout pour faire plaisir à son maître. Quant à Pierre Reid, n'en parlons pas. Tout a été dit.

Qu'on le veuille ou non, toute décision politique qui touche la communauté juive est délicate et recèle un potentiel explosif. Cela est vrai dans toutes les sociétés occidentales. Des siècles d'antisémitisme, la mémoire de la Shoah, les résurgences ponctuelles de gestes antijuifs, le sentiment souvent inconscient de persécution qui existe encore chez certains membres de cette communauté, tout cela transforme le terrain politique normal en champ de mines. Dans cette histoire, les plus grands perdants sont bien sûr les représentants de la communauté à qui on a fait croire que leur demande était tout à fait raisonnable et que les Québécois l'accueilleraient avec leur esprit de tolérance habituel. Ils seront malheureusement nombreux, dans la communauté juive, à voir dans notre refus unanime une manifestation sourde d'antisémitisme de la part des Québécois francophones, renforçant ainsi un sentiment injustifié d'exclusion. Ils se trompent absolument. C'est au financement à 100 % d'écoles privées que les Québécois se sont opposés. Mais tous, à cause de Jean Charest, ne le croiront pas. Perdante aussi, toute la collectivité québécoise, qui a son lot de racistes et d'antisémites. Ceux-ci verront dans l'acceptation par le premier ministre de la requête de la communauté juive une preuve supplémentaire de la puissance occulte du «lobby juif» et du statut privilégié que lui donne la puissance de l'«argent juif». Des dizaines de milliers de pitoyables bouffeurs de juifs trouveront dans cette pantalonnade politique d'autres raisons de nourrir leurs préjugés et leur haine. Perdante aussi, la communauté grecque, qu'on avait oubliée depuis des lustres et qui se demande peut-être maintenant si le statut particulier de ses deux écoles ne sera pas remis en question. Finalement, nous sommes tous perdants collectivement parce que le patinage du premier ministre à propos d'un éventuel retour d'ascenseur pour de généreuses contributions à la caisse de son parti viendra alimenter le sentiment croissant de méfiance à l'endroit de la politique et la certitude que les riches donateurs jouissent d'un accès privilégié au premier ministre. Dans le cas qui nous occupe, il est difficile de ne pas le penser.

Plus profondément, cet incident, comme la saga de la centrale thermique de Beauharnois, illustre la conception du pouvoir qui anime le premier ministre. Outre ses convictions idéologiques conservatrices, il gouverne comme s'il était le propriétaire et non pas le dépositaire temporaire du pouvoir. Selon cette conception, le premier ministre agit un peu comme le chef de la direction d'une entreprise familiale qui n'est pas inscrite en Bourse, une entreprise privée dont il possède la totalité des actions. Ce type d'entrepreneur consulte parfois quelques assistants qui lui sont aveuglément fidèles car ils lui doivent tout. Lui ne doit rien à personne. Il ne sent pas non plus le besoin d'associer les cadres de l'entreprise, sinon pour maintenir une sorte de paix interne, et, quand il est convaincu d'une chose, il fonce les yeux fermés et décrète.

L'incroyable tollé populaire, le rejet à 90 % ne constituent pas seulement le refus d'une mesure précise mais aussi, en même temps, le refus d'une manière de gouverner en vase clos sans se soucier du Québec réel. En fait, les citoyens québécois ont aussi tenté de dire à M. Charest qu'il est un premier ministre élu par des millions d'actionnaires à qui il doit des comptes. Les Québécois lui ont aussi dit qu'il n'est pas propriétaire d'une PME sherbrookoise.

La guerre ne fait pas le printemps

19 mars 2005

En ce deuxième anniversaire du début de la guerre en Irak, la Maison-Blanche parle de «jours glorieux» pour la démocratie au Moyen-Orient tandis que même un féroce adversaire de George W. Bush comme le *New York Times* parle de «printemps arabe». D'où viennent ce soudain vent d'optimisme et cette lecture un peu simpliste d'une situation complexe? De quelques événements significatifs ou symboliques qui se sont produits depuis le succès relatif des élections en Irak.

Il faut certes souligner le courage des 56% d'Irakiens qui ont bravé la violence pour exprimer leur opinion. Mais comme je l'ai souligné dans cette chronique, on a assisté à un vote ethno-religieux qui ne fait qu'exprimer le poids démographique des trois groupes qui composent l'Irak. Il est impossible de prédire aujourd'hui de quelle démocratie ces élections accoucheront.

Pour appuyer cette thèse du printemps démocratique dans cette grande région, on cite pêle-mêle le rapprochement entre l'Autorité palestinienne et le gouvernement Sharon, l'annonce d'une élection présidentielle en Égypte, le repli des troupes syriennes au Liban, l'élection présidentielle en Afghanistan, les manifs de l'opposition à Beyrouth et les élections municipales en Arabie saoudite. Selon cette thèse, tout cela ne se serait pas produit si les Américains n'avaient pas envahi l'Irak.

Cet amalgame simpliste ne résiste pas à l'analyse. Parlons de ce qui ne change pas dans la région. Le Pakistan, grand allié américain, demeure une dictature corrompue et le refuge de toutes les mouvances islamistes extrémistes. L'Iran, froissé par les discours belliqueux de Washington, a vu le pouvoir des conservateurs religieux se consolider, sinon s'accroître. Ici, c'est toujours l'hiver qui sévit. Certes, le président Karzaï a été élu, mais il vient d'annoncer le report des élections législatives et, selon les Nations unies, l'Afghanistan est redevenu un État narcotrafiquant. Difficile ici de parler d'État démocratique.

Parler des élections municipales en Arabie saoudite relève de la rigolade. Les municipalités ne disposent d'aucun pouvoir réel et les femmes, évidemment, n'ont pas pu voter. La promesse d'une élection présidentielle au suffrage universel en Égypte tient aussi de la mascarade et de la propagande. En théorie, le régime est déjà multipartite, mais toute la vie politique est en fait dominée par le parti de Moubarak, le Parti national-démocrate. La pauvreté de l'opposition et le contrôle absolu des médias par le gouvernement égyptien rendent actuellement illusoire toute forme d'élection présidentielle vraiment démocratique.

Jeudi au Caire, l'Autorité palestinienne signait un accord avec les factions extrémistes visant à prolonger la trêve. L'élection de Mahmoud Abbas s'est faite dans les règles et on s'apprête à tenir un scrutin municipal. Les conversations ont repris entre Israéliens et Palestiniens, et on ne peut que s'en réjouir. Mais ce dégel évident n'a rien à voir avec la guerre en Irak. Cette embellie est la suite logique de la mort de Yasser Arafat, dont l'orgueil et la faiblesse bloquaient toute forme de véritable vie politique en Palestine.

Quant au Liban, voilà un autre exemple de lecture simpliste de l'évolution d'un pays. Quand on a vu la place des Martyrs noyée sous les drapeaux libanais et entendu les cris de « Syrie dehors! », on a comparé cette situation à la révolution orange ou à celle de velours. Il serait bon de rappeler ici aux exégètes du « printemps arabe » que le Liban est un pays démocratique depuis des années et qu'il jouit d'une liberté et d'une diversité de la presse qui feraient rougir les journalistes américains. La présence syrienne au Liban ne s'est pas toujours exercée aux dépens de la démocratie et des intérêts libanais, et le retrait des troupes de la Syrie ne garantit absolument pas que son influence sera moins déterminante. La démonstration de force de son allié, le Hezbollah, le prouve assez clairement. Mais encore une fois, cette résurgence de l'expression démocratique n'est aucunement liée à l'invasion de l'Irak.

C'est l'assassinat de l'ancien premier ministre Hariri qui a jeté les foules dans la rue. Et c'est l'intelligence tactique du président syrien qui a jeté un os à l'opposition en retirant ses troupes. Il sait fort bien qu'avec ses amis chiites du Liban et de l'Iran, il peut toujours peser lourdement sur la vie politique libanaise.

Il serait idiot de nier que l'envie démocratique ne fait pas de progrès au Moyen-Orient. Mais cette nouvelle ferveur relève en très grande partie d'une lente évolution du monde arabe et musulman. La création de l'Autorité palestinienne et d'un État palestinien dans un proche avenir a modifié la lecture simpliste véhiculée par les États arabes de la région, qui utilisaient le conflit pour faire oublier à leurs populations les abus dont elles étaient l'objet. Plus importante encore est la fragmentation de l'opinion publique, autrefois complètement modelée par les monopoles étatiques de l'information. Depuis la fondation de la télévision par satellite al-Jazira, il y a huit ans, la chape de plomb qui enveloppait le monde arabe a fondu. La chaîne qatariote n'est pas sans défauts, mais elle véhicule une vision diversifiée du monde politique et de l'univers religieux musulman. Al-Jazira a fait des petits, et une dizaine de chaînes abreuvent maintenant la région d'informations diversifiées. Voilà ce qui a vraiment changé et qui explique en bonne partie le bouillonnement actuel. Le monde arabe et musulman commence à savoir ce qui se passe dans le monde.

Petite révolution et occasion ratée

2 avril 2005

Je dois avouer que c'est avec une certaine admiration et un ravissement étonné que j'observe depuis un mois les étudiants monopoliser la rue et les manchettes. Je ne reviendrai pas sur la justesse de la cause et sur leurs revendications toutes justifiées. Ce qui m'émerveille, c'est non seulement la détermination dans la durée, la participation massive, mais surtout l'éclosion surprenante d'une nouvelle génération de jeunes citoyens décidés à prendre place et parole dans la société. Nous assistons en fait à une petite révolution qui augure bien pour l'avenir du Québec.

Les gens de ma génération se lamentaient à propos de la jeunesse. On la croyait unanimement et irrémédiablement tarée par les jeux vidéo, le heavy metal, la vulgarité radiophonique et tous les *Loft Story* de la planète. On les disait apolitiques, hédonistes et égoïstes. Ils avaient déserté en masse les partis politiques et leur participation aux élections était en chute. Une génération perdue, disait-on.

Non, cette génération ne refusait pas la politique, mais la politique que leur proposaient le PLQ, le PQ et l'ADQ, cette politique partisane et élitiste, ce paradis de la langue de bois et de la manipulation des esprits. J'en ai déjà parlé ici: au fur et à mesure qu'ils se détournaient de la politique classique, ces jeunes entraient dans la politique de la solidarité internationale, dans la contestation de l'ordre mondial symbolisé par la globalisation marchande ou par la guerre contre l'Irak. Les premiers signes de cette autre politisation, on les a constatés lors du Sommet des Amériques à Québec en 2001 et encore plus lors des manifestations massives contre la guerre en Irak durant l'hiver 2003.

On les disait aussi incapables de s'exprimer, de développer des raisonnements politiques. Or, depuis plus d'un mois maintenant, on entend non seulement des leaders mais aussi des élèves de la base prononcer un discours cohérent et faire preuve d'une conscience politique. Il y a aussi quelque chose de réjouissant à voir se joindre au mouvement des élèves des dernières années du secondaire, qui expliquent calmement et intelligemment que c'est leur avenir qui est en jeu. Voilà dans la pratique des heures de grève qui feront plus pour leur éducation citoyenne que tous les cours de civisme qu'on pourra leur donner.

À l'avant-garde du mouvement étudiant, autant dans la tactique que dans le discours, la CASSEE a démontré jusqu'ici une force notable. Avec 40 000 «membres», l'organisation étudiante a développé un langage, un discours politique inclusif animé par une véritable conception démocratique de la société. Sans dire comme le font leurs leaders que les grandes fédérations étudiantes qui négocient avec le gouvernement tiennent un langage corporatiste, il faut avouer que leur analyse politique est mieux structurée et qu'elle propose une approche plus globale.

En mettant sur le même pied, et en les incluant dans leurs revendications, les compressions annoncées de 150 millions dans l'aide sociale, le mépris du gouvernement pour les plus pauvres, la paupérisation progressive du service public de même que les 103 millions qui les concernent directement, les militants de la CASSEE font une analyse juste: nous faisons face à un gouvernement qui gouverne contre la majorité de la population, une sorte de gouvernement moralement et politiquement illégitime. Il suffit ici de rappeler que ce gouvernement demande aux étudiants et aux assistés sociaux de financer des réductions d'impôt inutiles et injustifiées, sinon pour respecter un engagement électoral doctrinaire.

Ce qui est surprenant et regrettable cependant, c'est que les autres forces de la société civile, je pense en particulier aux centrales syndicales et au mouvement communautaire, n'aient pas saisi l'occasion que leur présentait le mouvement étudiant. Il y a là une sorte de rendez-vous manqué qui aurait pu ébranler les bases mêmes de ce gouvernement, sinon sa légitimité usurpée.

Les étudiants de la CASSEE ont raison. La défense du service public, le financement du secteur public et son amélioration, la lutte contre la pauvreté et la protection des acquis sociaux, tout cela constitue un même combat, tout cela se tient. Certes, dans l'ensemble, les ténors syndicaux et certains syndicats ont manifesté leur appui aux revendications étudiantes. Mais cet appui en fut un de paroles et s'est rarement transformé en action. Il y a un an, la Confédération des syndicats nationaux avait obtenu le mandat de ses membres d'organiser ce qu'on qualifiait de «grève sociale». La grogne étudiante, la perspective de compressions dans l'aide sociale et le spectre d'une camisole de force dans le service public auraient pu constituer les assises d'un premier front commun social dans l'histoire québécoise. Il est regrettable que les stratégies syndicales et les impératifs du maraudage aient pesé plus dans la balance que la vision sociale des centrales syndicales.

Un grand pape pour son Église

9 avril 2005

Aux morts qu'on ne connaît pas personnellement, on ne doit que le respect. Le respect pour leur agonie, le respect pour leur disparition. Voilà un être humain de moins sur la terre. Quand c'est une personne connue, puissante ou influente qui meurt, on doit bien sûr souligner la perte (s'il en est une), la perte pour l'organisation qu'elle dirigeait, le pays, la famille, les *fans*. La mort n'est pas le temps des règlements de comptes avec celui qui part, ni celui du mensonge admiratif. La mort ne doit surtout pas servir de prétexte à un délire médiatique admiratif et glorifiant qui travestit à la fois la personne et les faits. Les morts, même les plus orgueilleux, ne demandent pas qu'on mente en leur nom.

C'est pourtant ce que Radio-Canada a fait durant une semaine, attachant son besoin de cotes d'écoute à l'agonie puis à la mort de Jean-Paul II, toutes deux si habilement mises en scène et exploitées par le Vatican. Des heures et des heures de commentaires, des heures d'images inutiles, des jours de télévision sans aucun objet, sinon que de participer à une sorte de publireportage destiné à transformer un pape ultraconservateur en visionnaire et une Église à la dérive en phare de l'humanité.

Ce fut un homme fascinant. Il faut le dire. Jeune, il écrivait de la poésie et du théâtre. Il s'adonnait aux sports les plus périlleux. Il parlait toutes les langues de la planète. Il embrassait le sol des pays où il atterrissait, même les sols les plus pauvres. Il rapprochait les religions, s'excusait auprès des Juifs. Quel personnage. Effectivement.

J'ai rencontré le pape au Rwanda, dans la ville de Ruhengeri. Une femme agonisait sur un matelas miteux posé devant sa propre maison dont elle avait été expulsée par ses fils. Elle était sidatique, faute d'avoir eu recours à un condom. Elle égrenait un chapelet et marmonnait des *Ave Maria* entre deux crachats de tuberculeuse. Deux petites religieuses rwandaises la consolaient de sa mort à venir. Son visage était une ruine, et Jésus se serait précipité vers elle pour lui demander pardon de ne pas avoir été là pour lui donner un condom. Mais Jésus était absent. Le pape était passé au Rwanda quelques mois plus tôt. Il avait expliqué au nom de Jésus que le condom était une œuvre du diable. Il avait aussi dit que les femmes violées ne peuvent pas avorter. Il avait aussi expliqué qu'il fallait lutter contre la pauvreté mais que ceux qui contrôlaient les naissances souffriraient éternellement en enfer. Je cherchais Jésus, le Fils de Dieu, dans toutes ces paroles, ces ordonnances, ces règles, ces encycliques, mais je ne le trouvais pas. Je ne découvrais, n'entendais que le dogme que martelait cet homme si sympathique qui trouvait normal que des humains meurent pour que soit assurée la pérennité du dogme inventé par son Église.

J'ai laissé la dame mourir sans caméra et suis retourné à la clinique de prévention du sida, qui était animée par un père blanc belge. Il distribuait des condoms sans égard aux admonestations papales. À la blague, je lui ai dit qu'il était un grand pécheur. Il n'a même pas sourcillé et m'a calmement répondu avec un léger sourire qui m'habite encore : «Je préfère mourir avec les pécheurs que de ne pas être humain.» Entre l'enfer et Jean-Paul II, il avait choisi l'enfer.

Un correspondant de Radio-Canada lui a même attribué la chute du mur de Berlin. Oui, le pape a lutté contre le communisme. C'est normal, il était catholique. Mais ce sont des gens ordinaires, des millions d'entre eux, des protestants, des juifs, des athées, qui ont dit non au totalitarisme soviétique et qui sont descendus dans les rues. Mais à la même époque, ce pape écartait et menaçait d'excommunication tous les théologiens réformistes, les prêtres qui luttaient contre les dictatures soutenues par l'Opus Dei, son bataillon chéri. Il tançait Mgr Romero et tous les autres qui s'opposaient aux régimes catholiques et oppressifs de l'Amérique du Sud et de l'Amérique centrale. À la même époque, quand Rome dénonçait les abus du communisme, Rome priait avec Augusto Pinochet.

On n'a pas cessé de nous rappeler durant ces dix jours sa lutte incessante pour les droits de l'homme. Oui, en théorie, son discours a toujours été généreux, inclusif et empreint de sollicitude pour les faibles et les démunis. Mais quel silence sur les droits des femmes! Dans les pays pauvres, c'est l'anathème sur le contrôle des naissances et tous les moyens de contraception qui condamne des millions de femmes à la pauvreté. En 1989, les Polonaises jouissaient de droits relatifs à l'avortement qui étaient à l'avant-garde de l'Europe. Depuis que la liberté leur est tombée dessus, les femmes polonaises ont vu l'Église imposer l'adoption de lois si restrictives que la Pologne se retrouve maintenant en queue de peloton dans ce domaine en Europe. Et je ne parle pas de la moitié de l'humanité qui ne jouit d'aucun droit dans cette Église où les femmes sont des fidèles de seconde classe, juste bonnes à laver les burettes et à ranger les chasubles et les mitres.

Oui, les commentateurs ont raison. Ce fut un grand pape, un grand pape pour son Église. Comme on dit dans les pages financières, il a redressé la situation de son organisation, il a amélioré son image de marque et accru sa visibilité. Pour cela, pour cette détermination, il faut admirer son bilan. Pour le reste, il faut bien reconnaître qu'il a érigé une Église complètement coupée de la vie et de la douleur quotidiennes de ses fidèles.

Zones d'ombre

28 mai 2005

En cette époque d'information continue, de liaisons satellites et d'Internet, la somme d'informations produites nous donne l'illusion de tout savoir de la planète. En fait, nous parvenons à connaître des milliers d'événements quotidiens, mais on peut se demander si nous savons ce qui se passe, ce qui arrive vraiment.

C'est l'impression que j'ai eue il y a deux semaines, quand j'ai eu la chance de rencontrer une délégation de six femmes irakiennes de diverses origines qui, dans leur pays torturé, luttent pour les droits de la femme. Nous savons ce qui survient en Irak mais ignorons totalement ce qui se passe, quelles sont les transformations profondes de la société qui s'opèrent au fil des attentats et des rivalités internes. Voilà une immense zone d'ombre terrifiante.

Même impression en lisant cette semaine un remarquable reportage dans le *Globe and Mail* sur le sida au Swaziland, petit royaume africain d'un peu plus de un million d'habitants. Le sida et l'Afrique, je croyais connaître. Surprise ! En deux ans, le sida y a fait une progression en apparence inexplicable compte tenu du fait que ce petit pays est un de ceux qui reçoivent le plus de fonds par habitant pour lutter contre la maladie. Le taux de séropositivité est passé de 38 % à 42 % et certains activistes parlent d'un pays qui va peut-être disparaître de la carte d'ici vingt ans. Pour lutter contre le fléau, le roi Mswati III a interdit les relations sexuelles aux adolescentes pour une période de cinq ans. Le roi, qui dispose d'une influence déterminante sur le pays et ses mœurs, possède plus de douze épouses et, quelques jours après l'annonce que son pays était le plus infecté de l'Afrique, il présentait à la population deux nouvelles fiancées de quatorze ans. Ici, la zone d'ombre, c'est la culture machiste des Swazis, qui tue malgré tous les fonds des Nations unies.

Qui n'a pas été surpris, il y a quelques années, par le renversement pacifique de Slobodan Milosevic, qui régnait sans partage sur l'ex-Yougoslavie? Tout avait commencé avec un groupe d'étudiants universitaires qui organisaient des manifestations devant le parlement serbe. De quelques milliers, ils se multiplièrent comme de petits pains et Milosevic, devant le million de personnes qui campaient dans Belgrade, tira sa révérence. Personne n'avait vu venir un tel dénouement. On pourrait dire la même chose des révoltes spontanées et populaires qui ont amené récemment la démocratie en Géorgie et en Ukraine. Et peut-être voit-on ces jours-ci le début d'un mouvement identique en Ouzbékistan où, il y a deux semaines, la répression de manifestations populaires a fait des centaines de victimes. D'ailleurs, on annonçait hier la formation d'un nouveau parti politique composé de jeunes hommes d'affaires proaméricains qui proposent la démocratie et la libéralisation de l'économie.

Que se passe-t-il vraiment dans cette immense zone d'ombre que sont les anciennes composantes de l'URSS, autant en Europe qu'en Asie centrale? Serait-ce que l'idéal démocratique fait lentement son chemin et qu'il fleurit spontanément dans toutes ces dictatures? C'est ce que beaucoup ont conclu.

Cette semaine, la chaîne CBC levait un coin du voile sur le mystère de la vague démocratique qui déferle dans l'ancien empire communiste. Il y a bien sûr un peu de spontanéité, mais aussi beaucoup d'organisation professionnelle et d'argent américain, fonds qui proviennent en partie de la Fondation George Soros et en partie, pour beaucoup, du département d'État à Washington. L'ambassadeur américain en Ukraine a lui-même admis qu'il avait largement financé la campagne de l'opposition. Derrière cette spontanéité, on trouve les petits brillants qui ont renversé Milosevic. Depuis, ils se sont regroupés en compagnie et forment des militants de la révolution démocratique. Ce groupe, financé entre autres par Soros, a participé à l'organisation professionnelle et planifiée comme une campagne militaire des révoltes spontanées que nous avons vues à la télévision et qui nous ont certainement fait verser une larme démocratique.

L'aide aux oppositions démocratiques dans la sphère communiste a commencé sous Ronald Reagan en 1980, alors que les États-Unis ont largement financé le syndicat Solidarnosc en Pologne. Le président champion de la démocratie appuyait en même temps la Contra au Nicaragua et le régime Pinochet, qui assassinait la démocratie.

Revenons à la zone d'ombre de l'Asie centrale. Est-ce qu'on doit s'attendre à ce que les Américains encouragent le feu de brousse démocratique pour qu'il embrase aussi l'Ouzbékistan, l'Azerbaïdjan, le Kirghizistan, le Kazakhstan, etc., cette région si riche en pétrole et en dictatures corrompues, bien pires que celles de la Géorgie et de l'Ukraine? Rien de moins certain. Presque toutes ces anciennes républiques soviétiques, même celles gouvernées par d'anciens cadres du parti communiste soviétique, sont depuis longtemps installées solidement dans le camp occidental. Durant la guerre en Afghanistan, les Américains et leurs alliés afghans ont utilisé plusieurs de ces pays comme base arrière ou d'approvisionnement. Mercredi, on inaugurait l'ouverture de l'oléoduc Bakou-Tbilissi-Ceyhan, un projet américano-britannique, en présence du secrétaire américain à l'Énergie, du nouveau président géorgien Saakachvilli, issu de la révolution orange, et du président de l'Azerbaïdjan, Ilham Aliev, dont le pays a reçu en 2003 le statut commercial de « nation la plus privilégiée » par Washington. Un an auparavant, des manifestations prodémocratie dans la capitale Bakou avaient été sauvagement réprimées par le régime sans que l'ambassade américaine songe à financer une révolution orange.

Savons-nous vraiment ce qui se passe dans cette zone d'ombre? Et si la guerre froide se poursuivait mais qu'elle avait choisi les armes du marché et du contrôle économique? Cela expliquerait peut-être pourquoi la démocratie est nécessaire en Géorgie mais bien secondaire en Azerbaïdjan ou en Ouzbékistan.

Vivre tue

4 juin 2005

> *La vie est une maladie mortelle transmise sexuellement.*
>
> JACQUES TESTART, *Le Désir du gène*

Je me lance sans filet dans un plaidoyer inutile qui sera sans effet et que ces bourgeois corrects, propres et en santé qui nous gouvernent trouveront ridicule. Je me fourvoie dans le totalement politiquement incorrect. J'avoue donc mon état de brebis galeuse et de coupable. Une question : Monsieur Couillard, quand on vous payait richement pour soigner le cœur des princes saoudiens, leur faisiez-vous la leçon et leur disiez-vous qu'il fallait interdire la cigarette dans leur royaume où sont déjà interdits l'alcool, les drogues, la baise et tous les menus plaisirs qui font la vie des gens normaux ?

Une nouvelle société est née. Elle est constituée d'âmes et de corps sains. Qu'ils soient voleurs, commandités, escrocs ou machistes, ils ne fument pas. Péquistes ou libéraux, fabulateurs et manipulateurs, les gens bien veulent notre bien. Pour bien faire, je crois que toute la bonne société s'est mise au Perrier et que l'Assemblée nationale est maintenant tout à fait dépourvue de députés soûls. Cela paraît. Vous auriez intérêt à boire plus et à faire preuve de plus de fantaisie. La bêtise sobre est la pire des bêtises. D'ailleurs, les sondages vous renvoient cette image que vous leur donnez. L'image de personnes ennuyantes que personne n'a envie d'inviter chez Pacini pour une pizza et une bonne bière.

Oui, je m'égare, monsieur Couillard, et vous, le médecin, devinerez dans mes propos qui ne ressemblent pas à une question de Bernard Landry un relent de vin rouge et de beaucoup de cigarettes. Votre diagnostic est impeccable. Bravo! Vos médecins bavards vous disent que la cigarette tue. On le sait. Que la fumée secondaire tue. On le sait vaguement et, sur ce sujet, aucune étude n'est précise. Admettons que j'aie tué par fumée secondaire 300 personnes. J'arrête de fumer je vous le jure. J'arrête si vous reconnaissez que la pauvreté provoque la malnutrition, des mauvais résultats à l'école, l'assistance sociale, des déficiences mentales, une croissance de la criminalité, de l'alcoolisme et de l'abus des drogues. J'arrête de fumer si votre gouvernement s'attaque à l'ultime pollution qui est celle de la pauvreté. Vous vous en foutez, de la pauvreté je veux dire, et vous vous dites: qu'il meure, ce fumeur.

Votre justification est magnifique en ces temps de pauvreté étatique. Les fumeurs qui ont financé le Stade olympique grèvent le budget québécois de la santé. Il faudrait peut-être refaire vos devoirs. Les fumeurs meurent plus rapidement que vous et le cancer du poumon est une pathologie foudroyante. Peut-être sommes-nous des morts en sursis qui coûteront bien moins cher à l'État que mon père qui s'étiole de la maladie de Parkinson. Et puis, vous ne vous trouvez pas ridicule quand vous vous demandez si fumer sur une terrasse devrait être permis selon que celle-ci soit couverte ou non? Que faire des pluies acides et des vents, que faire de la vie, monsieur le ministre qui veut remplacer le premier ministre? Je pose la question, mais je sais que la réponse est non. Pourquoi ne pas donner la liberté? Restaurants, bars pour fumeurs ou pour non-fumeurs. Les employés? Ils ont le choix de leur risque comme ceux de la construction ou les pompiers qui savent bien que le feu brûle. Faut-il interdire le métier de pompier parce qu'il comporte trop de risques? Et les motos, monsieur le médecin-ministre, et le protocole de Kyoto, monsieur le médecin-ministre, et les 4 x 4 qui dégorgent et qui ne sont pas plus taxés que des deux-chevaux?

Ne me parlez pas de santé publique. Parlez-moi de rectitude politique. Parlez-moi surtout d'hypocrisie. La fumée de cigarette est la seule forme de pollution que le gouvernement peut combattre sans y investir de l'argent. Je vous comprends de préférer affronter l'Association des restaurateurs plutôt que General Motors ou Ford. Votre lobby antitabac a-t-il fait des études sur la pollution provoquée par les véhicules ou sur les effets de la pauvreté sur la santé publique ? Bien sûr que non, cela ne l'intéresse pas.

Dans les réunions du Conseil des ministres, vous demandez à la SAQ d'avoir une meilleure performance et d'engranger plus de revenus. Vous n'y voyez aucune contradiction avec votre position d'ayatollah sur le problème de la cigarette.

Pourtant, monsieur le ministre, il y a plus de divorces, plus de meurtres, plus de familles meurtries à cause de l'alcoolisme qu'à cause de la cigarette et surtout de son inconnue fumée secondaire. Les coûts de ces drames familiaux sont inestimables pour la santé publique. Un jour viendra où un homme, ivre du meilleur vin, après avoir flambé 1 000 dollars au casino, assassinera sa femme sur une terrasse pendant qu'un policier en civil, proscrit de la société sanitaire, fume une cigarette cinq ou dix mètres plus loin pour ne pas nuire à la santé publique de M. Couillard.

Je sais, monsieur le ministre, cela ne vous intéresse pas, pas plus d'ailleurs que la majorité de mes lecteurs. Nous sommes maintenant à l'ère des principes et des intégrismes. Les bien-pensants entretiennent deux phobies : la cigarette et le terrorisme.

Tous mes arguments sont spécieux, comme les vôtres. Je meurs et je tue, mais n'est-ce pas la vie ? La vie qui, comme le dit Testart, est une maladie mortelle ? Mon pays n'est pas un hôpital, écrivait un lecteur du *Devoir* pendant la campagne électorale qui vous mena au pouvoir. Il avait tort. Mon pays est de plus en plus un hôpital, car il est plus facile de gérer un hôpital qu'un pays.

Monsieur le médecin-ministre, pourquoi ne pas interdire aussi la cigarette en forêt, pour risque d'incendie de forêt, sur les banquises polaires, pour risque de laideur, et dans mon salon, pour risque d'odeur ? Pourquoi ne pas interdire le risque, pourquoi ne pas interdire de vivre puisque c'est un métier dangereux ?

Un mardi à la piscine à Kigali

11 juin 2005

Kigali — Il m'est presque impossible de décrire ce que je ressens en assistant au tournage d'*Un dimanche à la piscine à Kigali*. Une émotion profonde, bien sûr, mais aussi une sorte de sentiment surréaliste. Ces personnages que je vois répéter puis jouer, je les ai connus dans la vraie vie, près de cette piscine parfois. J'ai tenté de leur donner une deuxième vie pour les sortir de l'anonymat de la statistique historique, et voilà que ces fantômes qui hantent les collines environnantes retrouvent un visage et une voix, des rires et des pleurs. J'ai devant moi des morts-vivants. Je fais partie d'une grande opération de réincarnation et les visages des acteurs se confondent avec mes souvenirs.

Autre émotion, celle-là, historique en quelque sorte. Une bande de quarante Québécois dans un pays perdu avec des centaines de collaborateurs étrangers qui s'attaquent à la recréation d'un des pires moments de l'histoire de l'humanité. Cela prend de l'audace. Les temps changent.

*   *   *

Il n'y a plus de corbeaux et de buses voraces qui hantent le ciel de la piscine. La ville est maintenant propre et les rues qui entourent l'hôtel ne sont plus jonchées de détritus, les caniveaux ne sont plus des égouts à ciel ouvert. Je viens de comprendre que les arbres autour de la piscine n'étaient que des porte-oiseaux pour ceux qui s'attaquaient aux déchets. Les temps changent.

Un homme sérieux et cravaté s'assoit pour déjeuner. Un garçon souriant se précipite avec le menu et énonce un joyeux bonjour. L'homme ne lève pas la tête. Il ne répond pas. Le garçon avance le cendrier. L'homme ne lève toujours pas la tête. Il commande en gardant la tête baissée, les yeux rivés sur la table, et il lance le menu à l'autre bout de la table. Le garçon apporte une serviette qu'il tient délicatement entre deux cuillers. Le client regarde la serviette avec mépris, la saisit du bout des doigts et la regarde avec suspicion. Puis, insatisfait de sa blancheur immaculée, il la lance loin de lui. Il refuse que le garçon ouvre de ses mains la bouteille d'eau et se saisit de la serviette pour dévisser le bouchon de plastique. Il demande une autre serviette. Sa brochette arrive. Il met ses lunettes pour scruter attentivement chaque morceau de poulet. Il ne lève pas les yeux de son assiette, ne pose jamais sa fourchette. On dirait qu'il regarde son plat avec haine et mépris. Il a terminé son repas. Il repousse dédaigneusement l'assiette en utilisant la serviette pour ne pas y toucher. Il allume une Marlboro et regarde devant lui les magnifiques collines de Kigali. On dirait qu'il les hait. Il fait un signe impérieux pour réclamer l'addition. Il n'a pas regardé le garçon une seule fois. Il paie et se lève sans répondre aux joyeux «merci» et «bon après-midi». Le garçon, d'une gentillesse et d'une efficacité remarquables, s'appelle Prudence. Je lui demande si, au moins, le client lui a laissé un pourboire pour faire oublier son avarice de sourires : «Non, ce monsieur ne donne jamais de pourboire.» Non, les temps ne changent pas tellement.

*   *   *

Ici, en 1994, des centaines de milliers d'enfants ont vu leurs parents mourir sous leurs yeux. Ici, on ne connaît pas les mystères qui entourent la mort quand on a trois ou quatre ans, ces choses comme le paradis qui permettent aux croyants d'atténuer le poids et la douleur de la perte, mais ils connaissent bien son nom, ses multiples visages et ses habitudes de voleur. Demain, dans une scène tragique, des enfants figurants verront les cadavres de leurs parents entassés le long d'une rue de Kigali.

Dans la pile de courriels que je viens de consulter, un long message désespéré d'une personne qui m'est très chère. Comment annoncer à un enfant de quatre ans que son père est en phase terminale d'un cancer et qu'il peut mourir d'un jour à l'autre? Dans ce pays et ce continent, la mort fait partie de la vie. Elle est installée à tous les coins de rue et se cache derrière tous les arbres. C'est une chose concrète, immuable, normale, comme la neige en hiver chez nous. Ici, la mort arrive, puis on recommence. Bien sûr, ce n'est pas une réponse à la question qu'on me pose de si loin. Je ne sais pas comment on annonce la mort à un enfant, je ne sais pas comment on annonce la mort à un adulte. Voilà des choses que notre vie occidentale ne nous apprend pas. Pour l'adulte, la mort après une longue maladie est douloureuse pour les adultes qui survivent, mais elle est aussi une fin programmée et attendue. L'enfant très jeune, lui, ne sait pas que la mort est au bout de la maladie. Contrairement aux enfants d'ici, les enfants de chez nous ne connaissent pas la mort. Cela nous accorde peut-être un luxe, un privilège, une porte de sortie temporaire, celle du mensonge et de l'invention. Mentir un peu en attendant, inventer un long et merveilleux voyage. Mais il faudra bien le dire un jour, et quelle sera la réaction de l'enfant plus vieux quand il apprendra qu'on lui a menti si longtemps? Non, je ne sais vraiment pas comment annoncer la mort de son père à un enfant de quatre ans. Je ne possède pas cette connaissance, et je me rends compte avec un désarroi absolu devant mon impuissance que je donnerais toutes les connaissances que je possède pour acquérir celle-là.

Langue de bois et lunettes Chanel

18 juin 2005

Kigali — Elle est propriétaire d'une boutique de vêtements importés, cette dame BCBG aux lunettes Chanel dorées et au mari secrétaire général de quelque chose. Ce n'est pas une idiote, au contraire, ni quelqu'un qui ne connaît pas le monde puisqu'elle a vécu plus de dix ans en Occident. Nous assistions à un dîner tout ce qu'il y a de plus officiel, de ces repas faits de nourriture vaguement africaine, de propos polis, d'échanges civilisés et de sourires appris depuis très longtemps.

Cette femme débordait de cette assurance verbale et bavarde dont les Rwandaises qui n'ont jamais quitté leur pays sont totalement dépourvues. Rwandaise de sang, elle l'est, mais de culture, elle ne l'est pas. Au départ, les propos anodins qu'elle tenait sur le nouveau Rwanda me paraissaient aussi importants que les piaillements des moineaux. Elle s'adressait à un *musungu* (Blanc) canadien dont c'était la première visite au Rwanda.

«Le Rwanda, ce n'est pas l'Afrique, nous ne sommes pas comme les Africains. Ici, tout est différent de l'Afrique. Tout fonctionne, il n'y a pas de corruption et nous avons la démocratie comme en France ou au Canada.» Elle avait du culot, cette dame. Pour qui a fréquenté assidûment les dictatures, les régimes autoritaires, les démocraties populaires, les démocraties dirigées, ce sont là des rengaines connues. On est habitué à cette langue de bois, à cet assemblage surréaliste de mots vidés de tout leur sens comme des cadavres qui ont pissé tout leur sang. Dans ces lieux, c'est pure perte de temps que de vouloir rétablir les faits, et on court le risque de s'attirer des ennuis.

Elle sait très bien, cette femme, ce qu'est la démocratie qu'elle évoque puisqu'elle a déjà voté ailleurs et dû choisir entre plusieurs partis. Elle sait bien qu'ici, les partis d'opposition doivent demander la permission du gouvernement pour exister et doivent accepter de ne pas totaliser plus de 5 % des votes. Elle sait bien qu'ici, il suffit d'une phrase pour terroriser un village et le convaincre de voter dans le bon sens. Elle sait parfaitement tout cela, mais elle persiste dans le mensonge. Et elle en a remis.

«Depuis le génocide, il n'y a plus de viols au Rwanda comme dans les autres pays d'Afrique. C'est pire en Europe et au Canada. La preuve? La télévision chez vous ne cesse de parler d'agressions sexuelles. Pas ici.»

Bien sûr, la télévision ici ne parle que des réussites avérées ou rêvées. Et ça tombait mal car dans le journal semi-officiel que j'avais lu quelques heures plus tôt, un gouverneur d'une province rurale s'alarmait d'une croissance fulgurante du nombre de viols. Pas de viols ici, c'est comme s'il n'y avait pas de menteurs devant la commission Gomery ou pas de banquises au pôle Nord. Alors, je me suis fâché et lui ai demandé de cesser de nous prendre pour des imbéciles.

*   *   *

La langue de bois, le mensonge grossier, la propagande primaire ne sont pas des inventions récentes et ne sont surtout pas africains par nature. Bush a réussi à faire croire à un peuple informé que Saddam Hussein préparait une attaque avec des armes de destruction massive contre les États-Unis. Ce qui ne cesse de me fasciner, c'est qu'on ait encore recours à ces grossiers procédés, comme si ces gens croyaient profondément que ces palissades de langue de bois qu'ils érigent sont indestructibles et éternelles malgré tout ce que dit l'histoire. Depuis les trompettes de Jéricho, aucune forteresse érigée sur le mensonge n'a résisté à l'insatiable soif de savoir. Aucun mur de Berlin n'a survécu à l'érosion lente mais inéluctable des mots qui portent la vérité en leur sein. Le savent-ils, ces gens qui organisent leur pouvoir sur la dissimulation?

Je pense au Dr Zaboub, du ministère de l'Information à Damas, en 1984, face de lune rayonnante avec sourire collé en permanence, qui m'expliquait sans ciller que la Syrie est une grande démocratie et que son fédéralisme est largement modelé sur le fédéralisme canadien. Je pense à Iang Sary, numéro trois des Khmers rouges, en 1982, qui, avec le même sourire que le Dr Zaboub, réduisait à quelques centaines les deux millions de victimes du génocide cambodgien et me chantait lui aussi sa ritournelle sur les vertus de la démocratie et du fédéralisme canadiens. Qu'est-ce qu'ils ont, tous ces gens-là, à adorer le Canada?

Bien sûr, il faut travailler, et une grande partie du métier de journaliste consiste à recueillir des mensonges. Sur le plan personnel, ce qui est le plus difficile à supporter, c'est que, pour aligner sans rire de telles énormités, votre interlocuteur doit absolument vous considérer comme un parfait ignare ou un bien triste idiot. À moins que ces gens ne croient vraiment à leurs mensonges. Je ne le pense pas. De toute façon, j'ai pété les plombs… peut-être seulement pour ne pas passer pour un imbécile, et cette dame a rétorqué que, comme tous les Occidentaux, je méprisais l'Afrique.

Plus profondément, un nouveau discours semble prendre forme dans les sphères dirigeantes du pays. Quand cette femme expliquait que le Rwanda n'était pas l'Afrique, elle articulait une partie de ce que plusieurs ici appellent la philosophie israélienne. Comme Israël, le Rwanda doit être un pays unique pour un peuple unique, béni par Dieu et menacé d'extermination. Le Rwanda doit devenir un pays forteresse imprenable pour tous les Tutsis de la terre. Bien que petit, le nouveau Rwanda doit pouvoir terroriser ses voisins et accumuler une puissance militaire et économique qui en fera une sorte de bunker invincible. Ce n'est pas d'aujourd'hui que les Tutsis disent qu'ils sont les Juifs d'Afrique: mes amis morts pendant le génocide me le répétaient sans cesse. Il y a dans cette comparaison autant la crainte que l'expression d'une sorte de supériorité sur les voisins. Il n'est donc pas surprenant que la collaboration entre Israël et le Rwanda soit de plus en plus intense. Et ils sont plusieurs ici à se demander si on ne se dirige pas vers une sorte de Palestine africaine.

Juger Mugesera au Canada

2 juillet 2005

Paris — Le Canada fait les manchettes en France. Ce n'est pas souvent qu'il en est ainsi, et il faut bien le souligner. Troisième pays après la Belgique et les Pays-Bas à autoriser le mariage entre conjoints de même sexe, le Canada se retrouve à la une du *Figaro* et en place importante dans *Libération*. Dans ce journal, l'article se retrouve dans la même page qu'un article qui annonce que deux Rwandais ont été condamnés par un tribunal belge pour leur participation au génocide en 1994. Dans le même article, on apprend que la France, après des années de tergiversations, a décidé de poursuivre un ex-fonctionnaire de l'ONU, un Rwandais, lui aussi accusé de participation au génocide. Dans *Le Monde,* on apprend aussi qu'un officier mauritanien sera jugé en France pour « tortures et actes de barbarie ». Par son ouverture dans le domaine des libertés civiles, le Canada est exemplaire. Mais cela n'a pas été vrai dans le cas de Léon Mugesera, qui a réussi pendant dix ans à échapper à la justice.

J'ai dit et répété au moins cent fois que cet homme, protégé par une petite clique de l'Université Laval qui a entretenu avec l'ancien régime rwandais une relation indigne et complaisante, était coupable d'incitation à la haine et au génocide. J'étais présent au Rwanda quand, en novembre 2002, il a prononcé le célèbre discours qui, pour des raisons obscures, a été si mal interprété par des juges obtus ou ignorants. En novembre 1992, à Kigali, aucun de mes amis tutsis ou membres de l'opposition modérée ne s'était trompé sur le sens qu'il fallait donner à cet appel au « nettoyage » du Rwanda, à cet appel à faire disparaître la vermine et les mauvaises herbes. Dans le langage désespérément fleuri de ce pays, ces mots n'avaient qu'une signification : l'élimination des Tutsis et de leurs amis hutus qui réclamaient la démocratie. Dans les jours et les semaines qui ont suivi, les meurtres et les éliminations « politiques » se sont multipliés. Et dans les mois et les semaines qui ont précédé le génocide, la radio des assassins, Radio Mille Collines, a régulièrement utilisé des citations de M. Mugesera, qui se la coulait douce sur la Grande Allée et le campus de ses amis québécois de l'Université Laval. En ce domaine, le Canada est loin d'avoir été exemplaire.

Si je me réjouis du jugement de la Cour suprême, je ne me réjouis absolument pas de la possibilité que ce monsieur soit renvoyé dans son pays pour y être jugé. En théorie, le Rwanda, comme le soutiennent les membres de la communauté rwandaise, est un pays de droit. L'Union soviétique l'était aussi, et presque toutes les dictatures de la planète sont dotées de constitutions ronflantes qui garantissent les droits des accusés, droits par la suite bafoués par des juges totalement inféodés au pouvoir. C'est le cas au Rwanda. Il ne faut pas que ce génocidaire soit renvoyé dans son pays, où il risque la peine de mort. M. Mugesera doit être jugé au Canada, où il aura droit à un procès juste et équitable.

Je ne suis pas juriste, mais je sais que cela est juridiquement possible et moralement souhaitable. Voilà pourquoi je citais ci-dessus les exemples belge et français, qui se réclament de ce qu'on appelle la « compétence universelle ». En théorie, tous les pays signataires des conventions des Nations unies contre la torture et les crimes contre l'humanité disposent de cette compétence universelle. En fait, tous ces pays sont juridiquement obligés d'appliquer sur leur propre territoire les conventions qui condamnent les crimes contre l'humanité. Certains pays comme la Belgique et l'Espagne ont pris au sérieux cette obligation morale et l'ont concrétisée en adoptant une loi qui encadre cette capacité de poursuivre en justice des personnes soupçonnées de crimes contre l'humanité. Ces personnes ne sont pas nécessairement des citoyens du pays ; elles n'ont qu'à être présentes sur le territoire et soupçonnées d'avoir commis des crimes contre l'humanité. C'est en vertu de cette compréhension des obligations morales d'un État que la Belgique a déjà jugé quatre Rwandais qui ont tous été condamnés à la prison et qui purgeront leur peine dans des prisons belges.

Derrière cette compétence universelle se profile un principe assez simple que peu de pays, comme le Canada, mettent en pratique. Si on signe des conventions internationales contre la torture ou les crimes de guerre, on est tenu de les mettre en pratique non seulement quand il s'agit des citoyens des pays concernés mais dans le cas de tous les citoyens de la planète. C'est parce que peu de pays appliquent ce principe fort simple que des criminels de haut niveau peuvent trouver refuge en toute impunité dans des pays comme la France, où des dizaines de criminels de guerre africains coulent des jours paisibles. L'idée de la compétence universelle est simple : elle consiste à faire d'un droit planétaire, les conventions de l'ONU, une obligation planétaire. Sans cela, les conventions contre la torture et les traités contre la production et la diffusion des mines antipersonnel sont des coquilles vides. Et elles le sont en grande partie. Pensons à Charles Taylor, le grand tortionnaire du Liberia, qui, de son exil au Nigeria, prépare probablement sa rentrée. Pensons à tous ces dictateurs meurtriers qui trouvent refuge dans des pays supposément respectueux de la Charte des Nations unies. La compétence universelle, c'est l'acceptation d'un principe qui devrait être évident pour tous : nulle personne qui commet un crime contre l'humanité ne peut trouver un refuge sur une parcelle de territoire de cette humanité. Cela s'appelle lutter contre l'impunité.

Pendant sa pratique d'avocat, le ministre fédéral de la Justice, Irwin Cotler, a été un grand défenseur des droits de la personne et un juriste exemplaire. Je ne suis pas juriste, mais je crois qu'il n'a pas besoin d'adopter une loi spéciale pour pouvoir mettre M. Mugesera en accusation. En jugeant cet homme chez nous, le Canada donnerait l'exemple. Il protégerait Mugesera contre un procès possiblement injuste et contre la possibilité d'une condamnation à mort et déclarerait que le Canada ne sera jamais plus un refuge pour une personne qui a commis des crimes contre l'humanité.

La grande illusion

30 juillet 2005

Paimpol — Le soleil se couche sur la baie de Paimpol. La scène en est une de carte postale. Nous sommes loin ici, sur une autre planète que celle de Londres et de Charm el-Cheikh, malgré les journaux, malgré la télé. Je suis parmi des amis qui tiennent cette petite auberge qui offre son amitié et ses fruits de mer à des prix amicaux, mais le monde nous a repris. La discussion entre Olivier Rolin et moi est amicale mais virile. Olivier, un grand romancier, ancien militant d'extrême gauche, intellectuel cultivé, fin dialecticien comme tous ceux qui ont baigné dans le marxisme, fulmine contre l'islam.

Nous ne nous sommes pas vus depuis Belgrade il y a six mois, où nous avions disserté sur les perversités du nationalisme. Moi tentant d'y apporter la nuance québécoise, lui accusateur et historiquement infaillible. Le nationalisme comme les religions sont les moteurs de la folie. Nous souhaitions, je crois, des retrouvailles devant des langoustines, des huîtres, des crabes; nous souhaitions, je pense, des propos anodins, de ceux que les amis tiennent devant un coucher de soleil. Mais il existe cet arrière-fond de terrorisme et ce problème de l'islam en France, et les deux se tiennent quand on parle avec un Français.

Je lui parle de l'approche canadienne, le multiculturalisme que les Français appellent le communautarisme, cette manière de proposer aux nouveaux arrivants de demeurer eux-mêmes dans le cadre légal canadien. C'est le même modèle qui existe en Grande-Bretagne, qui vient de découvrir avec horreur que son approche a nourri des terroristes islamistes locaux. Le modèle français est radicalement différent.

Il propose l'intégration absolue, la transformation de l'immigrant en Français, en particulier à travers le système scolaire, instrument fondamental de la construction de la citoyenneté et de l'inclusion. D'où la loi qui interdit le voile à l'école. Olivier ne croit pas que cette loi soit géniale, mais il l'appuie, comme la très grande majorité des Français.

*   *   *

Mais devant le terrorisme islamiste dans lequel la planète semble s'installer d'une manière permanente, nous sommes à court d'arguments. Nos modèles respectifs conviennent peut-être à une majorité de musulmans, mais ils n'empêchent aucunement la levée des recrues de l'islamisme radical. Le modèle britannique et canadien encourage la diversité culturelle comme fondement de la société. Le modèle français propose l'intégration républicaine. Or les deux modèles produisent les mêmes terroristes. Ils sont relativement jeunes, ont fréquenté l'école et l'université, ont vécu comme des citoyens bien intégrés, avaient de bonnes relations avec leurs concitoyens. En apparence, ceux qui ont détruit les Twin Towers et ceux qui ont éventré le métro de Londres étaient des citoyens modèles. Bien sûr, certains d'entre eux ont fait des stages dans les écoles islamiques du Pakistan ou des séjours en Afghanistan, mais ils n'étaient pas des paumés, des exclus de la société occidentale, des marginaux.

De plus, leurs motivations échappent à celles des terrorismes qui nous sont familiers, comme ceux des Palestiniens, des Basques ou de l'IRA. Le projet n'est pas de construire un État ou d'en détruire un. Ils ne luttent pas contre une civilisation, la nôtre, comme on veut nous le faire croire. Ils luttent pour Dieu, manipulés par quelques fous d'Allah qui utilisent toutes les erreurs politiques de l'Occident comme prétexte. Mais est-ce vraiment l'Occident ? La Tchétchénie, ce n'est quand même pas Washington, et l'Indonésie non plus. Nous sommes perdus et sans moyens car nous faisons face à un terrorisme de droit divin dont le principal objet est de diffuser la crainte d'un dieu vengeur et intégriste.

*   *   *

La guerre contre le terrorisme est en bonne partie une illusion. Nous ne pouvons rien faire contre cette nouvelle forme de terrorisme sinon assurer la sécurité dans les aéroports et peut-être les métros. La paix en Irak ou un accord entre Sharon et Abbas ne régleront rien. Ce terrorisme est le fruit d'une implosion de l'islam, une guerre entre ceux qui croient que l'islam peut évoluer comme le christianisme l'a fait et ceux qui, comme les juifs orthodoxes, se vêtent de textes anciens et éculés pour justifier leur existence et leur marginalité psychopathe. Nous ne sommes plus dans le domaine de la raison et du prosélytisme mais dans celui de la barbarie et de la cruauté absolue.

En fait, on est de plus en plus nombreux à penser que seuls les musulmans peuvent mettre fin à cette perversion de leur propre religion.

En France, le problème qui se pose aux intellectuels comme Rolin est double, car la montée de l'intégrisme se produit au même moment où on discute de la croissance de l'islam, deuxième religion du pays, et où bien des esprits sont monopolisés par l'insécurité dans les banlieues peuplées largement par des musulmans. Le danger de pratiquer l'amalgame est grand, mais Rolin parle aussi du danger de verser dans la complaisance pour les intellectuels qui refusent de voir cette religion vraiment comme elle est, c'est-à-dire une religion dont le texte fondateur et unique établit des règles de vie et de société qui datent du VIIe siècle.

Il a en bonne partie raison. Dans notre volonté de tolérance et de compréhension des autres, nous avons peut-être trop facilement choisi les quelques sourates qui parlent vaguement de tolérance et de paix et occulté toutes celles qui parlent de lapidation et de guerre sainte. Nous avons cru que le voisinage permanent des valeurs de droits humains que propose la démocratie occidentale rendrait caduques comme du folklore ancien les préceptes de violence religieuse et masculine qui se trouvent dans le Coran. Nous nous sommes gravement trompés, moi le premier. Et nous faisons face à un urgent devoir de réflexion. Le voisinage avec la modernité n'a pas assoupli l'islam, il l'a souvent radicalisé. Quant à notre volonté de comprendre, elle nous a empêchés de voir que la religion de Ben Laden et des madrasas ne constitue pas une perversion du message du Prophète mais qu'elle fait partie de ce message.

La hargne des ayatollahs

13 août 2005

J'avais juré de ne pas commenter la nomination de Michaelle Jean au poste de gouverneur général. Une fois passée la surprise, charmé moi aussi par la grâce, l'intelligence et la dignité de la nouvelle représentante de la reine, je me suis tout simplement dit que notre ex-collègue ferait une remarquable représentante du Canada et de l'idée du Canada. Je me suis en fait surtout demandé comment une femme aussi simple en apparence (je ne la connais pas vraiment) supporterait le poids souvent fastidieux du protocole et des rubans rouges qu'on coupe aux inaugurations.

Les premières réactions négatives au Québec visèrent d'abord Paul Martin ainsi que la fonction même. On reprochait au premier ministre d'avoir voulu redorer son blason au Québec. Quel enfantillage! Quand un politicien peut allier compétence et popularité, il serait bien idiot de refuser de le faire de crainte qu'on le taxe d'opportunisme. Faudrait-il que les politiciens, pour prouver leur intégrité, procèdent à des nominations toujours impopulaires? Les souverainistes concentrèrent d'abord leurs critiques sur le poste lui-même. Fonction obsolète, horreur, symbole inique de l'insupportable colonialisme britannique dont les citoyens québécois souffrent quotidiennement. Nous entrions dans le domaine de l'anathème, de l'excommunication qui est le domaine des ayatollahs.

Bien sûr que la fonction est obsolète dans sa définition constitutionnelle, mais le Sénat aussi est obsolète, de même que le système parlementaire britannique ainsi que le mode de scrutin uninominal à un tour; la centralisation aussi est obsolète, mais cela ne semble pas scandaliser nos intégristes.

Mais une colère sourde courait dans les rangs des indépendantistes purs et durs. Paul Martin avait frappé un grand coup, et le sourire de cette réfugiée politique haïtienne allait donner une bien belle image du Canada tout en démontrant la tolérance dont les fédéralistes se vantent si souvent. On se disait que le nouveau couple vice-royal avait fait partie de la famille indépendantiste, car comment peut-on être intelligent, ouvert, engagé socialement et progressiste sans être indépendantiste? René Boulanger exprime candidement ce point de vue dans le texte que *Le Devoir* publiait jeudi pour poignarder vicieusement les deux «traîtres». Il écrit: «C'est à un de ces lancements que j'ai connu Jean-Daniel Lafond. Je ne doutais pas qu'il fût indépendantiste, tous les intellectuels québécois le sont à différents degrés» [*sic*]. Et si le conjoint était indépendantiste, à cause d'intellectualisme aigu, la conjointe l'était sûrement aussi. Cela en dit long sur l'estime que M. Boulanger entretient pour l'indépendance de pensée des conjointes. Donc, incapable d'attaquer Mme Jean, on choisit d'en faire une criminelle par association. M. Lafond avait fait des documentaires sur des indépendantistes connus comme Jacques Ferron, Pierre Perrault, Charles Gagnon et Pierre Vallières. Le cinéaste possédait même une étagère construite par l'habile Jacques Rose. J'ai été intime avec Richard Bizier, un des premiers felquistes, ami de Pierre Vallières mais aussi de Bechir Gemayel, et j'ai eu des rapports extrêmement amicaux avec un des leaders de la droite religieuse orthodoxe en Israël, le rabbin Ashkenazy. Cela fait sûrement de moi un felquiste phalangiste juif hassidique, ce qui explique probablement pourquoi le gouvernement fédéral ne m'a jamais offert la moindre nomination.

Le même jour dans *La Presse,* un Jacques Lanctôt amer en remet une couche et tombe dans la plus vile méchanceté. Non seulement cet homme serait un traître attiré par la gloire et la fortune, mais toute son œuvre cinématographique serait un sale torchon, tout particulièrement un documentaire que le couple a produit sur Cuba qui, comme on le sait, est le paradis sur terre de Jacques Lanctôt. L'ancien éditeur, qui n'a jamais refusé une seule subvention du Conseil des Arts du Canada, recourt à l'insulte et à l'épithète vindicative. Le couple est «prétentieux», Mme Jean, «une spécialiste autoproclamée des

Caraïbes». Lafond est un «autoproclamé cinéaste du tiers-monde» et son film sur le docteur Ferron, «un film triste à mourir». Et pour faire le compte, il conclut en regrettant «de voir le crétinisme triompher». Je ne connais pas les documentaires de M. Lafond, mais qu'on me dise qu'il ait jeté un regard critique sur la révolution cubaine me rassure sur son intégrité intellectuelle, qualité dont la «gaugauche» indépendantiste est largement dépourvue.

Toutes ces réactions relèvent de comportements intégristes. Le recours à l'insulte, à l'imprécation, au sous-entendu, aux demi-vérités ne fait pas honneur à l'indépendantisme pur et dur. Ces ayatollahs de la pensée, qui ne parviennent pas à dissimuler leur déception et leur hargne, devraient lire attentivement le point de vue éclairé, nuancé et politiquement articulé du journaliste Mohamed Lotfi que publiait hier *Le Devoir*. Le réalisateur indépendantiste, qui œuvre entre autres en prison depuis plusieurs années, rappelle aux ayatollahs que le combat pour le pays n'est pas le seul combat et que celui pour la dignité constitue une cause au moins aussi noble.

Comme le dit Lotfi, «Michaëlle Jean répond oui à l'Histoire. Une Histoire qui évolue durement mais sûrement».

Pour ma part, je souhaite seulement que Mme Jean puisse résister à ces procédés de bas étage et qu'elle et son conjoint ne cessent de rappeler aux citoyens que les combats pour la dignité, l'inclusion et l'égalité dépassent toutes les autres luttes.

La poussée électorale du Hamas

1er octobre 2005

Hier, la majorité des quotidiens faisaient comme votre journal et annonçaient que le Fatah, mouvement modéré du président de l'Autorité palestinienne, avait défait le Hamas lors des élections municipales qui se déroulaient en Cisjordanie. À première vue, cela semble vrai et pourrait rassurer ceux qui craignent une croissance de l'influence politique du mouvement extrémiste qui est désigné par les Nations unies comme un mouvement terroriste. Bien que le Fatah ait pris le contrôle de trente conseils municipaux, comparativement à dix-huit pour le Hamas, la situation est plus complexe et plus préoccupante. Dans la réalité, le Hamas a remporté la moitié des municipalités et villages dans lesquels il présentait une liste, malgré le fait que plusieurs de ses candidats ont été arrêtés durant les derniers jours par l'armée israélienne. Ce résultat constitue une percée importante en Cisjordanie et vient s'ajouter au triomphe du Hamas dans la bande de Gaza en janvier dernier, alors que le mouvement avait décroché 75 des 118 sièges qui étaient en jeu.

Faut-il en conclure que l'immense majorité des habitants de la bande de Gaza, et maintenant une forte proportion de ceux de la Cisjordanie, approuvent et appuient le discours extrémiste du Hamas qui prône la lutte armée et la destruction de l'État d'Israël? Loin de là. L'adhésion populaire au Hamas, et en particulier dans la bande de Gaza, est beaucoup plus complexe. Gaza est un des lieux les plus désolants et déprimants que j'aie visités dans ma vie. Un million quatre cent mille habitants entassés comme des sardines, dont un million de réfugiés. Près de 50 % de la population est âgée de moins de quatorze ans. Le revenu annuel (statistique trompeuse) est de 600 dollars US en moyenne, le taux de chômage dépasse 60 % et 81 % de la population vit sous le seuil de la pauvreté. C'est dans ce terreau explosif qu'est né et s'est développé le Hamas. Autour des mosquées en premier, regroupant des bénévoles et des moniteurs, distribuant l'aide alimentaire ou les bourses d'études, animant des cliniques médicales ou des écoles, tout cela financé par l'Arabie saoudite. Bien sûr, dans les prêches, on prônait la destruction d'Israël, mais dans la vie quotidienne, les extrémistes étaient quasiment les seuls à fournir des services et à prendre en compte les besoins des plus pauvres. Ce phénomène de radicalisation et d'islamisation par la base n'est pas unique à la bande de Gaza. C'est ainsi que le Hezbollah s'est implanté dans la banlieue pauvre chiite de Beyrouth et le Front islamique du salut dans les quartiers déshérités des grandes villes algériennes. Dans ces pays corrompus où la majorité de la population n'a accès à aucun service, la mosquée prend le relais et devient la seule source de réconfort, un peu comme le fit l'Église catholique ici dans des temps anciens. La mise sur pied de l'Autorité palestinienne en 1995 n'a rien fait pour améliorer le sort des habitants de Gaza. La situation économique s'est détériorée et le climat politique s'est pourri. Depuis le début de l'Intifada en 2000, des milliers de travailleurs ne peuvent plus se rendre en Israël et aucun d'entre eux ne profite des deux milliards de dollars d'aide internationale destinés à Gaza. La corruption endémique des proches de Yasser Arafat a poursuivi le travail de sape et poussé encore plus de Palestiniens dans les filets du Hamas. Pas surprenant que lors des élections municipales de Gaza en janvier dernier, le slogan du Hamas était « Pour le changement et la réforme ».

Paradoxalement, le gouvernement israélien veut interdire aujourd'hui la participation du Hamas aux prochaines élections législatives qui se dérouleront en janvier. Je dis « paradoxalement » parce qu'Israël a toléré, sinon encouragé, le développement du Hamas pour contrer la toute-puissance de l'OLP et de Yasser Arafat. Encore une histoire d'ancien allié qui se retourne contre soi. Sharon devrait écouter son commandant militaire responsable de la Cisjordanie qui déclarait qu'il serait « stupide et paternaliste de penser que nous pouvons influencer la politique palestinienne ».

Mahmoud Abbas, le président de l'Autorité palestinienne, malgré les réticences américaines, a pris le pari d'inclure le Hamas dans le jeu politique. Il croit, avec raison, que de maintenir à l'extérieur de la sphère politique une mouvance aussi importante numériquement ne peut mener qu'à un cul-de-sac et contribuer à enlever toute crédibilité à un régime politique qui n'en possède plus beaucoup.

Pour justifier son pari, le dirigeant palestinien peut invoquer les cas du Liban et de l'Irlande du Nord. Au Liban, le Hezbollah a intégré le cours de la vie politique et, même si son discours à l'égard d'Israël n'a pas changé, son radicalisme s'est grandement atténué. En Irlande du Nord, la reconnaissance politique de l'IRA à travers son bras politique, le Sinn Féin, a contribué à sortir la province du cycle infernal de la violence et, cette semaine, on annonçait le désarmement complet de la milice armée catholique.

On peut par contre citer l'exemple du FIS en Algérie. Son triomphe aux élections municipales de 1989 avait transformé certaines villes algériennes en véritables mosquées intégristes. Son succès aux législatives de 1990 avait entraîné un coup d'État militaire qui mena à la radicalisation du mouvement islamiste et à la sale guerre qui fit plus de 100 000 victimes civiles.

Au lieu de vouloir contrôler le jeu politique palestinien, le premier ministre Sharon devrait se consacrer à négocier une paix globale et un accord sur la naissance de l'État palestinien. Il priverait ainsi le Hamas de son principal argument. À moins qu'il ne préfère une bande de Gaza complètement sous la coupe des islamistes extrémistes, une sorte de seconde Palestine combattante prête jusqu'au suicide à poursuivre durant des années un combat qu'elle ne peut remporter.

La lucidité des nantis

22 octobre 2005

Un peu comme Jean Charest qui proposait lors de la dernière campagne électorale un électrochoc de changement, douze citoyens remplis d'une bonne volonté certaine s'insurgent contre l'immobilisme du modèle québécois et évoquent les pires catastrophes. Dans son éditorial d'hier, Jean-Robert Sansfaçon a renvoyé à leur planche à dessin ces doctes personnages, notamment à propos du poids «insoutenable» de la dette et de l'urgence de son remboursement.

Si j'ai fait allusion au premier ministre, c'est que nos douze lucides partagent les mêmes fondements philosophiques, la même vision de la société et de l'État, et les approches nouvelles qu'on propose ne sont finalement que des politiques anciennes qui, partout où elles ont été appliquées, ont fait croître les distorsions sociales et la pauvreté et ont fait diminuer la qualité des services publics. Ce fut le cas avec Ronald Reagan, Mme Thatcher et la révolution du «bon sens» [*sic*] de Mike Harris en Ontario. Au cœur de ce discours existe une conviction profonde que la société doit être une machine à produire et que le gouvernement doit se contenter d'être le comptable de la richesse produite et non son arbitre et son dispensateur. Le Québec, pour faire face au péril jaune, devrait se transformer en usine souple dont les employés devraient moduler leur rémunération, la sécurité au travail et leurs conditions de travail en fonction de la volonté de l'entreprise d'atteindre une plus grande rentabilité. Les vingt-cinq dernières années ont prouvé qu'il est absolument erroné de croire que l'augmentation de la richesse produite par le secteur privé profite à l'ensemble de la population.

Quand on aborde la capacité de payer de l'État pour la santé et l'éducation, par exemple, la lucidité commanderait un regard plus large. D'autres penseurs lucides expliquent que les États occidentaux, depuis une vingtaine d'années, ont souffert d'une transformation radicale de leur assiette des revenus. La richesse des entreprises et des activités financières fournissait 60 % des revenus de l'État. La mondialisation, la libéralisation des flux financiers, la monétarisation de l'économie mondiale et la systématisation de l'utilisation des paradis fiscaux ont renversé la proportion et ce sont maintenant les citoyens qui, par l'intermédiaire de l'impôt sur le revenu et des taxes sur la consommation, financent la majorité des dépenses de l'État. Ce manque à gagner pour l'État québécois est bien supérieur au déséquilibre fiscal. Pour être lucide, il faut se demander pourquoi, si le libre-échange et la libéralisation du commerce ont créé autant de richesse nouvelle, celle-ci échappe de plus en plus aux citoyens qui l'ont produite.

La lucidité conservatrice, car c'est bien de cette lucidité qu'on parle, considère généralement le syndicalisme comme un frein à la production de la richesse. Dans le cas qui nous occupe, les syndicats deviennent les ennemis du changement car ils défendent des « traditions ». Si on considère comme des « traditions » une juste rémunération, un encadrement dans un contrat collectif de l'arbitraire patronal ou la lutte contre la sous-traitance dans les services publics, je veux bien me définir comme un traditionaliste et un réactionnaire. Si je comprends bien nos lucides québécois, les acquis sociaux et la construction d'une société moins injuste ne seraient que des privilèges traditionnels et non une juste et normale participation à la croissance de la richesse collective. Par contre, la mise à la retraite, au nom du déficit zéro, de 30 000 travailleurs de l'État, qui explique en bonne partie le délabrement de nos systèmes de santé et d'éducation, serait une mesure progressiste qui aurait accru le bien-être de la société québécoise.

Selon la lecture que je fais de ce pamphlet, les travailleurs d'Olymel seraient des traditionalistes rétrogrades parce qu'ils refusent une baisse de salaire de 20 % pour maintenir la santé financière de l'entreprise et, ce faisant, ils défendent un modèle archaïque. Une véritable lucidité obligerait nos doctes penseurs à rappeler que les difficultés de l'entreprise, qui investit plus de 100 millions en Alberta, ne proviennent pas de la faible productivité de ses travailleurs de Saint-Hyacinthe, ni de la piètre qualité de leur travail, mais plutôt d'une série d'acquisitions et d'une mauvaise lecture de l'évolution du marché. Ce sont là des décisions prises par la direction de l'entreprise qui, elle, demeure en place. On pourrait multiplier les exemples d'incompétence dans le secteur privé dont seuls les travailleurs paient le prix.

Le modèle québécois n'est pas sans faille, peu s'en faut. On aurait pu plancher sur le système d'éducation qu'on a transformé en machine à imprimer le plus de diplômes possible. On a présumé que l'État était peu efficace à cause de sa grosseur et de sa lourdeur. Pourquoi ne pas s'être demandé si ce défaut, qui est réel, ne tenait pas à sa nature centralisatrice, à son éloignement et à l'ignorance des besoins locaux que cela entraîne? Pourquoi ne pas se pencher sur la revitalisation démocratique de la société québécoise, sur l'importance et l'efficacité économique de la participation des citoyens et des travailleurs? Pourquoi, comme le disait Jean-Robert Sansfaçon hier, ne pas nous avoir proposé un projet de société et non un projet d'usine plus efficace et plus rentable?

Reste maintenant à savoir si Lucien Bouchard partage le point de vue de l'économiste Pierre Fortin quand il dit « qu'aucune solution au déséquilibre fiscal et aucun projet de souveraineté ne pourront corriger la situation ». Si oui, on aurait bien aimé qu'il nous en parle durant le référendum de 1995 et on espère qu'il nous le dira lors du prochain.

Catastrophe appréhendée

29 octobre 2005

Depuis quelques semaines, pas une seule journée ne passe sans qu'on évoque de manière plus ou moins dramatique le spectre d'une pandémie de grippe comparable à celle de la grippe espagnole, qui avait fait des millions de mort il y a un peu moins d'un siècle. Chaque apparition d'un nouveau foyer d'infection fait l'objet d'une manchette, tout comme les mesures de précaution décrétées par les divers gouvernements. Sur les chaînes d'information continue, les spécialistes de la santé publique et les médecins défilent et doivent répondre aux pires hypothèses soulevées par des journalistes souvent dépourvus de tout sens de la mesure.

La mesure et le sens de la responsabilité : voilà les deux premières qualités dont il faut faire preuve quand l'information traite d'une catastrophe appréhendée. En ce domaine, l'exercice du journalisme n'est pas une tâche facile. Comment informer sans faire du sensationnalisme, comment aider les gens à prendre les précautions nécessaires, si c'est le cas, sans créer involontairement un effet de panique et de paranoïa ? On marche sur des œufs. Ainsi, comment peut-on dire sans sourciller que dans le cas d'une pandémie, les médecins et les infirmières refuseraient de se présenter au travail, abandonnant ainsi les malades à une mort lente ? C'est ce qu'a fait un journaliste de RDI cette semaine.

Les chemins que suivent les informations pour se loger dans nos cerveaux puis influencer nos comportements et nos perceptions sont mystérieux. Quand on aborde la couverture d'un phénomène comme la grippe aviaire, il faut se soucier de deux phénomènes complexes. Le premier est l'effet d'accumulation, de la multiplication permanente de petites bribes d'information sur un même sujet. Cette masse qui se crée devant nos yeux un peu comme un ouragan qui se forme sur l'écran satellite nous dit que le phénomène qu'on évoque est effectivement extrêmement important, et s'il est si crucial, c'est probablement qu'il recèle un danger imminent. L'accumulation accrédite la catastrophe appréhendée, même si la plupart des bribes d'information la relativisent.

Le second phénomène est fascinant et hallucinant. Peu importe la qualité de l'information, une fois énoncés, les faits, les mises en garde et les précisions scientifiques deviennent comme des électrons libres et, selon le cerveau qui les reçoit, ils provoquent bien souvent une réaction contraire à celle qui était souhaitée. Autrement dit, on ne retient que ce qu'on veut retenir, que ce qui confirme nos appréhensions ou nos espoirs. On aura beau répéter neuf fois sur dix que la pandémie est peu probable, la personne qui souffre d'insécurité et qui est naturellement craintive va retenir et transformer en dogme la pire des hypothèses évoquées. Elle le fera d'autant plus facilement que pour justifier l'insistance qu'ils manifestent pour un danger potentiel, les journalistes de la télévision ont souvent tendance, inconsciemment peut-être, à dramatiser dans les questions, laissant au spécialiste le soin de faire les nuances et de désamorcer la question catastrophique.

Les effets de la couverture de la crise de la grippe aviaire illustrent bien mon propos. Dans l'ensemble, cette couverture a été mesurée, mais malgré tous les spécialistes qui se tuent à répéter que le virus n'a pas muté, qu'il ne se transmet pas entre les êtres humains et que, s'il existe un risque, celui-ci est extrêmement petit, une grande partie de la population est profondément convaincue que l'épidémie est à nos portes. Malgré le fait que tous les pharmacologues expliquent que le médicament Tamiflu contre l'influenza commun ne serait probablement pas efficace contre une souche de grippe aviaire «humaine», les médecins et les pharmaciens ont été débordés de demandes. À tel point que la compagnie qui fabrique le médicament en a interrompu la distribution. L'information, même précise, nuancée et indéniable, produit souvent des effets totalement irrationnels. J'ai entendu cent fois que la consommation des volailles et des œufs ne comportait aucun danger. Malgré cette information absolument scientifique et facile à comprendre, la consommation de poulet en Suisse a chuté de 30 % au cours des deux dernières semaines. Imaginons les effets des mêmes informations dans des pays moins scolarisés et moins avancés que ce pays, un des plus développés au monde.

Nous devrions retenir une autre leçon de cette crise, et les médias devraient en profiter pour faire œuvre pédagogique. La manière dont se propage la grippe aviaire démontre éloquemment que la pauvreté des Asiatiques, des Africains, des Roumains ou des Turcs menace la stabilité et la richesse des pays occidentaux. Si l'épidémie en Thaïlande et en Chine n'a pas été jugulée, si elle se propage par la voie des oiseaux migrateurs, si la pire crainte qu'entretiennent les spécialistes est son apparition en Afrique, c'est que ce sont des pays pauvres, dépourvus de services vétérinaires et de santé publique bien organisés. Si les premières volailles infectées l'avaient été dans un pays riche, comme ce fut le cas de la vache folle en Grande-Bretagne, on ne serait pas en train d'évoquer dans les journaux télévisés une pandémie mondiale et meurtrière. On sait déjà que les bas salaires de la Chine effacent des emplois à Huntingdon, mais nous ne sommes pas encore suffisamment conscients de l'unité organique de la planète. La lutte pour notre prospérité et notre confort passe obligatoirement par la lutte contre la pauvreté dans le monde. Il y va de notre intérêt. Ce n'est pas une question de générosité mais d'égoïsme bien compris. Il m'arrive d'ailleurs de penser que ces oiseaux migrateurs qui apportent chez nous crainte et panique ressemblent à ces Maliens désespérés qui risquent la mort pour s'établir dans le paradis occidental.

Une bonne engueulade pour Noël

24 décembre 2005

Je ne me souviens d'aucun réveillon de Noël ou du Nouvel An dépourvu d'une bonne engueulade politique débordant d'insultes bien senties et de clichés redondants, un peu comme les débats de l'ancien temps, avant que les anesthésistes qui dirigent nos réseaux de télévision décident que l'engueulade, les empoignades étaient politiquement incorrectes. Je ne me souviens d'aucune famille qui ne se voie plus ou qui se soit scindée à cause d'une discussion sur l'indépendance, sur le bonnet de Gilles Duceppe ou le français incompréhensible de Paul Martin. Les cadeaux et le vin arrangeaient tout cela et on recommençait l'année suivante.

La croyance populaire dit aussi que les Québécois adorent comme les Français parler de politique. Ce serait notre tempérament latin. Voilà, semble-t-il, que nous nous anglicisons, devenons plus nordiques et préférons parler de hockey et du réchauffement de la planète et éviter durant les libations ces sujets maudits que sont la politique et la religion. C'est du moins ce que semble révéler un sondage effectué pour la Presse canadienne: selon cette enquête, 73 % des Canadiens ne veulent pas discuter de politique durant les Fêtes et une proportion identique demande aux politiciens de se taire durant cette période, probablement pour contribuer à faciliter notre digestion. Plus surprenant encore, ce sont les Québécois, ces bêtes politiques, qui sont les plus nombreux à fuir la politique et à réclamer ce moratoire.

Serions-nous fatigués de la politique, ennuyés par la politique, déçus par la politique? Il existe, il faut malheureusement l'avouer, une

lassitude certaine et une désaffection croissante à l'égard de la politique. La participation électorale lors des deux dernières élections a
atteint des bas-fonds historiques. Pour expliquer ce rejet, on cite
sans arrêt le scandale des commandites, qui est venu confirmer les
pires préjugés sur la vénalité des politiciens. Il serait peut-être temps,
messieurs Duceppe et Harper, de rappeler qu'on retrouve plus de
magouilles, de fraudes, de dissimulation et d'abus dans les milieux
boursiers et financiers que dans la classe politique, qui est essentiellement, tous partis confondus, composée de femmes et d'hommes attirés certes par le pouvoir, mais motivés surtout par l'envie de servir.

Dans ce rejet de la politique, il y a aussi certainement, surtout au
Québec, une impression de tourner en rond, de ressasser depuis vingt-
cinq ans la même question existentielle à propos du Québec et la
même ritournelle depuis bientôt trois ans à propos des commandites.
Sur l'indépendance, ça fait des lustres que la très grande majorité des
Québécois a fait son lit, un lit qu'aucun argument ne peut défaire. Les
positions sont devenues génétiques. Cela rend les discussions futiles
et fastidieuses. De même pour la commission Gomery. Pourtant, si je
me fie aux discussions dans ma famille ou chez mes amis, on ne cesse
pas de parler de politique. De nouvelles préoccupations se sont imposées qui, elles, viennent de la vie quotidienne, cette vie qui mobilise
car elle déborde de concret. On discute maintenant d'environnement,
de réchauffement de la planète, de la pénurie de logements à loyer
modique, de la croissance de la pauvreté, de la mauvaise distribution
de la richesse, de l'éloignement des administrations publiques, du
transport en commun. De cela, nous sommes nombreux à avoir l'impression que les politiciens n'en parlent pas sérieusement, comme
M. Mulcair, ministre de l'Environnement, qui fait la louange des
ponts et des autoroutes. Comment ne pas penser que, en ce qui a trait
à nos préoccupations immédiates, les politiciens nous prennent pour
des valises.

L'argument qu'on entend le plus souvent chez les démissionnaires
de la politique, c'est celui de « bonnet blanc, blanc bonnet ». Ils sont
interchangeables, disent-ils, et c'est bien l'impression que contribue à
renforcer la nouvelle formule de débat politiquement correct adoptée
par les diffuseurs. Cette nouvelle formule est taillée sur mesure pour
gommer les différences réelles entre les partis. Durant une campagne

électorale, les faiseurs d'image souhaitent ratisser large, autant à droite qu'à gauche de leur propre position, et tentent de faire appel au plus large dénominateur commun. Le libéral souhaite dire à l'électeur NPD qu'il est un peu d'accord avec lui, en même temps qu'il est aussi responsable fiscalement qu'un conservateur. Cela ressemble un peu à la cuisine industrielle : il s'agit de n'offenser aucun goût, de ne laisser poindre aucune aspérité, ni trop salé, ni trop sucré, ni trop dur, ni trop mou. Voilà l'immense service que les diffuseurs canadiens ont rendu à la politique dans ce qu'elle a de plus méprisable : la manipulation des esprits. Ces gens ne savent pas ou ne veulent pas savoir que c'est durant de véritables débats que s'est décidée l'élection de John Kennedy, de François Mitterrand et de Brian Mulroney. C'est souvent dans l'affrontement que naît la lumière et dans l'adversité que les convictions profondes se révèlent. Donc, en cette veille de Noël, je vous propose un sujet de débat : qui auriez-vous préféré en tant que président de la Conférence de l'ONU sur les changements climatiques ? Thomas Mulcair, respectueux des compétences provinciales, ou Stéphane Dion, grignoteur de ces mêmes compétences provinciales ? Et en sous-question : qu'est-ce qui est le plus fondamental, le respect des compétences provinciales ou le respect de la planète ? Je vous souhaite une bonne discussion musclée sur l'avenir de notre société, car c'est bien de cela que 80 % des Québécois ne voudront pas parler ce soir.

Les caricatures sataniques

4 et 5 février 2006

Si Salman Rushdie se présentait cette semaine chez son éditeur avec le manuscrit des *Versets sataniques*, celui-ci serait bien perplexe. Dans la foulée de la « crise » provoquée par les caricatures de Mahomet publiées au Danemark et reprises dans plusieurs journaux européens, l'honnête homme, tout en félicitant l'écrivain pour un grand livre, refuserait de le publier ou suggérerait qu'on attende que la tempête s'apaise avant d'affronter l'ire programmée et manipulatrice des intégristes musulmans. Heureusement, le livre de Rushdie, qui a dû vivre dans la clandestinité durant cinq ans, a été publié en 1988, treize ans avant les attentats du 11-Septembre, quinze ans avant l'invasion de l'Irak et dix-huit ans avant la victoire du Hamas en Palestine. Ce n'est d'ailleurs pas par hasard que les premières violences organisées furent le fait d'une poignée de militants du Hamas, qui ont envahi les bureaux de l'Union européenne. J'y reviendrai.

Pour la majorité des observateurs occidentaux, l'ordre d'assassiner Rushdie lancé par l'ayatollah Khomeiny constitua une découverte dramatique de la radicalisation sourde qui se profilait dans certains lieux de l'Islam, radicalisation qui se poursuivit avec l'aide de l'Arabie saoudite et des Américains à travers la guerre contre la présence soviétique en Afghanistan. Puis, il y eut le 11-Septembre et l'apparition de l'hydre al-Qaïda. L'Occident se remit au Coran pour comprendre ce terrorisme nouveau qui déferlait un peu partout, en Asie et en Europe surtout. On se pencha sur l'aliénation et l'humiliation du monde arabe et de la communauté musulmane. Il fallait absolument percer le mystère de ce désespoir qui conduisait de jeunes hommes et de jeunes femmes à se faire exploser au milieu des infidèles. Des millions de pages furent publiées, des centaines de documentaires produits qui parvenaient souvent à donner un visage humain à la terreur et au médiéval discours de l'intégrisme islamiste.

Notre effort de compréhension, de tolérance de la différence se traduit souvent par une complaisance involontaire et occulte des dimensions fondamentales de cette ferveur croissante. À RDI, une journaliste ignare nous annonçait hier que le monde musulman tout entier protestait contre les sataniques caricatures danoises. Ridicule. Tous les mouvements intégristes et les gouvernements arabes utilisent et manipulent cette affaire, les uns pour consolider leur position dans la société, les autres pour faire oublier à leurs citoyens les affres de la dictature. Ces manifestations, dans l'ensemble, n'ont rien de spontané et je ne serais pas surpris que le gouvernement égyptien, qui lutte farouchement contre les militants des Frères musulmans, permette en sous-main à ceux-ci de brûler publiquement quelques drapeaux européens. L'exemple de l'assaut de quelques militants du Hamas sur le siège de l'Union européenne est particulièrement significatif. Pendant que quelques militants hargneux piétinaient des drapeaux danois et français, la haute direction du mouvement radical menait et mène encore des négociations secrètes avec l'Union européenne pour que celle-ci maintienne son aide financière, aide vitale pour l'Autorité palestinienne dont le Hamas vient d'hériter.

Plus fondamentalement, il me semble que bien des efforts de compréhension ont entraîné un glissement dangereux de la réflexion sur les différences et une nouvelle rectitude politique qui est le fruit de la peur. Les discussions calmes et pondérées qui ont entouré l'ina-vouable possibilité de créer au Canada des tribunaux musulmans pour les affaires familiales, proposition qui aurait été rejetée avec colère et mépris avant le 11-Septembre, illustre bien ma crainte. La prudence incroyable de Reporters sans frontières, qui suggère aux rédactions de s'autocensurer pour « ne pas jeter de l'huile sur le feu », montre bien que les extrémistes, en poussant toujours plus loin leur violence verbale ou physique contre la liberté de penser, nous poussent, inconsciemment du moins, vers le repli et la prudence. Pour ne pas encourager le terrorisme, nous y pensons à deux fois avant de dire notre opposition fondamentale à cette opération de destruction de la démocratie et des droits. Et ce faisant, nous donnons raison aux terroristes et aux extrémistes. Ils installent la terreur en nous et modifient nos comportements. C'est précisément leur but.

À RDI, un savant professeur de religion nous expliquait qu'il fallait faire des efforts particuliers pour tenir compte de la sensibilité des musulmans, sous-entendant que la publication de ces caricatures constituait un manque de respect et une sorte d'affront coupable. Que les musulmans soient sensibles sur cette question, je le veux bien, mais ce n'est pas mon problème, c'est le leur. Mon respect fait en sorte que je ne leur demande pas de rayer les passages belliqueux ou misogynes du Coran, mais je réclame le même respect de leur part. Ma religion ne m'interdit pas de rire de l'islam, ni des évangélistes, ni des catholiques qui croient encore à Adam et Ève. Tous ces bien-pensants de la fausse tolérance et du respect peureux s'affairent sans s'en rendre compte à construire une nouvelle rectitude politique qui dirait que l'islam doit être pris, plus que toutes les autres religions, avec des pincettes. Dans ce discours qui baisse les bras devant le terrorisme intellectuel, on nous dit que cette religion serait en quelque sorte plus estimable et sacrée que les autres, que dans une société occidentale de droits on peut faire coucher Jésus avec Marie-Madeleine mais qu'il n'est pas souhaitable de montrer le Prophète en train de boire un verre de vin ou de dire qu'il manque de vierges au paradis pour accueillir les kamikazes, comme le fait une des caricatures maudites. L'objectif de la terreur, c'est de changer nos vies. Relisons *La Peste* de Camus. Au début, on combat la peste, puis, tranquillement, elle gouverne les vies et on l'accepte.

Le départ d'une femme

25 mars 2006

Tous les fins analystes de la politique québécoise s'entendent pour dire que c'est la défaite de Pauline Marois qui a scellé sa décision de quitter la politique. Il faut d'ailleurs, à ce sujet, souligner son élégance et sa loyauté à l'égard de son parti. En retardant de quelques mois son départ, elle a permis au nouveau chef de s'installer dans le calme et a tué dans l'œuf toute possibilité d'y voir le signe d'une division profonde au sein du parti.

Voilà qui est bien typique de Mme Marois: une femme racée, respectueuse et responsable. Cette attitude est d'autant plus admirable que sa défaite fut aussi humiliante que désarçonnante. Humiliante à la fois par la marge de la défaite et par la légèreté de son adversaire. Car il faut bien le reconnaître, autant par la compétence que par l'expérience, l'intelligence et la rigueur intellectuelle, madame Marois, comme le soulignait André Boisclair, est un «poids lourd», alors que le nouveau chef est un poids coq. Désarçonnante parce que Pauline Marois du parti de René Lévesque a été rejetée par un nouveau parti recruté à la va-vite dans les collèges et les universités, un amalgame de jeunes loups pour qui seule l'idée d'indépendance mérite une permanente attention.

Dans les «éloges funèbres», on a souligné non sans raison sa compétence, sa sincérité, son expérience, sa franchise (pensons aux «turbulences») et ses multiples réalisations. Voilà quelqu'un qui fut ministre de la Famille, de l'Éducation, de la Santé et des Finances. Ce n'est pas rien. Dans les temps récents, seuls René Lévesque et Jacques

Parizeau possédaient un bagage aussi impressionnant qu'elle avant de devenir premier ministre. Comparés à elle, Lucien Bouchard, Robert Bourassa et surtout Jean Charest étaient des poids légers quand ils devinrent premier ministre. Plus compétente que bien des hommes, elle était aussi la première femme politique de l'histoire du Québec à posséder cette expérience, une expérience qui garantissait sa capacité à gouverner le Québec. En fait, pour le nouveau Parti québécois, elle ne possédait que deux faiblesses : elle n'était pas nouvelle (entendre : jeune) et elle était une femme.

Je suis profondément convaincu que c'est autant la femme humiliée que la politicienne défaite qui a fait ses adieux à la politique cette semaine. Et comment ne pas la comprendre et en même temps souligner que la présence des femmes dans les hauts lieux de la décision politique a subi un recul dramatique avec son abandon.

Officiellement, la course au leadership du Parti québécois fut un grand débat d'idées, un noble affrontement entre des personnalités différentes. Dans la réalité quotidienne cependant, ce fut beaucoup plus laid. Dans les coulisses, dans les officines et dans les rencontres de cuisine, ce fut une entreprise de démolition des personnalités et en particulier de Pauline Marois.

Mme Marois, disait-on dans les corridors, est une grande bourgeoise, la femme d'un homme riche, une personne qui est loin du peuple. On n'avait qu'à constater comment elle s'habille et sa manière surannée de s'exprimer. J'ai même entendu qu'elle faisait trop mère de famille et qu'elle ne pourrait pas attirer le vote des jeunes.

Or jamais on n'a reproché à René Lévesque de fumer deux cigarettes à la fois et de s'habiller comme la chienne à Jacques jusqu'aux élections de 1976. Non, on soulignait son charisme. Existe-t-il plus grand bourgeois, autant par la fortune que par l'habillement et le langage, que Jacques Parizeau ? Personne ne disait de l'ancien premier ministre qu'à cause de son apparence, il ne pourrait s'attirer le vote des jeunes et communiquer avec le bon peuple. Non, sa compétence et son intelligence brillante et dévastatrice feraient oublier tous ces défauts. Et puis, ce n'était que l'apparence et, dans le PQ, parti de principes, on ne s'arrêtait pas à ces choses futiles. On pourrait faire les mêmes remarques à propos de Lucien Bouchard, grand seigneur hautain qui s'exprimait comme un prof de collège classique des années 1950.

En fait, en politique, un homme peut se soûler, faire une ligne, s'habiller comme il le souhaite et s'exprimer en multipliant les fautes de français, il peut faire ce qu'il veut et ne posséder aucune expérience, pourvu qu'il se fasse élire. Les habits britanniques de Jacques Parizeau faisaient partie de sa personnalité, il fallait faire avec. Par contre, les robes de Pauline Marois la transformaient en bourgeoise éloignée du peuple. Les citations latines et les circonlocutions complexes dont Bernard Landry émaillait son discours lui conféraient un petit air original. La langue châtiée et parfois surannée de l'ancienne ministre des Finances handicapaient sa capacité de rejoindre le peuple.

La défaite de Pauline Marois et son départ illustrent remarquablement le machisme encore profond du monde politique. Jamais nous n'avons connu en politique une femme d'une telle envergure, mais ce n'était pas suffisant. Malgré toutes les chartes et tous les discours sur l'égalité, la femme en politique ressemble un peu aux jeunes des cités françaises : ils sont en théorie égaux, mais pour réussir ils doivent être dix fois meilleurs que ceux qui habitent les quartiers chics. Dans le cas de Pauline Marois, même être dix fois meilleure ne fut pas suffisant.

Quant à Pauline Marois, elle a dit que, si le besoin s'en fait sentir, elle sera toujours disponible pour défendre les principes auxquels elle croit. Il existe un tel lieu qui aurait grandement besoin d'elle et où elle se sentirait à l'aise et utile. Ce lieu s'appelle Québec solidaire.

Une décision précipitée, radicale et injustifiée

1er avril 2006

On ne me fera pas croire qu'il ne faut y voir qu'une coïncidence. Le Canada est devenu le premier pays au monde à annoncer qu'il cessait toute aide à l'Autorité palestinienne à peu près à la même heure que s'ouvrait à Cancún le sommet entre MM. Harper, Bush et Fox. Voilà qui devrait conforter le président américain et peut-être l'encourager à rouvrir le dossier du bois d'œuvre. Joli troc qui n'est pas inhabituel dans les relations internationales, mais qu'il sera bien difficile d'expliquer aux centaines de femmes qui fréquentent un programme de formation financé par le Canada dans la bande de Gaza.

Le Canada en politique internationale se distingue rarement par des réactions rapides et à l'emporte-pièce. Conscient de notre influence modeste, de notre poids relatif, nous préférons généralement attendre que se forme un consensus dans la communauté internationale et dans les institutions mondiales. Cela nous permet généralement d'être en phase avec les principaux donateurs et de mieux cibler nos interventions et notre aide. Dans ce cas, rencontre avec George Bush oblige, le Canada a pris une décision précipitée, radicale et injustifiée qui, si elle est suivie par d'autres pays, risque de produire le contraire de l'effet recherché. Ce n'est pas en brandissant l'anathème que nous risquons de modérer le langage belliqueux du Hamas.

* * *

Cette décision est précipitée, car d'intenses négociations se poursuivent actuellement entre l'Autorité palestinienne, l'Union européenne, la Russie, la Chine, de même qu'avec les institutions internationales comme la Banque mondiale et les Nations unies pour permettre une poursuite de l'aide à la Palestine tout en marquant leur désapprobation à l'égard d'une organisation que la majorité des pays considèrent comme terroriste. M. MacKay aurait eu intérêt à attendre les conclusions et les propositions de ces pays et organismes qui sont conscients bien plus que lui de la complexité de la situation créée par l'élection du Hamas et en même temps, de la situation de plus en plus désespérante de la population palestinienne. Faut-il rappeler encore une fois au gouvernement conservateur que le taux de chômage y dépasse les 50 % et que le revenu quotidien est d'environ trois dollars ?

*   *   *

Cette décision risque surtout de produire un effet doublement pervers. Elle va conforter les radicaux dans leur conviction que les « infidèles » comme nous soutiennent inconditionnellement la politique israélienne et refusent la création d'un État palestinien viable. Si l'exemple canadien est suivi par d'autres donateurs importants, on assistera à une dégradation de la situation économique chez les Palestiniens les plus fragiles et les plus susceptibles d'être emportés par la propagande haineuse à l'égard d'Israël et de l'Occident en général. La présence d'ONG occidentales sur le terrain, leur action qui concurrence souvent celle des œuvres caritatives animées par des intégristes, sert de contrepoids au discours qui veut que l'Occident est en guerre contre l'Islam. Notre présence quotidienne et efficace en Palestine sert aussi à maintenir un dialogue certes ardu, mais qui demeure essentiel. En fait, plutôt que de couper les ponts avec le nouveau gouvernement démocratiquement élu du Hamas, il faut s'affairer à construire des passerelles et des lieux de dialogue. Car devant notre braquage, le Hamas n'est pas sans défense ni moyens. La semaine dernière, l'Arabie saoudite a assuré le nouveau gouvernement que son pays ne laisserait pas la communauté internationale affamer l'Autorité palestinienne.

De l'Iran et du Soudan sont venues de semblables assurances. Ce que le Canada de Stephen Harper propose, c'est de créer un vacuum dans lequel s'engouffreront en riant dans leur barbichette des imams inté-gristes et des recruteurs de kamikazes.

*   *   *

Voici un exemple de ce risque. L'ONG montréalaise administre dans la bande de Gaza un programme financé par l'Agence cana-dienne de développement international (l'ACDI). Deux centres de formation donnent aux femmes des enseignements qui leur permet-tront d'exercer de petits métiers et de mieux s'intégrer à la société. Dans cette démarche, il y a bien sûr l'affirmation de la femme dans la société, l'apprentissage de l'égalité et des droits. Il est facile de com-prendre que l'enseignement dans ces centres sera radicalement diffé-rent s'ils reçoivent le financement de l'Arabie saoudite. Quelque imam intégriste lira le Coran aux femmes, leur montrera le chemin de la maison plutôt que celui du marché du travail et les encouragera à tisser, dans le secret de la cuisine, des hidjabs pour leurs filles.

Et puis, il y a dans cette décision quelque chose de profondément injuste et hypocrite qui lance un message dangereux aux Palestiniens. Le Canada et les États-Unis font partie de ces pays occidentaux qui proposent le modèle démocratique pour assurer des sociétés plus justes, plus stables et donc, moins susceptibles de tomber dans l'extré-misme et le terrorisme. Mais attention, peuples que nous voulons démocratiser! Nous allons vous accompagner et vous aider dans votre marche vers le progrès seulement si vous choisissez le résultat démo-cratique que nous souhaitons. Sinon, nous allons tout faire pour vous affamer, déstabiliser le gouvernement que vous avez élu et tenter, par asphyxie, d'en provoquer le renversement. Voilà le message que lance le Canada.

Crime de réflexion

15 avril 2006

Décidément, les imams de l'indépendance ne ratent pas une occasion de se discréditer. Après le triste et désopilant *Manuel du parfait petit cancre indépendantiste,* voilà que des écrivains et même un ex-premier ministre se drapent dans leur chasuble, montent en chaire et lancent l'anathème et l'excommunication contre les deux plus grands dramaturges québécois contemporains, Michel Tremblay et Robert Lepage. Ces anciennes icônes de l'indépendance sont ravalées au rang de « renégats » et de « traîtres », et l'ex-premier ministre annonce même qu'il n'ira plus assister aux représentations des œuvres de Tremblay. Un peu comme si un fou de littérature refusait de lire Céline sous prétexte qu'il était antisémite. Le masochisme déguisé en vertu.

La véhémence des propos, le recours à l'insulte et à un langage haineux sont d'autant plus surprenants que les deux hommes voués à l'enfer bleu étaient plutôt modérés dans leurs affirmations et n'exprimaient que des réserves et des questions à propos du message indépendantiste. Aucun d'eux ne s'est proclamé fédéraliste ou n'a juré de lutter contre l'indépendance. Ils n'ont pas demandé audience à Michaëlle Jean pour proclamer leur allégeance à la Couronne. Non, à haute voix, en hommes de réflexion qu'ils sont, ils ont exprimé un malaise et des réserves.

Cela illustre un phénomène troublant qui existe dans une bonne partie du milieu de la création au Québec et chez beaucoup d'intellectuels québécois. Tout peut être remis en question, chaque idée doit subir l'épreuve du temps, chaque dogme doit être dénoncé comme ce qu'il est, c'est-à-dire une forme de totalitarisme. Tout mérite réexamen, sauf la foi indépendantiste et son dogme incarné par quelques thuriféraires autoproclamés. Cela est d'autant plus désespérant que tout historien des idées et des courants politiques expliquera que les idées ne survivent que si elles se renouvellent, que si elles sont soumises à une réactualisation permanente en fonction de la réalité qui, elle, n'attend pas que les idées évoluent pour modifier son cours.

Le travail de l'intellectuel consiste en partie en un questionnement permanent sur la réalité et ses changements. La seule attitude qui lui est interdite est celle de la foi aveugle et de la défense du dogme. Cette dernière tâche est celle des curés et des policiers. D'ailleurs, ces écrivains qui recourent maintenant à l'injure pour vilipender des gens qui réfléchissent ne se sont pas gênés par le passé pour effectuer leur travail efficace de critique et de réflexion. Ils ont fait partie de la critique du rôle de l'Église dans la société québécoise, se sont battus pour la laïcité, pour les droits des femmes, contre la discrimination. Faut-il leur rappeler aujourd'hui qu'il y a quelques années encore, la présence des crucifix dans les écoles, l'interdiction des relations homosexuelles (je ne parle pas du mariage entre conjoints de même sexe) ainsi que celle de l'avortement constituaient une sorte de dogme socioreligieux au même titre que leur vision de la vérité québécoise? Heureusement, il y eut des êtres critiques comme eux pour battre en brèche ces dogmes et les remettre à l'heure d'une nouvelle réalité. Tremblay et Lepage, en des termes plus que modérés et nuancés, se sont livrés au même exercice de réflexion. Ils sont donc coupables du crime de réflexion.

La recherche et l'affirmation de l'identité culturelle qui débouche sur un pays se sont développées au milieu des années 1960, coïncidant avec l'émergence de Tremblay. Elle s'est faite de pair avec la construction de l'État québécois moderne et la lutte contre l'anglicisation. Nous sommes aujourd'hui à des années-lumière de cette situation. Depuis, il y a eu la Caisse de dépôt, la loi 101 (qui a changé toute la donne) et les ententes avec le fédéral sur la sélection des immigrants. Aujourd'hui, c'est l'école qui menace le français, pas les menus unilingues des restaurants Murray's ni le président du Canadien national, contre qui Bernard Landry s'est vaillamment battu.

La volonté de s'approprier son destin collectif, aussi contenue dans le message indépendantiste, date de la même époque. C'était avant la nationalisation de l'hydroélectricité, avant la SGF, avant Bombardier et Jean Coutu. La place d'un Québec indépendant dans le monde et sa capacité de négocier des ententes font aussi partie du message indépendantiste. Mais la réflexion sur ces thèmes n'a pas évolué depuis la fin des années 1970. C'était avant l'ALÉNA, avant la mondialisation puis la globalisation, avant l'Union européenne, avant l'Organisation mondiale du commerce, avant les changements climatiques. L'idée du Marché commun en Europe fut longtemps considérée comme une sorte de solution parfaite. On créait ainsi un marché unique tout en maintenant l'intégralité des souverainetés nationales. C'était avant la mondialisation, avant l'immigration illégale. Il a fallu s'ajuster, réfléchir, revoir le discours et en même temps l'idée.

Le surprenant résultat de Québec solidaire n'est pas étranger à cette sourde remise en question de la pertinence de l'indépendance à la péquiste. Tremblay et Lepage reflètent un peu tous ces nationalistes qui demandent à l'indépendance d'être un projet de société différent, une vision de justice et de redistribution de la richesse, et non pas un projet d'État, un projet de drapeau. Mais surtout, leur grand mérite a été, dans ce milieu qui a l'anathème facile, d'avoir le courage de la réflexion et de la parole. Cela nous repose des nouveaux curés enfermés dans leur bréviaire vieillot et revanchard.

La rupture

De la crise libanaise, les Canadiens retiendront peut-être les cafouillages et l'improvisation qui ont caractérisé dans les premiers jours la réaction du gouvernement canadien. Ces citoyens d'origine libanaise laissés à eux-mêmes durant des jours, le désarroi, la colère et le désespoir des parents demeurés au Canada. Mais à plus long terme, il faudra se rappeler la rupture radicale opérée par le gouvernement Harper avec cinquante années de politique étrangère canadienne.

Inspirée par Lester B. Pearson, cette politique était marquée par le souci de la conciliation, la recherche du compromis et l'affirmation d'une amitié critique à l'égard de nos voisins états-uniens. Ces principes, tous les gouvernements les ont maintenus et suivis comme s'ils faisaient partie de la fibre canadienne. Seul Joe Clark s'en écarta quand il évoqua la possibilité rapidement rejetée de transférer l'ambassade canadienne de Tel-Aviv à Jérusalem.

Durant ces cinquante années, Ottawa a maintenu une politique indépendante et mesurée.

Quand Fidel Castro prend le pouvoir à Cuba et nationalise les grandes entreprises étrangères (majoritairement américaines) qui ont littéralement pillé le pays durant des décennies, le Canada maintient ses relations diplomatiques et commerciales avec le régime cubain.

En ce qui concerne l'Espagne, il devient le principal fournisseur de denrées du pays et maintient sans broncher cette position malgré les lois de rétorsion adoptées par Washington. Le Canada se tient loin du conflit vietnamien.

En 1970, le Canada reconnaît la Chine de Mao malgré la colère de Nixon, qui se rendra quelques années plus tard aux arguments de Kissinger. À quoi sert-il de ne pas tenir compte de la réalité et d'ignorer un quart de la population mondiale ? Durant les années 1970 et 1980, le Canada se démarque souvent de la politique américaine, qui appuie les dictatures en Amérique latine au nom de la lutte contre le communisme.

Sur toutes ces questions, il est facile de constater que, historiquement, la position canadienne était plus juste que la position américaine.

Plus près de nous, il en fut de même au Sommet de Rio, où le Canada appuya la déclaration sur la protection de la biodiversité, alors que les Américains s'y opposaient farouchement.

Même distance et indépendance en ce qui concerne le Traité d'interdiction des mines antipersonnel, dont le Canada fut un des maîtres d'œuvre et que Washington refuse toujours de signer. Dans un autre domaine, le Canada a approuvé la formation de la Cour pénale internationale que les Américains récusent. Même distance et même réalisme, même sens des responsabilités dans les dossiers de Kyoto et de l'après-Kyoto. Faut-il enfin rappeler que le Canada a refusé de s'embarquer dans l'historique bourbier irakien ? On commence à comprendre maintenant que, si M. Harper avait été au pouvoir en 2003, nous accueillerions chaque semaine des cadavres de soldats canadiens sacrifiés sur l'autel de la toute-puissance américaine.

Sur la complexe question du Moyen-Orient, le Canada a maintenu une politique équilibrée qui reconnaît non seulement Israël, mais aussi son droit de se défendre en même temps que la nécessaire création d'un État palestinien. C'est avec cette longue tradition de justice et d'équilibre que Stephen Harper a décidé de rompre brutalement et aveuglément.

En donnant un appui inconditionnel à l'interprétation israélienne de la « légitime défense », quelle politique appuyons-nous dorénavant ? Nous appuyons la tentative de détruire le gouvernement que les Palestiniens se sont démocratiquement donné, à notre demande et à celle des Américains. Nous appuyons le kidnapping de dizaines de députés et de ministres élus.

Sous prétexte de condamner le Hamas et le Hezbollah, responsables certes du déclenchement des hostilités, nous acceptons sans aucune réserve la destruction des infrastructures de la bande de Gaza et le fait que la vie d'un soldat israélien vaut dix fois plus que celle des Palestiniens ou des civils libanais. En fait, nous donnons notre appui aveugle et servile à une politique qui historiquement a toujours provoqué les effets contraires de ses objectifs.

L'invasion israélienne du Liban au début des années 1980 procédait de la même logique que la stratégie suivie par Olmert aujourd'hui.

Certes, l'OLP fut expulsée du Liban, mais les destructions massives du pays, le ressentiment provoqué par cette invasion puis par l'occupation du Sud-Liban durant seize ans ont engendré la situation qu'on prétend aujourd'hui dénouer à coups de canons.

Les Syriens ont pris le contrôle du pays et se sont appuyés entre autres sur un mouvement qui était largement minoritaire dans la pauvre communauté chiite, la plus populeuse au Liban. Ce mouvement, c'était le Hezbollah, qui rapidement remplaça la milice chiite modérée du Amal.

Avec l'appui de la Syrie, puis de l'Iran, le mouvement extrémiste profita du ressentiment des populations pauvres du Sud pour devenir, comme le Hamas à Gaza, la principale organisation caritative, politique et aussi terroriste dans une grande partie de Beyrouth et dans le sud du pays. C'est la politique de la force absolue contre le terrorisme qui a permis la naissance du monstre Hezbollah que nous connaissons aujourd'hui. En appuyant cette stratégie de la fuite en avant, nous acceptons de faire reculer le Liban vingt ans en arrière, nous acceptons plus de haine et de désespoir, deux facteurs qui poussent les jeunes dans les organisations terroristes, et nous acceptons de nous éloigner encore plus de la seule solution au problème de la région, qui est la création d'un État palestinien. Voilà le choix absurde que vient de faire le Canada après cinquante années d'intelligence.

Monsieur l'Indien

14 octobre 2006

Mon premier Indien ou Sauvage — c'est ainsi qu'on appelait les Amérindiens quand j'étais enfant — s'appelait Bill Wabo. C'était un personnage des *Belles Histoires des pays d'en haut*. Yeux de braise, nez aquilin et sombre chevelure tombant sur les épaules, Bill était un gentil naïf qui faisait peur aux petits plantés devant la télé. Puis, mes Indiens furent ceux de Caughnawaga, aujourd'hui Kahnawake. Iroquois de cinéma, déguisés pour le plaisir des petits Montréalais. Nous étions loin des Warriors, et notre regard sur eux était celui d'une personne qui observe des étrangers dans son propre pays.

L'histoire nous avait bien appris qu'ils étaient au Canada avant nous mais qu'ils vivaient dans un état déplorable de pauvreté et d'ignorance. Nous leur avions apporté la civilisation, leur avions donné Dieu et, ainsi, une place au ciel. Somme toute, ils devaient probablement être reconnaissants de tout ce que nous leur avions donné, nous qui n'avions rien pris puisque nous avions développé des ressources que les Indiens auraient été totalement incapables d'exploiter.

Ce n'est qu'avec l'élection de René Lévesque en 1976 que la question amérindienne nous fut posée sous l'angle du développement économique, du partenariat et de la responsabilisation des communautés autochtones. Nos attitudes changèrent en théorie, mais nos perceptions se modifièrent très peu. Et surtout, le problème fondamental, celui de notre occupation de leur territoire, celui de leur droit à l'autonomie et au territoire, n'était pas encore posé. Ce qui persistait aussi, c'était l'ignorance totale des conditions de vie dans les réserves, la certitude que les autochtones étaient généreusement traités par le ministère des Affaires indiennes et que, finalement, nos Indiens étaient bien dans leurs réserves puisqu'ils y demeuraient. Toutes ces certitudes se sont estompées, pense-t-on souvent, au fil des crises comme celle de Kanesatake et des reportages sur le crime organisé ou sur le commerce des cigarettes. Notre attitude a-t-elle fondamentalement changé ? Rien n'est certain si on se fie aux résultats d'un sondage commandé par l'Assemblée des Premières Nations.

Bien sûr, notre ouverture politique a évolué, en théorie du moins. Ce sondage révèle que les trois quarts des Québécois sont favorables à la gestion des richesses naturelles par les autochtones et au libre accès aux terres traditionnelles, mais la moitié des Québécois et une majorité de francophones refusent d'en accepter la conclusion évidente et nécessaire : celle de l'autonomie et du partage du territoire. En effet, comme le soulignait hier dans ce journal Ghislain Picard, chef des Premières Nations, le développement des ressources et l'autonomie doivent nécessairement passer par le partage du territoire. Il est intéressant de noter qui sont les Québécois qui s'opposent le plus à l'autonomie politique, administrative et juridique des autochtones. Ce sont les jeunes de 25 à 34 ans, les francophones, les citoyens de la région de Québec et les gens financièrement à l'aise. Cette énumération correspond en gros au noyau de la clientèle nationaliste et péquiste et illustre une des contradictions les plus profondes qui caractérisent le discours indépendantiste. En effet, depuis des lustres, ce sont les populations fortement nationalistes, celles qui considèrent que les Québécois constituent une nation dotée du droit à l'autodétermination, qui s'opposent le plus farouchement à la reconnaissance du même droit pour les neuf nations autochtones qui vivent sur le territoire québécois. Ghislain Picard citait jeudi l'exemple du dossier des Attikameks, qui a été déposé en 1979 et qui, vingt-sept ans plus tard, n'a pas avancé d'un cran.

Pour le reste, le sondage nous apprend que nous sommes toujours aussi ignorants des véritables conditions de vie des autochtones.

Il y a une quinzaine d'années, grâce à Florent Vollant et Claude MacKenzie, les deux chanteurs de Kashtin, j'avais visité une dizaine de nations autochtones au Canada. À Maliotenam, j'avais découvert une hospitalité et une solidarité qui m'avaient ému. À Moose River,

une réserve ontarienne près de la baie James, le lendemain d'un spectacle de Kashtin, nous avions compté une trentaine de personnes ivres
mortes qui dormaient dans les rues. À Prince Rupert et aux îles Char-
lotte, avec les Haïdas, nous avons été époustouflés par le degré d'autonomie et de responsabilisation, qui se traduisait par une communauté
socialement et économiquement saine. Plus tard, aux Escoumins, j'ai
vécu quelques jours dans une municipalité entièrement amérindienne
où le chômage n'existait pas et où les Blancs étaient employés par les
«Indiens».

Dans chacune des réserves que j'ai visitées, une constante se dégageait : plus les communautés détenaient de pouvoir et de maîtrise sur
leur milieu, plus elles étaient prospères et offraient des milieux de vie
sains à leurs enfants. Plus les autochtones dépendaient des gouvernements, plus ils croupissaient dans la pauvreté et la déchéance. Si on
pense que l'épanouissement du Québec est conditionnel à la souveraineté, il me semble impossible de poser la problématique autochtone
de façon différente.

Afghanistan : rester et se battre

28 octobre 2006

Le pacifisme et le neutralisme ne constituent pas toujours des attitudes vertueuses et humanistes. Il arrive qu'ils soient aussi une forme de démission et de repli sur soi, une sorte d'égoïsme sophistiqué. Pensons à la neutralité suisse durant la Seconde Guerre mondiale. Pensons aussi à ce que serait le monde si les pacifistes européens et américains avaient remporté la donne et qu'on avait laissé les nazis faire à leur guise. Il y a un peu de tout cela dans l'attitude de ceux qui réclament aujourd'hui dans les rues du Québec le retrait des troupes canadiennes en Afghanistan.

On nous dit qu'il faut se retirer parce que l'instabilité et l'insécurité s'accroissent et que de plus en plus de civils afghans sont victimes du terrorisme. On répète que seule la capitale Kaboul jouit d'une certaine normalité. C'est déjà un énorme progrès. Et soyons francs : la situation sécuritaire dans le pays est amplement meilleure que celle qui règne en Irak. Si on croit que la stabilité du pays et que la sécurité des civils constituent une bonne chose pour le monde entier, ce que je crois, voilà plutôt une raison d'y rester et d'y intensifier la lutte contre les talibans.

On rejette du revers de la main le processus électoral et le Parlement qui en a résulté. Je ne doute pas une seconde que les dix millions d'électeurs qui se sont inscrits aient fait souvent l'objet de pressions et de menaces et, effectivement, des seigneurs de guerre et des barons de l'opium se sont fait élire. On oublie de dire cependant que 28 % des députés sont des femmes et que ce Parlement a adopté des lois qui préparent un avenir meilleur pour les Afghans.

On nous dit que seule la guerre est à l'ordre du jour et que la mission de reconstruction est un prétexte. Le Canada s'est engagé à fournir un milliard de dollars à l'Afghanistan sur une période de dix ans, ce qui en fait le plus grand bénéficiaire au monde d'aide bilatérale canadienne. Depuis la défaite des talibans et malgré l'insécurité actuelle, 4,8 millions d'enfants ont retrouvé l'école. Ce n'est pas rien. Mais cette avancée sérieuse est en péril. Les écoles et les enseignants sont parmi les cibles préférées des talibans et récemment le président Karzaï rappelait que 200 000 enfants avaient perdu leur école depuis la résurgence de l'insurrection des mollahs. Cette année, les talibans ont détruit 300 écoles. Lutter les armes à la main contre les talibans, c'est aussi se battre pour l'éducation. La reconstruction de l'Afghanistan, c'est aussi procéder au déminage du pays. Environ cinq millions de mines ont été retirées depuis 2001. C'est aussi créer des emplois ou assurer la survivance des veuves de guerre. L'année dernière, 150 000 personnes, dont 78 % de femmes, ont profité du programme canadien de microcrédit et ont reçu ainsi 15 millions de dollars. Rien de cela ne serait possible sans une forte présence militaire étrangère dans le pays.

Ceux qui veulent que le Canada se retire du pays nous font aussi le coup de l'épouvantail Bush. Nous ne serions dans ce pays que pour contribuer à la poursuite des « intérêts stratégiques et économiques » de Washington. En portant cette accusation, on tente de faire l'amalgame avec la guerre en Irak. L'invasion américaine de l'Irak fut un mensonge tragique et un crime contre l'humanité au nom des « intérêts stratégiques et économiques » américains. C'est d'ailleurs pour cela que le Canada, la France, l'Allemagne s'y sont opposés, pour cela aussi que l'Espagne a retiré son contingent. Or ces pays européens, qu'on ne peut taxer de valets et d'alliés inconditionnels des États-Unis, participent tous comme le Canada à la force de l'OTAN qui mène la guerre aux talibans et aucun d'entre eux ne remet en question la justesse et la légitimité de leur engagement militaire.

La Force internationale d'intervention mène trois guerres justes en Afghanistan et ces trois guerres sont indissociables.

La guerre contre al-Qaïda fut à l'origine de l'intervention. Les victimes espagnoles, italiennes, anglaises, indonésiennes, saoudiennes de la mouvance incarnée par Ben Laden nous rappellent que cette lutte n'est pas un combat américain, mais un affrontement entre ceux qui croient à une théocratie médiévale et ceux qui croient à la liberté et aux droits de la personne. C'est un combat dont le Canada ne peut décemment se dissocier.

Nous menons aussi une guerre pour empêcher les talibans de replonger ce pays dans l'enfer de l'extrémisme islamiste. C'est une guerre pour les femmes et les enfants, une guerre pour plus de justice et de droits, pour plus d'égalité et d'équité. Se battre pour la liberté d'un pays et surtout de ses citoyens relève de la générosité et de la solidarité. Chaque avancée de la liberté constitue un progrès collectif pour l'humanité. Il ne faut pas prendre prétexte des erreurs, des bavures ou de la lenteur et du prix humain du combat pour échapper à nos responsabilités de solidarité.

Enfin, nous tentons de mener en même temps le combat pour la construction d'un État viable, d'un État de droit et d'un État plus juste pour l'ensemble de ses citoyens. C'est seulement quand ces conditions seront réunies que les Afghans pourront se défaire des chefs de guerre et des barons de l'opium. Tout cela passe par la défaite de la rébellion talibane et, seuls, les Afghans ne peuvent y parvenir.

Le pacifisme est une attitude foncièrement généreuse quand son seul objectif est la lutte pour la paix, mais celle-ci parfois ne peut être atteinte que par la lutte armée. Il existe bien des guerres qu'on pourrait qualifier d'humanitaires.

Ce n'est pas l'État qui est mauvais, c'est le gouvernement

16 décembre 2006

Pour quiconque s'intéresse au discours politique américain, les tirades contre le rôle de l'État, sur la taille des administrations publiques et sur leur inefficacité sont chose familière, une sorte de folklore politique qu'on ressasse comme un mantra. Pour ceux qui, malheureusement pour eux, fréquentent TQS et ses démagogues de l'information, les sorties outrées et scandalisées contre les bureaucrates, les fonctionnaires endormis et l'incompétence étatique ne surprennent pas. Ce recours systématique à la caricature, à la démagogie et à la désinformation font partie de la formule, comme une sorte de potion magique de la cote d'écoute.

Mais qu'une ministre, et, qui plus est, la ministre responsable du bon fonctionnement de l'État québécois, ait recours à la même démagogie et aux mêmes procédés caricaturaux que Jean-Luc Mongrain, cela surprend et semble invraisemblable. C'est pourtant à cette «*job de bras*» populiste que s'est livrée Monique Jérôme-Forget dans une conférence qu'elle a prononcée à Toronto devant le Conseil canadien pour les partenariats public-privé. Fonction publique pléthorique, incompétence crasse, résistance absolue au changement : la «Dame de fer» a repris tous les poncifs des populistes des ondes et n'a pas fait dans la dentelle en déclarant sans sourciller que «tout ce que nous avons fait dans le passé n'avait pas de sens». Pas de sens, Hydro-Québec, la Manic, la Caisse de dépôt, la démocratisation de l'éducation, la Baie-James, l'assurance automobile, la protection des terres agricoles ? Et quoi encore ? Pis encore, pour appuyer son délire antiétatique, elle a utilisé des exemples qui, s'ils n'étaient pas mensongers, relevaient de la caricature. Elle a fait rire son auditoire en soutenant que le métro de Laval est « tellement mal planifié qu'une des stations aboutit dans une rivière ». *La Presse* rapporte que son attachée de presse a par la suite déclaré que c'était une « figure de style ». Par honnêteté intellectuelle, Mme Jérôme-Forget aurait peut-être dû rappeler que c'était une entreprise privée qui était responsable de la construction du métro. Elle ne l'a pas fait. Elle a poursuivi en se vantant de ne remplacer qu'un fonctionnaire sur deux quand ceux-ci prennent leur retraite et en présentant comme un sondage gouvernemental un sondage effectué par ce même Conseil canadien des PPP, qui révèle qu'une écrasante majorité de Québécois favorise les PPP. Comme on le constate, la présidente du Conseil du trésor aime prendre quelques libertés avec les faits.

Plus profondément, ce genre de discours sur l'inefficacité de l'État correspond à une sorte de conviction profonde alimentée par la caricature et l'ignorance. En gros, l'entreprise privée, condamnée à la rentabilité et au profit, fait mieux que l'État, qui n'est pas soumis à la concurrence. Ce raisonnement ne résiste pas aux faits et à l'analyse. Il suffit par exemple de comparer la situation des citoyens québécois et des citoyens américains dans le domaine de la santé. Le système de santé américain, système privé, est le plus coûteux au monde et 35 % de tous les Américains sont privés d'assurance maladie. L'incompétence, le manque de vision, la difficulté à s'adapter au changement et la lourdeur des organisations sont des phénomènes qu'on retrouve dans tous les secteurs d'activité, qu'ils soient publics ou privés. L'incapacité de s'adapter aux nouvelles tendances du marché et à bien évaluer les coûts des avantages sociaux accordés aux employés a poussé Ford et General Motors au bord de la crise. Ces deux grands modèles de l'entreprise privée ont annoncé des pertes respectives de 7,4 milliards et de 23 milliards de dollars pour l'année 2005. Et, plus près de chez nous, doit-on rappeler à Mme Forget que c'est une entreprise privée qui a construit le viaduc de la Concorde ?

Souvent associé à l'incompétence de l'État dans la conscience populaire, il y a le mythe de l'État corrompu et dissimulateur. Pourtant, c'est dans l'entreprise privée qu'on retrouve les plus grands scandales de corruption. Les dizaines de milliards qui se sont évanouis dans les scandales financiers de Parmalat et d'Enron, pour ne citer que ces deux-là, et les manipulations comptables de Nortel ont de quoi faire pâlir de jalousie tous les Chuck Guité de la planète.

En fait, il n'existe pas de bons ou de mauvais États, il n'y a que de bons et de mauvais gouvernements. De bons gouvernements dotés d'une vision du bien commun, soucieux de bien planifier la richesse collective et d'en assurer la pérennité, comme le premier gouvernement du PQ ou celui de la petite Norvège. Et de mauvais gouvernements comme celui de Mme Forget, dénués de tout projet collectif et qui agissent au gré des pressions et des souhaits de petits lobbys affairistes. Des gouvernements à la petite semaine.

En cette fin de session, le gouvernement a préféré le droit à l'escalope aux intérêts de plus de 100 000 travailleurs de l'alimentation. Ce ne sont pas des fonctionnaires inefficaces qui ont accouché de ce projet de loi. Tout comme le ministre Béchard a préféré jeter au panier tous les conseils de ses fonctionnaires qui s'opposaient à la vente du mont Orford. Il y a aussi sur la table d'un ministre des dizaines d'études qui prouvent que l'installation de photoradars réduit énormément le nombre d'accidents dus aux excès de vitesse. Mais le ministre a remis cette mesure aux calendes grecques, tout comme le projet d'interdire l'utilisation des cellulaires lorsqu'on conduit. Tout cela pour ne pas mécontenter les amateurs de vitesse et les compagnies de transport routier, au mépris bien sûr des milliers de victimes de la route. Je le répète: il n'y a pas de mauvais États, il n'y a que de mauvais gouvernements.

Éloge du sapin et de Noël

23 décembre 2006

Il y a des gens qui coupent des sapins et d'autres qui les interdisent. Les premiers sont des agriculteurs plutôt sympathiques à première vue alors que les seconds sont des curés de la rectitude politique.

Je suis baptisé mais incroyant. Fils de famille nombreuse, je fête chaque année Noël en famille. Pour moi et pour tous les gens que je connais, ce n'est pas la célébration de la naissance du Christ et de cette fable enfantine que la crèche résume, la très vierge Marie et le Joseph impuissant, mais j'aime bien ce conte pour enfants et les tableaux ou les personnages qu'il a inspirés. Mignons, ce bœuf et cet âne qui réchauffent le sauveur du monde. Première image de la rencontre écologique de l'homme et de l'animal. Je me rappelle que, même adolescent révolté par cette fumisterie religieuse, je montais religieusement et avec soin la crèche sous le sapin et me sentais transporté je ne sais où dans un monde invisible quand j'entendais *Adeste fideles*. Je ne vous dis pas les frissons que me faisait *Minuit, chrétiens,* moi qui n'étais plus chrétien. Et ces frissons, ils me saisissent encore et je m'arrête devant les crèches pour les admirer et me souvenir du temps où il y avait une crèche chez moi.

Ceux qui me connaissent savent que je ne suis ni nostalgique ni passéiste, mais malgré quelques déclarations fanfaronnes en des temps de tristesse, je ne peux pas me passer de Noël et de tous ses attributs que des laïcs médicaux veulent maintenant édulcorer et aseptiser.

Noël est, vous avez raison, messieurs et mesdames les juristes de la célébration, une fête chrétienne, et en cela peut-être, mais vous ne le savez pas, la célébration officielle de cette fête peut offenser mon voisin hassidique et les deux musulmanes qui habitent en face de chez moi. Tout comme pour mon voisin et ses enfants le fait que je possède un chat dénommé Miou Miou, qui pollue leur terrain sacré de sa présence animale, puisse être une attaque, voire un sacrilège.

Les gens qui veulent interdire les sapins des aéroports et des lieux publics souhaitent que nous renoncions à l'histoire et à notre identité pour que nous devenions des gens sans passé, sans folie, sans erreur, pour ne pas offenser ceux qui fondent leur vie sur leur passé, leur histoire, leur folie. Leur passé serait valorisant pour notre diversité collective et le nôtre oppressant pour leurs croyances individuelles.

Je revendique Noël comme faisant partie de ma culture, de ce que je suis et de ce que nous sommes. Bienvenue chez nous, en ce pays où nous fêtons Noël. Quelques esprits étroits y verront une affirmation religieuse, mais nous savons bien qu'il n'en est rien. Depuis des décennies, Noël a cessé d'être une célébration religieuse pour la majorité des sociétés occidentales. Pour mes amis gauchistes, Noël est une magnifique opération commerciale. Ils ont raison. Mais c'est aussi l'odeur des tourtières et de la dinde de ma mère, les cris des enfants plus jeunes quand ils déballent le cadeau, le père qui s'approprie le cadeau qu'il vient de donner, les papiers froissés, les yeux tirés des enfants qui ne veulent pas aller dormir, le sapin qui scintille dans le fond du salon avec une étoile au faîte.

Le sapin qui sent la forêt dans mon salon du Mile End qui ne sent habituellement que la brique et le béton, la fumée de cigarette et l'ail, le sapin magique décoré de petites lumières rouges et bleues et de boules plutôt *in* car ma femme est plutôt *in*, ce sapin, il m'enchante, et les cadeaux qu'on dépose à ses pieds me réjouissent. Ils sont là, le sapin, les décorations et les beaux emballages, pendant quelques jours. Et je les regarde et pense aux idées qu'on a de la famille, qui est parfois le bonheur, je pense à mon passé d'enfant émerveillé par un tout petit cadeau et je pense aussi à ces souhaits aseptisés à la télévision. Disparus, les «Joyeux Noël» dans les médias, remplacés par des «Joyeuses Fêtes» sans nom. Les médias gomment les identités par souci de pureté.

Je pense à mon sapin. Heureusement que je ne le plante pas dehors car une juge de Toronto pourrait me l'interdire à cause de mon voisin hassidique et des deux musulmanes qui habitent en face. En fait, dans mon quartier, on se souhaite indifféremment «Joyeux Noël» et «*Happy Hanoukka*» et on participe quand on en a l'occasion aux festins du ramadan.

Des esprits chagrins me reprocheront mon sentimentalisme en expliquant que toutes ces manifestations de générosité ne sont pas aussi spontanées qu'on le prétend. Je le sais, et cela ne me dérange en rien car la générosité obligatoire, conditionnée par la pression sociale, demeure de la générosité pour ceux qui en profitent. Bien sûr, on devrait lutter contre la pauvreté et ne pas organiser de guignolée, on devrait visiter plus souvent les aînés dans leur résidence, exprimer son affection et sa solidarité chaque jour. Mais voilà des paniers de provisions qui ne seraient pas distribués si Noël n'existait pas, des visites à nos parents qui ne se feraient pas et des milliers de cadeaux qui ne seraient pas reçus. Ceux qui reçoivent ne se demandent pas si on donne par mauvaise conscience, si le geste est obligatoire, si la visite se fait à reculons. Ils préfèrent croire à la générosité, et cette impression de générosité leur réchauffe le cœur. Noël s'est transformé en fête du don obligatoire. Cela ne me scandalise pas. Et je me dis que si Noël n'existait pas, il faudrait en inventer un. Avec des sapins pour faire joli, des légendes religieuses pour nous dire qu'on vient de loin, des chants mélodieux pour nous calmer les nerfs et les cellulaires.

Le poids du passé

13 janvier 2007

En écoutant George Bush décrire sa «nouvelle stratégie» pour l'Irak, je me suis demandé s'il n'était pas le pire président à avoir dirigé les États-Unis. Le pire en tout cas depuis Roosevelt.

Confronté à une des situations les plus complexes et les plus explosives sur le plan géopolitique des dernières décennies, il alignait simplismes et clichés. Critiqué de toutes parts, il parlait comme s'il faisait l'unanimité. Cet été, pour contrer la croissance de la violence à Bagdad, il avait ordonné le déploiement de 15 000 soldats dans la capitale irakienne. Confronté à une violence encore pire, il annonçait l'envoi de 17 000 nouveaux G.I. dans la ville en feu. Sa mémoire n'avait pas six mois.

C'est le souvenir de Lyndon Johnson qui me revint à ce moment. Quand celui-ci avait été intronisé président, j'étais certain qu'il deviendrait le pire président de l'histoire. Politicien roublard et vulgaire, il se faisait une gloire de son manque de culture. Devant la faiblesse de son allié sud-vietnamien et les progrès de la guérilla viêtcông, il avait suivi les conseils de ceux qui ne croient qu'à la force et à la puissance militaire et refusé toute forme de négociation avec l'ennemi. Décidément, cet homme était un fou ou un idiot. La situation empira au Vietnam, le parti se divisa et Johnson eut l'intelligence de se retirer. Il avait eu cependant l'audace de faire adopter de multiples lois octroyant aux Noirs l'égalité des droits. Bush est vraiment pire que Johnson.

L'arrivée de Nixon me fit dire qu'il deviendrait le plus médiocre des présidents modernes. Plus roublard et encore plus ignorant que Johnson, Tricky Dick s'enfonça dans la guerre avec le même aveuglement, n'écoutant que Henry Kissinger. Mais Kissinger était plus intelligent que Condoleezza Rice. Il menait la guerre mais négociait la sortie de la défaite en secret. Il amena Nixon à reconnaître la Chine, les soldats américains quittèrent le pays dans la honte et, contrairement à ce qu'il avait prédit, le communisme ne déferla pas sur le sous-continent. Nixon a réussi la défaite. Ce n'est pas rien.

À l'arrivée de Reagan, j'étais convaincu qu'on battrait tous les records de médiocrité. Les premiers pas me donnèrent raison. Croyant aveugle du néolibéralisme, il multiplia le déficit américain par cinq. Anticommuniste rageur, il mena une guerre verbale extrême tout en négociant (lui aussi) en secret les grands accords de désarmement nucléaire avec l'URSS. Ce n'était qu'un comédien fat et paresseux, mais nous lui devons beaucoup. Dans ma galerie de cancres et de menteurs, on le voit, il ne reste que George Bush, qui a décidé de régler un problème que lui avait légué son papa : Saddam Hussein.

Tous les spécialistes de la région, qu'ils soient de droite ou de gauche, s'entendent sur une chose : tout y est lié. La moindre modification brutale des équilibres ou des déséquilibres entraîne des réactions en chaîne totalement imprévisibles. Bush a fait fi de cette sagesse millénaire et, comme tous les néoconservateurs, il a cru qu'on pouvait se moquer du poids du passé. Se moquer de la rivalité entre chiites et sunnites, entre Arabes et Kurdes, oublier que le conflit israélo-palestinien évolue autant en fonction de sa logique interne que de l'environnement régional. La démocratie, pensait-il, allait réorganiser le passé et les cultures. C'est en fait tous les démons du passé que l'invasion américaine puis l'imposition de la démocratie dans un pays déchiré religieusement et culturellement ont fait renaître. C'est l'Irak d'avant les frontières imposées par le colonisateur qui est en train de se recréer sur le terrain. La présence occidentale sur la terre sacrée des chiites a contribué à redonner une nouvelle vie aux ultraconservateurs iraniens et n'est pas pour rien dans la volonté de l'Iran de se doter de l'arme nucléaire. Le pouvoir croissant du chiisme militant dans la région n'est pas étranger à la croissance du terrorisme mondial, au regain de violence en Israël et en Palestine et au rôle de plus en plus déterminant que jouent l'Iran et la Syrie. C'est tout cela que Bush rejette du revers de la main en poursuivant sa fuite en avant. Le passé nous rattrape presque toujours et on ne peut faire sans lui.

Prenons l'exemple de la Côte d'Ivoire, qui est toujours en crise. À l'origine de cette presque guerre civile, on trouve la question de l'«ivoirité». Les partisans du président Gbagbo soutiennent que son principal adversaire, M. Ouattara, n'est pas un Ivoirien mais un Burkinabé, même s'il est né en Côte d'Ivoire. Parce qu'on craignait de perdre des élections libres, on a tenté de le disqualifier. Cette crise remonte en fait aux années 1930. Gravement touchée par la crise économique, la France décide en 1932 d'augmenter la rentabilité de sa colonie, la Côte d'Ivoire, qui a besoin de main-d'œuvre pour ses grandes plantations. La France décide donc de rattacher à la Côte d'Ivoire une province de la Haute-Volta. La décision sera renversée en 1947 parce que la France craint que le mouvement indépendantiste incarné par Houphouët-Boigny, qui deviendra le premier président de la Côte d'Ivoire, ne se propage dans les pays limitrophes. Bien sûr, les administrateurs coloniaux ne se demandent pas quel sera l'avenir des enfants dotés de la citoyenneté ivoirienne, nés durant ces quinze années, qu'on décide de rattacher brutalement à ce qui deviendra le Burkina Faso. Aujourd'hui, on dit qu'ils sont des étrangers, eux et tous leurs descendants.

Le passé ne disparaît jamais. Parlez-en aux rivières qui de temps en temps reprennent en rugissant leur ancien lit, parlez-en aux historiens qui militent pour un meilleur enseignement du passé.

Le devoir de responsabilité

20 janvier 2007

On l'appelle dorénavant « convergence ». Le mot semble moins dangereux que le phénomène qu'il dissimule, celui de la concentration exagérée de divers médias au sein d'un empire financier dont la seule motivation est la maximisation du rendement. L'ensemble de la profession journalistique, des intellectuels et des démocrates ont décrit les pièges et les dangers que recelait l'achat du réseau TVA par Quebecor, qui jouissait déjà d'une position dominante dans la presse écrite. Tous les arguments invoqués pour s'opposer à cette mainmise ont été balayés du revers de la main par les politiques et les organismes de surveillance des médias. Le processus était irréversible, il était souhaitable d'un point de vue économique, et ces gens, nous disait-on, étaient des citoyens responsables qui n'abuseraient pas de leur immense pouvoir d'informer la population… Ou de la manipuler.

Le Journal de Montréal et TVA nous ont démontré le contraire cette semaine. Le sens des responsabilités de ces gens disparaît quand l'odeur du profit et du *scoop* apparaît. Ce dont nous avons été témoins cette semaine constitue une sorte de viol volontaire de la conscience collective, l'imposition à l'ensemble de la population d'un débat dangereux et piégé qui s'appuie sur des outils douteux, sinon biaisés. Quebecor a fait le choix de la démagogie et des amalgames. L'entreprise ne s'est jamais inquiétée des conséquences de son geste. Elle ne s'est jamais demandé si le sondage qu'elle utilisait pour nous effrayer ainsi et pour donner un portrait absolument faux des Québécois reposait sur des bases solides, tant dans l'échantillon que dans la formulation des questions. Une lecture rapide des résultats démontre de façon indiscutable que le titre du *Journal de Montréal* était non seulement une exagération mais aussi un pur mensonge, pas une erreur d'aiguillage mais bien une fausse information conçue volontairement pour augmenter le tirage et tirer l'auditoire vers l'exploitation souvent insouciante que devait en faire TVA pendant une semaine. Tout directeur de l'information sérieux et responsable aurait jeté cette enquête d'opinion à la poubelle. Comment expliquer que 59 % des Québécois soient racistes mais que les supposées victimes de notre racisme ne le perçoivent pas ? Ce n'est qu'une des contradictions flagrantes que contient ce piètre exercice.

Mais il y a pire et plus grave. L'empire médiatique a honteusement choisi d'exploiter un débat qui est bien mal engagé, celui de l'« accommodement raisonnable ». En effet, derrière cette prétendue étude sur le racisme, c'est ce malaise qui couve dans la société québécoise que ces marchands de papier et de publicité ont voulu exploiter. Mario Dumont l'a bien senti en ajoutant sa pierre démagogique à l'édifice de désinformation qui s'abattait sur toute la population.

Plusieurs commentateurs se sont moqués de la réaction outrée des Québécois, disant que l'incident ne méritait pas tout ce boucan. Quelle légèreté ! La fonction de l'information, en particulier dans des situations tendues et incertaines, n'est pas de jeter de l'huile sur le feu mais de fournir des outils pour que se déroule un débat, certes nécessaire, mais un débat qui s'appuie sur des bases solides. Ce grave manquement éthique qui mériterait qu'on porte plainte devant le Conseil de presse constitue aussi une démonstration éloquente des dangereuses distorsions que peuvent provoquer dans une société des empires médiatiques dépourvus de conscience sociale et du sens des responsabilités civiques. Le principal danger de la concentration, c'est la manipulation de l'opinion publique, et c'est ce que nous avons vécu cette semaine.

Dans un autre ordre d'idées mais dans la même veine, celle du sens des responsabilités : toute la classe politique canadienne se met au vert et au développement durable. Même le premier ministre du Canada remet en place des programmes mineurs qu'il avait éliminés sous prétexte qu'ils étaient totalement inefficaces. Voilà qu'ils sont maintenant nécessaires et essentiels. Mais ce n'est rien pour rassurer cette assemblée de scientifiques qui vient de nous dire que nous nous rapprochons dangereusement de la mort de la planète. Tous les dirigeants politiques disposent des mêmes informations que ces scientifiques, mais entre le constat de ceux-ci et le discours des politiques existe un abîme qui dénote un désolant manque de sens des responsabilités politiques.

Nous savons tous que la situation est urgente et que le risque que nous laissions une planète invivable à nos enfants est considérable. Le discours politique, lui, se veut rassurant et raisonnable. Il parle de progrès quand nous reculons, de gestion quand il faut révolutionner, d'objectifs raisonnables et réalisables quand il faudra, on le sait, se dépasser, changer radicalement, voire révolutionner. Nous ne vivons plus sur une planète raisonnable mais absolument déraisonnable. Nous sommes de plus en plus conscients de la menace mais pas du tout envahis par un sentiment d'urgence. En ce domaine, les politiques ont un lourd devoir de franchise. Ils doivent dire haut et fort que l'avenir ne sera pas facile et que nous sommes condamnés à des changements radicaux dans le fonctionnement de nos sociétés, de nos économies, de nos villes, et aussi dans nos comportements. Il ne s'agit pas d'alarmer indûment les populations, il s'agit de dire ce que nous savons et de créer un sentiment d'urgence. Nous savons que toute notre prospérité est le résultat de la destruction de notre planète et nous savons qu'il nous reste peu de temps. Le devoir de dire la vérité et de ne pas minimiser l'urgence, voilà, en ce domaine, le devoir de responsabilité des politiques.

Les rapaces

17 février 2007

Dans *La Constance du jardinier,* roman de John Le Carré récemment adapté au cinéma, une jeune bénévole idéaliste découvre que dans le bidonville de Kabira, au Kenya, une grande entreprise pharmaceutique se livre à des tests de médicaments en profitant du dénuement de la population. La jeune femme sera froidement assassinée, tout comme le médecin kenyan qui l'accompagne dans son enquête.

Pour écrire ce roman, Le Carré, qui fut longtemps un agent secret de Sa Majesté, s'est livré à une enquête de plus d'un an sur les pratiques de la grande industrie pharmaceutique dans le tiers-monde, et particulièrement en Afrique. S'est-il fondé sur une histoire véridique pour construire son roman, je ne le sais pas, mais je sais par contre, pour en avoir été témoin, que pour ces grandes entreprises qui se drapent dans le drapeau de la science, l'Afrique a toujours été un continent corvéable. Dumping de médicaments périmés ou mal adaptés, tests sur les vivants de molécules aux effets inconnus: durant des décennies, on a utilisé l'Afrique comme un immense laboratoire gratuit. Dans les années 1950, c'est le vaccin antipolio qu'on y a testé; au début des années 1990, au Rwanda, en Côte d'Ivoire, au Kenya, ce sont les médicaments anti-VIH qui ont été expérimentés sans trop se soucier des effets négatifs sur les cobayes.

Avec les pétrolières et les minières, les grands conglomérats pharmaceutiques se distinguent par une rare absence de scrupules et de morale quand il s'agit de maximiser les profits. Et cela se poursuit sans que cela fasse souvent la manchette. Cette semaine en Inde, le troisième fabricant de médicaments au monde, la société suisse Novartis, intente un procès au gouvernement indien, qui refuse d'accorder un brevet au Gleevec (mésylate d'imatinib), médicament utilisé contre une forme assez rare de leucémie. Or ce médicament existe déjà en Inde sous sa forme générique et coûte 200 dollars par mois, comparativement à 2 600 dollars par mois pour la version de Novartis. Officiellement, Novartis veut protéger son droit de propriété intellectuelle tel que défini dans les accords signés à Doha par les membres de l'OMC, mais si on y regarde de plus près, on peut mettre ces nobles intentions en doute. Novartis est aussi le premier fabricant au monde de médicaments génériques. Quant à l'Inde, elle est devenue le premier pays producteur de médicaments génériques et 60 % de sa production est destinée aux pays en développement. L'Inde concurrence Novartis.

D'ailleurs, il y a six ans, Novartis faisait partie d'un groupe de trente-neuf pays qui ont tenté sans succès d'empêcher le gouvernement de l'Afrique du Sud d'acheter des médicaments génériques contre le sida fabriqués principalement en Inde. Durant les cinq années qu'a duré la guérilla judiciaire dont Novartis était un des principaux meneurs, 500 000 personnes sont mortes du sida dans ce pays.

Novartis prétend que l'Inde enfreint les règles de Doha. Le gouvernement rétorque que ces accords lui permettent de décréter un médicament essentiel à la santé publique et ainsi de le remplacer par un générique moins dispendieux. De plus, les autorités indiennes n'accordent dorénavant de brevets (qui permettent à des médicaments de ne pas être copiés pendant vingt ans) qu'à des médicaments véritablement nouveaux qui ne sont pas des *remakes* d'anciennes molécules. Or le Gleevec est précisément cela. C'est ce qu'on appelle dans le jargon de l'industrie un médicament *me too* (« moi aussi »). C'est le nouveau truc qu'utilisent les grandes pharmaceutiques pour se protéger de la concurrence des médicaments génériques et allonger la vie et la rentabilité. On prend un médicament dont le brevet est sur le point d'expirer, on le modifie légèrement sans que l'agent actif soit nouveau et on demande un autre brevet.

De tout temps, les pharmaceutiques ont justifié leur bataille pour des brevets toujours plus longs par la nécessité de financer les 40 milliards de dollars injectés dans la recherche et le développement et de

découvrir ainsi de nouvelles molécules qui révolutionnent la médecine. C'est un grossier mensonge que les gouvernements gobent sans
sourciller. Ces entreprises consacrent plus d'argent au marketing et à
la publicité qu'à la recherche, et leurs recherches produisent de moins
en moins de nouveaux médicaments. Dans une étude publiée par la
revue *Prescrire* en 2005, on conclut que 68 % des médicaments brevetés en France entre 1981 et 2004 n'apportaient aucune amélioration
thérapeutique. Une autre étude, celle-là du très respecté *British Medical Journal*, démontre que seulement 5 % des médicaments récemment brevetés au Canada constituaient une véritable innovation.
Même la très complaisante Federal Food and Drug Administration
américaine en est venue à des conclusions identiques.

Quant à l'utilité des brevets pour les milliards de personnes qui
vivent dans le dénuement en Afrique et en Asie, elle est tout simplement inexistante. Les brevets accordés depuis trente ans pour lutter
contre les principales maladies qui ravagent le tiers-monde ne constituent que 1 % de tous les brevets accordés.

La semaine dernière, Novartis annonçait des profits records
de 10 milliards de dollars. Une bonne partie de ces profits ne provient
pas de la recherche fondamentale mais des purées Gerber et des
« médicaments » bien connus Maalox, Ex-Lax et Neocitran. Novartis
fait aussi partie de ces entreprises qui s'acharnent à breveter le vivant
et à s'approprier les richesses de la biodiversité. C'est aussi à l'ancêtre
de Novartis, les laboratoires Sandoz, qu'on doit la découverte du LSD.
Cette compagnie a commercialisé ce curieux médicament sous le
nom de Delesyd durant une vingtaine d'années, allant même jusqu'à
en recommander l'utilisation par les psychiatres pour qu'ils puissent
mieux comprendre leurs patients schizophrènes.

La grande illusion

10 mars 2007

André Boisclair est un homme intelligent et il savait fort bien que son orientation sexuelle le rattraperait dans cette campagne et qu'elle serait décriée publiquement ou dans le secret des réunions de cuisine. Toutefois, un peu partout dans les lieux bien éduqués, on avait choisi de faire comme si et de ne pas inscrire son homosexualité dans la colonne de ses handicaps politiques. On avait choisi de faire comme si tout le Québec avait évolué sur cette question de société au même rythme que Montréal.

On avait choisi de faire comme si le discours social essentiellement urbain de tolérance et d'ouverture, de cosmopolitisme serein et d'accueil des différences était devenu le discours et la croyance de tous les Québécois. J'ai longtemps partagé cette grande illusion, que l'increvable démagogue Louis Champagne est venu souligner avec ses propos homophobes à la radio, tout comme le discours homophobe et misogyne du candidat adéquiste Jean-François Plante. Pourtant, d'autres événements auraient dû nous rappeler que le vieux Québec conservateur n'avait pas rendu l'âme.

Je me souviens de Jeff Fillion et de milliers de personnes, dont Mario Dumont, protestant pour qu'il conserve le droit à l'injure, au racisme et à la discrimination. Dans les milieux très urbains que je fréquente, on avait vu cette poussée d'urticaire sociale comme une sorte d'aberration regrettable mais pittoresque : les derniers Mohicans de la planète Québec. J'essayais de dire que le Québec n'avait pas évolué au même rythme que son discours officiel et on me répondait parfois que je tombais dans le colonialisme : Montréal progressiste, régions conservatrices.

Puis, le centre du Québec, le royaume de Fillion, a fait confiance à Stephen Harper. Encore une fois, on n'y a vu qu'une aberration historique passagère. Ces Québécois avaient eu une poussée de fièvre délirante car, rappelait-on, le vrai Québec, c'était celui qui s'était opposé à la guerre en Irak, qui avait légalisé l'avortement, favorisé le contrôle des armes à feu et ouvert la porte aux mariages entre conjoints de même sexe. Dans cette approche unanimiste et optimiste, on oublie un Québec qui n'est pas si ancien, celui de l'Union nationale, du Parti créditiste, on oublie des décennies de nationalisme socialement conservateur et profondément religieux, une grande partie de la population des régions qu'on pourrait appeler les « victimes » de la Révolution tranquille. On oublie surtout que les lois et les règlements changent rapidement les droits mais modifient très lentement les croyances, les valeurs sociales et les comportements individuels. Comme le soulignait avec justesse Jean Charest à propos de l'égalité des femmes, il n'est pas facile de changer en situation de fait une situation de droit.

Plus récemment, le code de conduite a fait les choux gras de la télé montréalaise, qui a pris le parti d'en rire plutôt que de se demander si ce texte n'avait pas des résonances profondes dans des dizaines de milliers de foyers québécois. Des dizaines de communautés en région se sont reconnues dans les craintes ignorantes d'Hérouxville. Dans beaucoup de régions où on n'a jamais vu un musulman sauf à la télé, pris une bière avec un homosexuel (car ils se cachent), loué un appartement à un Haïtien ou employé une lesbienne, l'homosexualité, l'avortement, le mariage gai, le hidjab, l'immigration, tous ces phénomènes qui vivent ouvertement en ville sont perçus, en partie avec raison, comme des signes de dissolution du « vrai » Québec, comme la fin d'une époque qu'on aimait. C'est ce bassin encore important de citoyens que cible Mario Dumont en jouant les accommodements déraisonnables, les bulletins avec des notes et le refus des libérations conditionnelles aux récidivistes. Mario Dumont, originaire de Rivière-du-Loup, sait très bien que le vieux Québec est encore bien vivant.

En simplifiant, on pourrait dire que la société québécoise possède deux pères : Lionel Groulx et René Lévesque. Le conservatisme social protecteur de la communauté nationale menacée et le progressisme étatique qui veut asseoir la nation dans la modernité et le progrès. C'est contre Lionel Groulx que s'est faite la Révolution tranquille, contre le giron religieux, mais avec la fierté nationale. D'un point de vue social, le Québec est devenu, grâce au Parti québécois, une des sociétés les plus progressistes du monde. Le discours progressiste du PQ sur le Québec inclusif dans sa diversité est devenu le discours québécois, la description officielle de ce que nous sommes. Ceux qui ont contribué à rédiger ce texte — j'en fais partie — ne se sont jamais demandé s'il avait été lu et accepté par tout le monde.

Parce que nous défendions et codifiions des valeurs universelles, nous étions certains que ces valeurs faisaient l'unanimité. Proclamer son adhésion à des valeurs et pratiquer la mise en application de ces valeurs dans le quotidien, c'est deux choses. Ces nouvelles valeurs « québécoises » sont nées essentiellement des bouleversements qu'a connus Montréal. Les problèmes qu'elles tentent de résoudre sont presque exclusivement de Montréal. La question linguistique est montréalaise, tout comme le sont, dans la vie quotidienne, le port du hidjab, l'intégration massive des immigrants, les gangs de rue, la présence de plus en plus affirmée de la communauté gaie ou la place des religions à l'école. De larges couches de la population en région, des gens qui ne sont ni racistes ni foncièrement homophobes, vivent ces bouleversements de la société non pas dans leur vie quotidienne mais à travers les médias. Ils ont l'impression qu'on construit un nouveau pays qui n'est pas nécessairement le leur, un pays dans lequel on accueille des femmes voilées et dans lequel on bannit les crucifix, un pays multicolore alors qu'ils l'ont toujours vu uniformément blanc. Et pour défendre leur identité qu'ils sentent menacée, ces gens des régions affirment finalement haut et fort ce conservatisme qui fait partie de leur identité.

Jetables et remplaçables

31 mars 2007

Dans les « vox pop » qui se sont multipliés dans les jours qui ont suivi les élections de lundi, le mot qui revenait le plus souvent était « changement » et la phrase la plus populaire était : « C'était le temps de lui donner sa chance. » Lui, bien sûr, c'était Mario, et on prononçait cette phrase avec une sorte d'insouciance quant au poids et aux conséquences de cette chance. Comme s'il était normal et juste que le garçon qui attendait patiemment son tour pour jouer dans le grand club se voie donner l'occasion de démontrer enfin ses talents. Le troisième refrain que j'ai entendu souvent fut : « Ça ne peut pas être pire », sous-entendant une sorte de fatalisme totalement désabusé devant l'offre politicienne.

Si ces mots reflètent un tant soit peu les motivations de l'électorat lundi, et je le pense, on peut donc dire que l'ADQ a profité d'une sorte de cynisme d'une partie des électeurs. Ce cynisme a toujours été présent. Il traduit en votes le langage des médias populistes qui soutiennent que tous les politiciens sont pareils, assoiffés de pouvoir ou même corrompus. C'est la concrétisation de l'expression « blanc bonnet, bonnet blanc », qui illustre une croissante désaffection à l'égard de la légitimité et de la nécessité du politique. Faut-il ajouter à ce sujet que, contrairement à ce que prédisaient les observateurs et les spécialistes, seulement 70 % des citoyens se sont présentés aux urnes ?

Dans la phrase « Il faut lui donner sa chance », on retrouve à la fois insouciance et désespoir. Le désespoir, c'est celui de Guy Carbonneau, qui décide de confier le sort de son équipe à Halak, un jeune gardien de but de vingt et un ans. Dans ce désespoir, on entend aussi le «Ça ne peut pas être pire» évoqué plus haut. Cette attitude recouvre cependant un autre sentiment : l'enjeu n'est ni tragique, ni important, les résultats n'auront pas une grande influence sur nos vies et puis, dans le fond, on s'en fout. Essayons-le et puis on avisera. Voilà l'insouciance.

Finalement, la soif de changement. Dans les cinquante dernières années, le contenu et le sens de ce mot ont beaucoup évolué. Je suis d'une génération née à une époque où le «changement» était synonyme de menace pour le cocon moelleux et paternaliste dans lequel évoluait la société québécoise. Le mot commença à rimer avec progrès à la fin des années 1950 et le slogan libéral de 1960, «C'est le temps que ça change», symbolisait une incroyable envie de rompre fondamentalement avec le passé, d'ouvrir grand les fenêtres de la maison close et de se lancer dans l'aventure de la construction d'une société moderne et radicalement différente. Il en fut de même pour les élections de 1962, qui proposaient avec la nationalisation de l'hydro-électricité un bouleversement profond de la structure économique du Québec. Lors de ces deux élections, c'est à un programme de changement réel qu'on adhérait en choisissant entre deux visions radicalement différentes de la société. Il en fut de même en 1976 avec l'élection du Parti québécois. À ce moment, le mot «changement» disait progrès, mais aussi rupture et audace. Le changement proposait la souveraineté-association, mais bien plus encore : l'assurance automobile, le zonage agricole, le rôle moteur de l'État dans le développement économique, etc.

Aujourd'hui, ce mot a perdu beaucoup de son sens. Nous vivons dans une société de changements permanents, dans une société où tout semble interchangeable. Changement n'est plus synonyme de rupture. Dans cet univers de consommation et d'individualisme, le changement pour le changement est devenu une sorte de mode de vie. Changer d'ordinateur pour ajouter quelques bits ou quelques puces nouvelles est normal et changer de voiture n'est pas l'objet d'une longue réflexion, comme si on faisait un geste important. Le changement n'est plus un choix, mais un réflexe facile, presque automatique. On change parce que le changement ne menace plus ; il séduit et amuse.

Les nouveaux adéquistes, j'en ai rencontré plusieurs, n'ont pas eu l'impression de changer de produits, de choisir une autre vie, ils n'ont eu aucunement l'idée de prendre un risque. Ils ont changé de marque de commerce. Ils ont choisi Mario plutôt que Jean. Ils n'ont pas choisi l'ADQ, qui n'existe pas, mais un malin plombier qui a promis de faire disparaître les petits défauts qui agacent dans le bungalow québécois : les bulletins sans chiffres, les assistés sociaux qui ne veulent pas travailler, les prisonniers qui engraissent « sur le bras » des contribuables, les hassidim qui givrent les vitres, les trois burqas qui font injure à notre paysage et les structures inutiles, tous ces conseils et toutes ces commissions administratives regorgeant de bureaucrates parasites.

Dans le vote de lundi, il y a un peu de tout cela, mais surtout le sentiment que changer ne comporte aucun risque, comme si les partis et les personnes étaient interchangeables. Le choix politique s'est transformé en choix de consommateur. Les produits sont jetables et remplaçables, et ils doivent convenir, non pas à une idée de la société, mais à l'identité de l'individu, de la communauté locale et du petit groupe d'intérêt.

Bien sûr, il y a le Québec profond que l'on a toujours ignoré et souvent ridiculisé, la désaffection souverainiste, mais il y a surtout ce paysage politique uniforme que les partis ont créé en s'efforçant de gommer les différences pour mieux atteindre le plus grand dénominateur commun. Dans ce genre de paysage gris et brumeux, il est parfois difficile de faire la différence entre un nid-de-poule et une crevasse.

Le mal absolu

J'ai eu beau vérifier sur toutes les chaînes d'information continue, on ne faisait nulle mention de l'Irak en ce vendredi de printemps, sinon pour évoquer la conférence internationale qui se déroule en Égypte. Donc, pourrait-on présumer, une belle journée calme à Bagdad, à Najaf ou à Bassora, sans attentats suicides, sans fusillades ni bombes posées dans les marchés populaires.

Ce n'est pas le cas. Si les nouvelles sont silencieuses, c'est tout simplement que le nombre de victimes n'est pas suffisamment élevé et, surtout, qu'on n'évoque que les grands attentats, pas la mort quotidienne, les crimes sectaires, les viols et les crimes d'honneur qui sont devenus le lot habituel des Irakiens. Ce matin, en se réveillant, les citoyens de Bagdad découvriront entre vingt-cinq et cinquante cadavres que les assassins auront déposés le long des rues. Voilà des victimes dont on ne parle jamais mais qui sont évoquées dans le rapport trimestriel de la Mission d'assistance des Nations unies pour l'Irak (MANUI). Ce rapport, qui a quelque chose de médical et d'aseptisé dans le ton, décrit l'ampleur de l'horreur quotidienne que vivent aujourd'hui les Irakiens. En terminant la lecture de cette trentaine de pages, je me suis demandé si, parfois, on ne préférerait pas vivre dans une horrible dictature que dans un pays «libéré».

Je me suis souvenu d'un débat que j'avais eu avec Bernard Kouchner, cet homme de gauche que j'estime et qui, au nom du «droit d'ingérence», avait appuyé l'invasion américaine en 2003. «Quand on a l'occasion de se débarrasser du mal absolu, c'est un devoir moral de le faire. » Mais il y a peut-être pire que le « mal absolu ».

Saddam Hussein tuait. Il a ordonné des massacres, pratiqué la torture et emprisonné les opposants. Cependant, il ne tuait pas 30 000 personnes par année. C'est l'estimation du nombre de victimes de la violence quotidienne en Irak qu'on obtient en consultant les anciens rapports de l'ONU. Dans ce dernier rapport, la MANUI regrette que le gouvernement refuse maintenant de lui transmettre les chiffres officiels sur lesquels elle fondait ses évaluations. La raison de ce revirement est simple : les chiffres prouvaient que le nouveau plan de sécurisation de Bagdad s'est soldé par un échec total.

Sous Saddam Hussein, on emprisonnait sans raison, mais on vivait à peu près normalement. Le pays avait un des plus haut taux de scolarisation du monde arabe, l'égalité entre les hommes et les femmes existait et, même pauvre, on mangeait. Aujourd'hui, selon la MANUI, plus de 50 % de la population vit avec moins de un dollar par jour, une situation comparable à celle de pays sous-développés comme le Mali ou le Niger. Depuis décembre 2006, les violences et le nettoyage ethnique ont entraîné l'exode de 200 000 personnes qui s'ajoutent au 1,2 million de personnes déplacées que la guerre civile a provoqué depuis quatre ans.

Le système d'éducation, autrefois un modèle, ne fonctionne qu'à moitié. C'est que les insurgés s'attaquent systématiquement aux institutions d'enseignement et à leur personnel. Depuis quatre ans, 200 professeurs d'université ont été victimes d'assassinats ciblés et 150 ont été kidnappés. Une grande partie des meilleurs professeurs choisit l'exil. Pour les remplacer, on utilise des étudiants en fin de cycle. Récemment, le président d'une des universités les plus prestigieuses du pays a démissionné pour protester contre l'incapacité du gouvernement à assurer la sécurité de son établissement.

Si la vie est plus difficile aujourd'hui pour l'ensemble de la population que sous Saddam Hussein, ce sont les femmes qui en souffrent le plus et qui paient un double prix. La montée de l'extrémisme religieux, tant chez les sunnites que chez les chiites, a fait disparaître presque tous les droits dont elles jouissaient avant l'invasion. Mais c'est surtout la violence faite aux femmes, les crimes d'honneur, les immolations et les viols, qui connaît une croissance vertigineuse.

Dans certaines régions comme le Kurdistan, la situation des femmes ressemble à celle des Afghanes. Dans la seule ville d'Erbil, les tribunaux ont enregistré 596 cas de viol en 2006 alors qu'on en comptait 150 en 2003. Dans la même région, les cas d'immolation sont passés de 289 en 2005 à 366 l'année dernière. Quarante-six femmes avaient succombé à leurs blessures, contre 66 cette année. Toujours en 2006, 41 femmes ont été tuées par balle dans des incidents de violence conjugale ou lors de crimes d'honneur.

Selon le rapport de la MANUI, la situation humanitaire est tout simplement catastrophique. Huit millions d'Irakiens vivent dans un état de «vulnérabilité», 2 millions vivent en exil dans les pays voisins, 2 millions sont déplacés à l'intérieur du pays et 4 millions souffrent de carences alimentaires graves. En deux ans, le taux de malnutrition chronique est passé de 4,4 à 9%. Les deux tiers des Irakiens n'ont pas d'emploi et seulement 32% ont accès à de l'eau potable. Ancienne fierté de l'Irak, le système de santé est en ruine: 12 000 des 34 000 médecins que comptait le pays en 2003 ont quitté le pays et 2 000 ont été assassinés.

Le rapport évoque aussi les milliers de détentions arbitraires, les procès qui se déroulent sans aucun respect pour le droit, les discriminations et les violences contre les minorités religieuses, la montée du crime organisé, etc. Bref, ce rapport nous dit qu'il existe peut-être quelque chose de pire que le «mal absolu».

À propos d'une grève « tragique »

26 mai 2007

La grève dans les transports en commun marque l'aboutissement d'une profonde transformation de la dynamique des négociations dans les secteur public et parapublic.

Ainsi, on assiste maintenant à une construction de l'opinion publique par les médias électroniques et surtout les chaînes d'information continue. Dès le déclenchement de la grève, les télévisions se sont mises en état de catastrophe naturelle. Le ton est alarmiste, on se demande comment les malades se rendront à l'urgence, comment vont faire les pauvres étudiants pour aller à l'école et on multiplie les entrevues de travailleurs en retard pour le travail. Ceci n'est pas un ouragan qui dévaste la ville, mais une grève légale qui se déroule en été, une grève où le syndicat a accepté de fournir des services essentiels le soir et la fin de semaine, du jamais vu dans les transports en commun à Montréal. Cela dérange, bien sûr, mais autour de moi je n'entends aucun cri de désespoir. On se débrouille, les restaurants sont toujours aussi pleins, aucun vieillard n'est décédé. Il y a des bouchons, certes, mais on fait avec, on ajuste les horaires. On se débrouille.

À LCN, jeudi, on a consacré plusieurs minutes à un « représentant » des utilisateurs désespérés, M. Stamatis, qui annonçait une manifestation monstre pour hier. À l'heure dite, hier, le « représentant » des citoyens en colère était seul avec sa pancarte. Le résultat net de tout cela est que les politiciens opportunistes, comme Mario Dumont, peuvent évoquer la catastrophe et que les politiciens frileux, comme le ministre du Travail, peuvent brandir l'ultimatum et la menace d'une loi spéciale après deux jours de grève tranquille et sans incidents. De moins en moins la grève dans les services publics est considérée comme un droit légitime; de plus en plus elle est présentée comme une attaque frontale contre la majorité.

Je ne connais pas la justesse des revendications des travailleurs d'entretien de la STM et en particulier le complexe dossier du régime de retraite. Il est fort possible que l'exigence syndicale de retraite rapide soit contraire à la tendance mondiale qui veut maintenir les employés au travail le plus longtemps possible. L'impartition, la sous-traitance et le travail précaire font aussi partie de cette «tendance mondiale», mais est-ce que ce fait rend illégitimes et scandaleuses des revendications contraires à la tendance mondiale? La tendance est aussi aux concessions salariales, mais faut-il pour autant reprocher à des travailleurs de vouloir maintenir un niveau de revenu décent? Dorénavant, quand un syndicat de service public opte pour la grève, c'est avec cette sourde opinion quasi unanime dans les médias qu'il doit compter. Et maintenant, sur ce terrain, il part perdant.

Le cadre et les enjeux réels des négociations ont aussi été complè-tement transformés. Depuis quelque temps, on ne négocie plus la masse salariale globale. Les gouvernements imposent d'avance ce qu'ils appellent le «cadre financier», qui soustrait de la négociation l'enjeu souvent majeur de l'augmentation du pouvoir d'achat des syn-diqués. Libres à ceux-ci s'ils veulent jouer avec leurs patrons la comé-die de négocier des aménagements à l'intérieur du carcan. Si un syn-dicat ou une centrale avait l'audace de vouloir briser ce carcan, ses dirigeants savent que les gouvernements ne craignent plus de présen-ter des lois spéciales qui, si elles sont violées, mettent en danger l'exis-tence même de l'organisation syndicale. Encore une fois, les dés sont pipés contre les syndicats du secteur public. La négociation collective devient de plus en plus un exercice vidé de son contenu fondamental.

Il n'y a pas que les gouvernements, les méchants capitalistes et l'opinion publique plus conservatrice qui sont responsables de ce nou-veau paysage qui paralyse la revendication syndicale. Les centrales syndicales en sont aussi responsables. Les syndiqués ne sont plus per-çus comme faisant partie de la population. Ils sont ceux qui empê-chent le changement, le progrès réclamé par les «lucides», ils sont des empêcheurs de tourner en rond et, surtout, ils font figure de privilégiés. Ce ne sont pas des travailleurs ordinaires. Ils ne représentent pas les intérêts de la collectivité, mais des intérêts égoïstes. Ce sont les gouvernements qui représentent l'intérêt du peuple.

Je suis toujours frappé quand je suis en Europe par la réaction de l'opinion publique dans des situations similaires. En France, une grève dans les transports publics, c'est une véritable catastrophe. Il n'y a pas de services essentiels. C'est la pagaille absolue dans les villes, surtout à Paris. Mais systématiquement, les usagers, même s'ils grognent et Dieu qu'ils grognent, appuient les revendications syndicales. Pourtant, les organisations syndicales françaises représentent une infime partie de la population, contrairement au Québec, et on peut constater le même phénomène dans plusieurs pays européens. Dans ces pays, les syndicats ont réussi au fil des années à imposer un cadre politique à leurs revendications. Ils défendent leurs intérêts, bien sûr, mais ceux-ci sont aussi en même temps ceux de la population. Les syndicats, disent-ils, se battent pour la qualité et la compétence du service public. Ils sont les défenseurs des intérêts des utilisateurs, le premier rempart contre des gouvernements qui, par souci d'économie, veulent sabrer la fonction publique.

La dernière grande victoire syndicale au Québec fut celle de 1972. L'argumentaire du Front commun était simple et clair : si vous voulez une fonction publique compétente, des écoles qui enseignent bien et des hôpitaux efficaces, vous devez en payer le juste prix. Nous nous battons pour vous. Dans ce nouveau conservatisme qui s'installe, les centrales syndicales vont devoir cesser de parler à leurs membres et commencer à parler à la population.

L'Afrique selon Sarkozy

18 août 2007

Les relations de la France avec l'Afrique ont toujours entraîné la controverse. Déjà, dans les années 1920, André Gide, qui voyagea beaucoup dans les profondeurs de l'Afrique, dénonçait dans son journal de voyage le comportement des grandes compagnies forestières, l'exploitation des travailleurs africains par les riches planteurs et les manières impériales de l'administration coloniale. Durant des décennies après les indépendances, la France faisait et défaisait les régimes de ses anciennes colonies. Les bénéficiaires de ces manœuvres, dictateurs chouchoutés par l'Élysée, remerciaient largement les politiciens pour cet appui ou leur tolérance en finançant largement les caisses noires des partis politiques ou en offrant des diamants au président Valéry Giscard d'Estaing comme le fit ce bouffon de Bokassa, qui se sacra empereur assis sur un trône en or solide.

Jusqu'à la fin de sa vie, Mobutu, le plus corrompu de tous les dictateurs, put compter sur l'appui et la générosité amicale de François Mitterrand. La France fut de tous les conflits au Tchad, de tous les troubles en Côte d'Ivoire et de tous les complots pour installer un ami de la pétrolière Elf-Total dans le riche Congo-Brazzaville. Il s'appelle Nguesso et est devenu milliardaire grâce à la France pendant que les habitants de son pays crèvent de faim. Et bien sûr, il y eut le rôle méprisable et ignoble joué par la France au Rwanda.

Le nouveau président, qui veut tout changer ce qui est ancien en France, donc tout ou presque selon lui, avait promis qu'il réinventerait la relation France-Afrique avec comme préoccupations premières le respect, l'égalité et la recherche d'un développement accru. C'est avec curiosité qu'on attendait les premiers pas africains de ce grand défenseur de la démocratie. Manque de pot, son premier voyage en Afrique fut pour troquer huit infirmières bulgares pour un contrat d'armement et d'énergie nucléaire avec un autre grand démocrate, Kadhafi, le président de la Libye. Puis, quelques jours plus tard, cap sur le Sénégal, pays exemplaire en Afrique. Dans un important discours prononcé devant les étudiants de l'université de Dakar, le président français décrivit longuement sa vision de l'Afrique et du rôle que souhaitait jouer la France. Il commença par dire que la France travaillera avec les Africains qui désirent la liberté, la justice et le droit. Cela fit bondir plusieurs écrivains africains dont le Sénégalais Boukabar Diop qui, dans une lettre ouverte, avouèrent ne pas comprendre les subtilités de sa politique puisqu'il venait de chez Kadhafi et, le lendemain de son discours, s'était rendu au Gabon chez Omar Bongo. Oui, difficile à comprendre que Sarkozy ait décrit cet homme comme un ami et un exemple. M. Bongo dirige d'une main de fer le Gabon depuis quarante ans. Il s'est rendu célèbre pour son goût du luxe et des danseuses parisiennes. Pour ses anniversaires, il avait l'habitude de peupler un avion du gouvernement de dizaines de mignonnes escortes et de quelques tailleurs célèbres qui venaient lui couper quelques dizaines de complets de soie. Depuis, cet homme s'est sérieusement mis aux affaires. Il est lui aussi devenu milliardaire. Dans le procès pour corruption intenté il y a quelques années à la pétrolière française Elf-Total, un ancien directeur d'une banque suisse admit que le président Bongo avait un compte qui était alimenté au rythme de 50 millions de dollars par année. Le président gabonais possède plusieurs de ces comptes dont un dans une banque canadienne à New York. Il adore la France, possède une magnifique villa à Nice, plusieurs immeubles dans le XVIᵉ arrondissement, le quartier le plus cher de Paris, ainsi qu'un hôtel particulier dans le même quartier, où il a reçu Nicolas Sarkozy à au moins deux occasions. Et comment oublier son DC-8 personnel acheté dans les années 1990 et rénové grâce à un prêt de 5 millions de dollars du Fonds français d'aide et de coopération? Oui, M. Bongo est un bon ami, sinon un exemple.

Plus profondément, c'est sa vision de l'Afrique, longuement développée dans son discours de Dakar, qui a le plus scandalisé les Africains. Comme le notait l'écrivaine ivoirienne Véronique Tadjo, Sarkozy comme «l'Européen conquérant» est venu dire aux Africains «ce qu'ils doivent penser».

Voici un petit extrait de ce discours totalement paternaliste : «Le drame de l'Afrique, c'est que l'homme africain n'est pas assez entré dans l'histoire. Le paysan africain, qui depuis des millénaires vit avec les saisons, dont l'idéal de vie est d'être en harmonie avec la nature, ne connaît que l'éternel recommencement du temps rythmé par la répétition sans fin des mêmes gestes. Dans cet imaginaire où tout recommence toujours, il n'y a pas de place pour l'aventure humaine ni pour l'idée du progrès. Le problème de l'Afrique, c'est qu'elle vit trop le présent dans la nostalgie du paradis perdu de l'enfance.» On croirait lire un texte du début du siècle.

C'est Véronique Tadjo qui résuma le mieux la réaction de la jeunesse africaine, que le président français invite à rester chez elle pour construire l'Afrique : «Que dire de ce discours totalement coupé de la réalité africaine ? Que le président français a beaucoup à apprendre pour cacher ses préjugés raciaux. Et que nous ne sommes pas sortis de l'auberge.»

Mario Sarko

1er septembre 2007

Les dictionnaires sont des ouvrages politiquement corrects et, au mot
« populisme », ils se contentent généralement de dire que le populisme
est une doctrine d'inspiration socialiste ou nationaliste qui puise ses
racines dans les aspirations populaires. Bien sûr, les dictionnaires ne
donnent pas d'exemples de politiciens populistes. Le populisme n'est
ni de gauche ni de droite. Hugo Chávez est populiste, tout comme le
fut Hitler, le premier populiste élu.

Les populistes se situent toujours en opposition aux intellectuels,
aux fonctionnaires, aux spécialistes. Ils prétendent être à l'écoute des
préoccupations du pays profond, de monsieur et madame Tout-
le-monde, des gens ordinaires. Ils prétendent aussi que, contrairement
à ceux qui invoquent la complexité des problèmes et donc la complexité des solutions, il existe des solutions simples et définitives. Ils
allèguent que, parce qu'ils ont les deux pieds sur terre et n'emploient
pas des mots biscornus, ils sont à l'écoute du vrai peuple. Leur *credo*,
c'est le « gros bon sens », cette sagesse populaire censée être capable de
trouver une réponse simple à tout.

De tous les politiciens contemporains, Nicolas Sarkozy est le
modèle le plus raffiné du « populiste ». Il est à l'affût de toutes les peurs
populaires, de tous les mécontentements ponctuels, de toutes les
inquiétudes et de tous les désarrois. Quand il traite de « racaille »
les jeunes des banlieues chaudes et qu'il promet de nettoyer cette
racaille au Karcher comme on le fait avec des graffitis, il joue sciem-
ment sur les préjugés d'une grande partie de la population qui ne

connaît rien de la vie des banlieues. Quand il fait de l'immigration choisie un des thèmes de sa campagne électorale, c'est pour attirer vers lui ceux qui sont contre toute forme d'immigration. Quand il se déclare favorable à la castration chimique des criminels sexuels, il laisse entendre qu'il existe une solution « finale » au problème de la pédophilie ou de la perversité criminelle. Il utilisait le même procédé il y a quelques semaines quand il a annoncé, sans consulter personne, la mise sur pied d'un hôpital consacré exclusivement aux prisonniers coupables de crimes sexuels. C'était une douzaine d'heures après qu'on eut retrouvé le cadavre d'une fillette qui avait été victime de sévices sexuels. Voilà quelqu'un qui n'attend pas pour agir, s'est dit la France profonde. La vérité, cependant, est que ce projet d'hôpital avait été promis par lui-même deux ans auparavant, alors qu'il était ministre de l'Intérieur.

Le populiste s'appuie toujours sur de bons sentiments, il se pose en défenseur des faibles et des victimes. Il parle au nom de la décence et de la justice. Il prétend rassurer et protéger. Mais il le fait en cherchant en nous la part d'ombre, en faisant appel à cette partie de nous qui réclame vengeance, qui refuse la différence. Le populiste ne fait jamais appel à la réflexion, à la compréhension, à l'ouverture ; il propose l'action radicale et immédiate. Le populiste réagit rapidement, parle vite, propose des solutions simples et réfléchit après.

Voilà exactement comment Mario Dumont et l'ADQ sont sortis des limbes politiques en appliquant à la lettre la méthode Sarkozy. Il ne faut pas chercher plus loin pour expliquer la nouvelle popularité de ce parti et de son chef. Ils exploitent les mêmes thèmes que le nouveau président français. Les prisonniers qui sont des parasites et devraient payer leurs repas ; les vieux qui sont tous maltraités ; les immigrants qui sont trop nombreux ; les musulmans et les juifs qui menacent de modifier le paysage beauceron, et aujourd'hui les prédateurs sexuels.

Tous les lecteurs du *Journal de Montréal* et les *fans* de Claude Poirier suivent, l'âme en lambeaux et la vengeance en bandoulière, la triste saga de la petite Cedrika. Les députés de l'ADQ, Mario en tête, se sont dit qu'il y avait sûrement moyen de profiter politiquement de ce désarroi populaire. La députée de Lotbinière, Sylvie Roy, a déclaré qu'on avait beaucoup parlé de droits et d'égalité et qu'il était maintenant temps de parler de « sécurité ». Comme si nous faisions face à une recrudescence soudaine et tragique de crimes sexuels, comme si le Québec vivait une crise et une situation qu'on ne retrouve pas ailleurs. Proposer une consultation populaire sur la délinquance sexuelle, c'est aussi intelligent que de proposer une consultation populaire sur le traitement du cancer du système lymphatique. Chimio ou radiations, madame Tout-le-monde?

Le populiste sait que ce genre de consultations donnera lieu aux pires débordements, aux appels haineux, aux jugements hâtifs. Il le sait, mais cela ne le dérange pas car c'est de cette part de mal en nous qu'il tient sa popularité. Le populiste sait très bien qu'il n'existe pas de solution simple et unique, que la castration chimique n'est pas la réponse magique, qu'il y aura toujours des erreurs dans les diagnostics, des failles dans le système de libération conditionnelle. Il sait surtout qu'aucune solution ne sortira de ce cirque de consultation populaire. Le populiste n'est pas un imbécile, au contraire. Il sait parfaitement que les prisonniers ne paieront jamais leurs repas, que l'immigration sera toujours une question complexe, qu'il n'y a pas de solution magique à l'harmonisation de la diversité culturelle. Il sait tout cela, mais jamais il ne vous le dira, car s'il le faisait, il ne serait plus chef de l'opposition. Alors, il en remet et déclare: « C'est aussi notre devoir de travailler pour que les rues soient plus sécuritaires pour nos enfants. » Comme si depuis quelques jours il fallait garder tous les petits Québécois à la maison.

La trahison de Harper

15 septembre 2007

Puissance riche, mais puissance moyenne, pays sans passé de colonisateur, le Canada a toujours joué sur la scène internationale un rôle
plutôt modérateur, soucieux de consensus et préoccupé par les
approches pacifiques et diplomatiques. Cette tradition remonte aux
années d'après-guerre et ne s'était jamais démentie, peu importe les
partis au pouvoir, jusqu'à ce que Stephen Harper devienne le premier
ministre de tout, y compris de la politique étrangère.

C'est un Canadien, le juriste John Peters Humphrey, qui fut avec
Eleanore Roosevelt et le juriste français René Cassin le principal
rédacteur de la Déclaration universelle des droits de l'homme, adoptée
par les Nations unies en 1948. C'est aussi un Canadien, Lester Pearson,
qui fut à l'origine des Casques bleus en 1956, initiative qui aida à
résoudre la crise provoquée par l'invasion française et britannique
à la suite de la nationalisation du canal de Suez.

Durant les années de la guerre froide, le Canada se distinguait de
l'agressive politique américaine. Il a maintenu ses relations diplomatiques et commerciales avec Cuba, refusant de participer à l'injuste blocus auquel les Américains soumirent le pays de Castro. Le Canada fit
aussi preuve de responsabilité et de réalisme en reconnaissant la Chine
de Mao. Durant toutes ces années, le Canada a aussi participé plus souvent qu'à son tour aux missions de maintien de la paix des Nations unies
et, contrairement aux États-Unis, il a approuvé avec enthousiasme la
constitution du Tribunal pénal international. Et c'est une Canadienne,
Louise Arbour, qui est haut-commissaire aux droits de l'homme.

C'est donc elle, la première, qui assista au début de la trahison canadienne lors de l'adoption en août dernier par la Commission des droits de l'homme de la Déclaration des Nations unies sur les droits des peuples autochtones. Devant cette instance, le Canada s'était allié à la Russie pour tenter d'édulcorer, sinon de torpiller, le projet de déclaration. Et elle fut comme nous tous témoin jeudi de ce nouveau coup de barre de la politique canadienne, quand le Canada s'est allié aux pires pays occidentaux en matière de droits autochtones — les États-Unis, l'Australie et la Nouvelle-Zélande — pour voter contre cette déclaration. Cette trahison est d'autant plus grande et significative que le Canada fut parmi les principaux promoteurs de cette déclaration. Durant les vingt années de travaux qui ont mené au texte adopté jeudi par l'Assemblée générale, le Canada a participé activement aux travaux et y a maintenu une position exemplaire et généreuse. Dans la réalité politique, le Canada a aussi montré l'exemple lors de la création du territoire du Nunavut et, en 2003, lors de l'accord de Kelowna, qui injectait 5,1 milliards de dollars pour réduire les écarts tragiques qui existent entre les autochtones et les autres citoyens canadiens. Bien sûr, cet accord a été jeté aux orties par le gouvernement Harper.

Le rejet de la déclaration est d'autant plus symptomatique que des documents obtenus par Amnistie internationale, en vertu de la Loi d'accès à l'information, prouvent sans l'ombre d'un doute que les ministères directement concernés ont recommandé que le Canada vote en sa faveur. Le premier ministre Harper a tout simplement ignoré et rejeté du revers de la main les avis provenant des ministères des Affaires indiennes, des Affaires étrangères et de la Défense.

Qu'invoquent les porte-parole canadiens pour justifier ce virage à 180 degrés de la politique étrangère canadienne? Pour s'opposer à une déclaration qui n'est pas contraignante, donc à une déclaration de principe, une sorte de cadre moral qui énonce des principes et non pas des obligations et des droits juridiques, ils avancent des arguments juridiques. L'«ambiguïté» de certains articles concernant «les terres et les ressources» pourraient aller à l'encontre de la loi constitutionnelle et de la charte. Voilà une explication spécieuse et tordue qui ne parvient pas à dissimuler que, pour le Canada de Stephen Harper, l'opposition en est une de principe. Autrement dit, tout ce qui contribue à affirmer solennellement les droits des autochtones, ne serait-ce qu'en principe, n'est pas dans l'intérêt du Canada. On comprend la réaction de Ghislain Picard que publiait hier *Le Devoir*.

De manière plus générale, cet autre revirement canadien illustre une tendance lourde, une dérive profonde par rapport à la tradition canadienne que j'évoquais plus haut. Depuis plus de cinquante ans, le Canada se considérait comme une sorte de passerelle, de confluent entre les idées des vieux pays et l'agressivité nord-américaine. Il croyait que l'intérêt à long terme des Canadiens était mieux servi par une approche consensuelle des grands enjeux mondiaux, qu'ils soient économiques, sociaux, politiques ou environnementaux. Nous souhaitions maintenir une distance respectueuse avec nos voisins du Sud et, surtout, nous refusions de ne pas faire partie du «concert des nations». Nous changeons d'amis. Stephen Harper l'a bien démontré lors du récent Sommet du Pacifique. Nos nouveaux amis sont le premier ministre réactionnaire de l'Australie, qui refuse de reconnaître l'existence d'une entité aborigène dans son pays, nos nouveaux amis sont les plus grands pollueurs de la planète, nos nouveaux alliés sont ceux qui professent que seule la croissance économique libérée de toute contrainte peut résoudre les problèmes de la planète. Nous changeons non seulement d'amis, nous installons le Canada dans un nouveau monde, celui des prédateurs. Pendant ce temps à Ottawa, le nez dans les sondages, l'opposition majoritaire laisse, sans lever le petit doigt, un seul homme bousculer cinquante années d'histoire et de principes.

Défense de dire la vérité

19 octobre 2007, 23 h 17

Le président de l'Assemblée nationale, Michel Bissonnet, possède, on le sait depuis longtemps, l'assurance tranquille et le sens de l'humour ou de la tolérance du conseil municipal d'Hérouxville. Il ne tolère pas. Il dicte la vérité du haut de son siège, sous son crucifix qui lui confère peut-être l'infaillibilité papale. Donc, le pape de l'Assemblée nationale a décidé, dans une bulle papale dorénavant indiscutable, que Mario Dumont n'est pas une «girouette» et que de le traiter comme telle constitue une injure inacceptable, un crime de lèse-majesté Dumont. La «girouette» Dumont devient donc le 222ᵉ mot interdit aux parlementaires. Déjà qu'ils en possèdent peu, je me demande pourquoi il faudrait les priver de ceux qu'ils connaissent.

Que tout le Québec sache que Mario Dumont est la plus magnifique girouette que le Québec ait connue depuis Jean Charest, et avant, Lucien Bouchard, et avant, Robert Bourassa, cela n'a aucune importance aux yeux de Sa Sainteté Bissonnet. Dans le théâtre parlementaire, si pauvre et si ridicule, il ne faut pas dire la vérité. Si député j'étais, et que je commentais la décision du président, je dirais que c'est une «connerie», et si je refusais de retirer mon propos, le pape de la propreté du langage m'expulserait de l'Assemblée. Si je disais, pour me conformer à son exigence, que c'est «imbécile», je ferais automatiquement l'objet d'une mise en garde. Même si Bissonnet est con et imbécile.

*   *   *

Dans le lexique des mots interdits, on retrouve celui de «menteur». On ne peut pas traiter un ministre de menteur même si on sait que, dans la définition de tâches d'un ministre, il est écrit qu'il doit mentir souvent, comme, par exemple, le ministre Couillard sur les performances «améliorées» du système de santé. Le ministre ment à plein temps, mais il est interdit de le lui dire durant les débats parlementaires. Le mot «amélioré», même s'il est parfois menteur, est accepté par Sa Sainteté Bissonnet. Il n'est pas ici question de vérité mais de politesse.

Nul député ne peut être «baveux». Pourtant, nous connaissons tous Sylvain Simard et Monique Jérôme-Forget, à qui l'épithète, quoique vulgaire, s'applique parfaitement. Pour qualifier ces gens, il reste «prétentieux», mais je crois qu'il est aussi interdit.

«Tromper la population» fait aussi partie des propos non parlementaires, tout comme «stratagème». On ne peut pas prêter à quelqu'un l'idée d'un stratagème, ce qui est beaucoup moins con et imbécile que la décision du président de l'Assemblée nationale. Mais on sait fort bien que les gouvernements imaginent plus d'un stratagème pour tromper la population. Interdit parce que non parlementaire.

Il est aussi interdit de dire «effronté». Donc, interdit de dire à Claude Charron ce qu'il fut toujours: un admirable effronté. Interdit dans ce cas de lui faire un compliment.

Il est aussi interdit de dire «en jappant comme un chien enragé», ce qui signifie probablement que tous les députés devraient demeurer silencieux durant l'insupportable période des questions, car ils se comportent tous comme des «chiens enragés». Le mot *cheap* est aussi interdit, car il ne faut pas dénoncer publiquement le fait que certains députés laissent des pourboires médiocres dans les restaurants.

*   *   *

Poursuivons. Si Mme Marois dit que Jean Charest fait des «enfantillages» quand il parle du fédéralisme d'ouverture de Stephen Harper et qu'elle ajoute que «c'est faire accroire aux Québécois» des choses

« fallacieuses » et des « faussetés », elle sera sanctionnée quatre fois par
Sa Sainteté, car tous ces propos, quoique fondés, sont illégaux dans le
lexique de l'Assemblée nationale. Ulcérée par son expulsion annoncée,
si elle ne retire pas toutes les vérités qu'elle vient de prononcer, elle
traitera peut-être le président de « fou ». Ce sera la cinquième faute. Ce
mot est aussi interdit même si le président est un peu fou.

Je ne vous parle pas de « la gang de branleux », expression aussi
prohibée dans le lexique, ce qui laisse au député imaginatif l'expression « gang de branleurs », qui jusqu'ici ne fait pas l'objet d'une prohi-
bition même si elle jette sur la députation un regard plutôt désopilant.

« Niaiseries » est aussi interdit par ce langage politiquement correct et atrophié. Pourtant, quel joli mot, bien de chez nous, pour dire
et décrire cent annonces de ministres en mal de télévision. Interdit
aussi. Un ministre ne prononce jamais de « niaiseries ». Permettez-
moi, par respect pour le pape, de ne pas vous proposer une liste de
« niaiseries ».

Nous savons tous que plusieurs députés sont des « petits politiciens de basse-cour et de bas étage ». Nous le savons, mais nous n'avons
pas le droit de l'entendre dire par un député, car dans le dictionnaire
de l'Assemblée nationale, il est interdit de décrire les députés tels qu'ils
sont. Certains sont de basse-cour et d'autres d'origines plus sympathiques, encore que les « poules », mot aussi interdit, ne méritent pas
notre rejet.

Revenons à notre propos. Mario Dumont fut un jeune libéral progressiste et autonomiste. Un jour, par besoin de lumières et de télé, il
devint souverainiste avec Lucien Bouchard et Jacques Parizeau, puis,
un autre jour, il devint autonomiste et conservateur, et un autre jour
il deviendra fédéraliste. Je ne connais aucun terme plus exact pour
définir ce comportement que « girouette », celui de Jean Charest, interdit par le pape qui préside les « enfantillages » qui rient « du monde »
de l'Assemblée nationale à qui il interdit d'appeler un chat, un chat.

Un accommodement raisonnable avec ça, monsieur le président?

P.-S. : Monsieur le président, je vous jure que Mario Dumont est
une girouette, une « girouette nationale ».

« La laïcité, c'est pour les autres »

27 octobre 2007

Imaginons quelqu'un qui s'est enfermé dans un monastère durant un an pour se ressourcer, faire le point sur sa vie. Un an de silence sans journaux ni télévision. Cette personne dorénavant sereine revient à la civilisation québécoise cette semaine et reprend la lecture des journaux, ouvre son poste de télé à RDI durant la prestation grotesque des gens de Hérouxville. Cette personne ne se pose qu'une seule question : qu'est-ce qui a bien pu se passer durant son absence pour que le Québec soit menacé dorénavant de lapidation, pour que le Parti québécois veuille priver de certains droits cette vieille voisine italienne arrivée en 1940 et qui ne parle pas français, pour que les pages des journaux débordent d'articles alarmistes sur la menace à l'identité québécoise et sur la définition du « nous » ? Que s'est-il passé, se demande cette personne, pour que renaissent les débats sur le crucifix et la prière avant les séances de conseil municipal et surtout pour entendre dire sérieusement que le passé catholique du Québec fait partie de ses valeurs identitaires ?

Il ne s'est vraiment rien passé de fondamental et de grave, sinon quelques incidents montréalais désagréables et gérés de manière idiote, une fenêtre givrée par-ci, un foulard par-là, un cours prénatal interdit aux hommes, un sandwich au jambon dans la cafétéria d'un hôpital juif. Ce qui s'est passé vraiment, c'est l'irresponsabilité médiatique, le sondage sur le racisme de la pieuvre Quebecor, le *Tout le monde en parle* de Hérouxville, le populisme éhonté de Mario Dumont et la fâcheuse tendance que possède Jean Charest à refiler à d'autres la difficile tâche de trancher dans le vif quand c'est nécessaire. Comme quoi le battement d'ailes d'un papillon…

*   *   *

De ce grand fourre-tout émotif dans lequel le débat sur les accommodements a entraîné toute la société québécoise se dégagent des tendances lourdes chez les Québécois de souche qui se sont exprimés en région. Une de ces tendances a été admirablement résumée par la journaliste Rima Elkouri quand elle a écrit : « La laïcité, c'est pour les autres. » Le voile est offensant et dérangeant, les chansons des hassidim sont bruyantes, les petits kirpans, menaçants. Dans les religions des immigrants, les femmes sont dominées ; elles ne sont pas comme chez nous les égales des hommes. Il faut donc interdire tout cela au nom des chartes et des valeurs de la société québécoise. Mais au nom de ces mêmes valeurs, le crucifix et la prière au conseil municipal ne semblent pas trop déranger.

Ce que sous-tend cette attitude paradoxale, c'est que pour beaucoup de Québécois, peuple catholique le moins pratiquant de l'Occident, c'est que « notre » religion est plus douce, plus civilisée, moins offensive que la religion des autres. Leurs religions sont archaïques, dépassées, cruelles, pour ne pas dire barbares. Pour nous, la religion et ses manifestations font partie de notre bagage culturel et de notre héritage historique ; pour les autres, leur religion est répressive et constitue une barrière à l'affranchissement et à la modernité. Ce que nous disons, c'est que le christianisme est la meilleure des religions. Nous qui ne pratiquons plus voulons souvent que les autres ne pratiquent pas leur religion tels qu'ils en comprennent la pratique et les obligations.

Il faudrait peut-être rappeler à ceux qui brandissent les droits à l'égalité et à la non-discrimination que les femmes n'ont pas plus de place et de droits dans l'Église catholique que dans l'islam, que ces deux religions tiennent sur l'homosexualité des discours semblables et que le catholicisme, en interdisant aux femmes la contraception, a contribué à la propagation du sida dans les pays pauvres.

*   *   *

Ce qui est fascinant et troublant aussi c'est ce retour du catholi-cisme dans la panoplie des « valeurs » et des caractéristiques de l'iden-tité québécoise. Le crucifix de l'Assemblée nationale fait certes partie de notre passé, mais il n'a pas sa place dans ce lieu laïque. Sa place est dans une église, ou un musée s'il représente une valeur patrimoniale par ses qualités artistiques.

Tout comme nous avons vécu en catholicisme longtemps, les Français ont vécu des siècles en monarchie. Dira-t-on que le système monarchique fait partie des caractéristiques identitaires des Français ? Évidemment non. On dira que la monarchie fait partie du passé his-torique.

Les valeurs qui définissent le Québec d'aujourd'hui ne sont pas celles qui définissaient notre identité quand l'Église et Duplessis régnaient sur le Québec. Tout comme la Révolution de 1789 a donné une nouvelle identité aux Français, la Révolution tranquille a trans-formé l'identité québécoise.

L'identité dont on se réclame pour imposer la laïcité aux autres, c'est celle de l'égalité de tous et toutes, de l'équité, de l'existence d'une culture française originale et unique, d'une société ouverte et sans discrimination, teintée de progressisme et de tolérance. Voilà en gros comment on peut définir les « valeurs » québécoises. Ces valeurs n'ont rien à voir avec les valeurs historiques du catholicisme.

Le Québec est devenu cette société dans laquelle nous souhaitons intégrer harmonieusement les immigrants en grande partie en se libé-rant progressivement de ses valeurs catholiques, en rejetant le discours d'obéissance à l'autorité coloniale, de la servitude acceptée, de l'obéis-sance aux autorités, de l'infériorité de la femme, de la prédominance de la religion sur l'État. Le catholicisme ne fait pas partie de l'ADN identitaire québécois, il fait partie de son curriculum vitæ.

Le roi est nu

3 novembre 2007

La politique possède certaines caractéristiques communes avec le *show business*, tout particulièrement cette indéfinissable capacité de rejoindre les gens et de devenir plus grands que ce que nous sommes. John Diefenbaker, médiocre politicien de province lointaine, possédait une hargne et un entêtement qui, un temps, envoûtèrent les Canadiens et même les Québécois qui riaient de son accent ridicule lorsqu'il prononçait un mot en français.

Daniel Johnson, qu'on appelait Danny Boy et qu'on caricaturait en cow-boy maladroit, se transforma en homme d'État dès qu'il devint premier ministre. Le Québec pleura celui qu'on avait vilipendé et méprisé. Robert Bourassa, timide, presque malingre, l'air d'un étudiant surtaxé avec ses lunettes noires, ne nous inspirait aucune affection, mais on le respectait et on l'écoutait. Tous ces gens touchaient, ainsi que le disait Jacques Bouchard, une «corde sensible», comme Damien Robitaille nous émeut malgré sa timidité et ses manières d'adolescent attardé ou Kevin Parent avec ses airs bourrus de Gaspésien sympathique. On peut ne pas aimer les paroles des chansons, mais on ressent une empathie. Ces gens existent, et c'est pour cela que nous les écoutons.

*   *   *

Stéphane Dion n'existe pas. Il est comme le roi nu dont toute la cour se moque en cachette, regardant ailleurs, espérant qu'il disparaisse, qu'il soit frappé d'une maladie foudroyante. Mais il ne faut pas lui en vouloir, sinon pour un orgueil aussi immense que celui qui mena Bernard Landry à la démission. Et cet orgueil, comme dans le cas du PQ, est en train de détruire le Parti libéral.

Stéphane Dion, qui ne comprend rien à la politique mais qui adore la politique, n'avait jamais rêvé de devenir chef du Parti libéral. Enivré par le pouvoir, malgré son sac à dos, il voulait assurer sa présence au sein du parti, mais il n'avait pas compté sur les desseins secrets des patrons du parti, une petite bande d'anglophones de Toronto qui croyaient posséder le pays à tout jamais. Ce pays, ils le voulaient comme celui de Trudeau, centralisateur et uniforme. Et parce que Bob Rae a fini troisième, ils ont jeté leur dévolu sur le pauvre Stéphane, qui s'est mis à rêver de devenir premier ministre. Mais le « prof » ne passe pas, ni ici ni ailleurs.

Vue uniquement sous cet angle, l'histoire de Stéphane Dion est un triste mélodrame de TVA. On peut rire, pleurer des larmes de colère et d'incompréhension comme le fait Liza Frulla, on peut s'attarder sur les défauts et les manques de l'homme, ressasser l'histoire et les histoires de son règne impuissant, cela amuse la galerie, fait la joie d'Infoman, mais nous faisons face à une tragédie. Le roi nu nous plonge dans la tragédie. Parce que c'est d'un pays qu'il s'agit, et ça, ce n'est pas rien. Et parce que Stéphane Dion n'est pas populaire, ce pays est en train de changer radicalement avec sa complicité et celle de son parti.

Non seulement le roi est nu, mais — Stephen Harper a raison — il est devenu le roi de l'abstention. Devant des lois qui ne privilégient que la répression en matière criminelle comme aux États-Unis, le grand Parti libéral de Stéphane Dion s'est abstenu. Devant l'abandon de Kyoto, il a fait la même chose. Son chien pleure dans un coin. Ce parti est en train de devenir une risée, et Jack Layton a entièrement raison de dire que nous sommes dorénavant gouvernés par une coalition de conservateurs et de libéraux.

Le roi nu demeure imperturbable; pire, il en remet. Il annonce dans un même souffle qu'il songe à remettre à niveau la TPS, au grand dam de son caucus. Il trône. Et que fait ce parti pendant ce temps? Il ronronne, vaque à ses affaires, se désole de ses maigres finances et de sa désorganisation. Dion se tait, car c'est son sort qui est en jeu, et le parti fait de même, car c'est son avenir qui est dans la balance.

*   *   *

Nous vivons une situation complètement surréaliste. Normalement, un gouvernement minoritaire cherche le compromis, il négocie, il tergiverse. Il n'applique pas son programme électoral, seulement quelques éléments qui ne tranchent pas trop avec l'opinion prépondérante. Il « achète du temps ». Mais aussi longtemps que Stéphane Dion demeurera chef du Parti libéral, les conservateurs savent qu'ils pourront gouverner comme s'ils étaient majoritaires, et ils le feront.

Il y a quelque chose de honteux à voir plus d'une centaine d'élus s'abstenir, demeurer assis sur leur fauteuil pour le conserver plus longtemps. Cela ne semble déranger personne, ni Denis Coderre ni Michael Ignatieff, qui semblent vouloir s'en accommoder, comme si le Parlement était une entreprise où on devait mesurer sa capacité de longévité. On me parlera de stratégie. Mais à partir de quel moment la stratégie devient-elle une trahison ? Je crois que nous n'en sommes pas loin. Le Parti libéral est devenu une sorte de triste club qui ne pense qu'à lui-même. Il n'aime pas ce chef qu'une mauvaise lecture lui a imposé, mais il sait qu'avec ce chef, il court à la défaite. Dans ce parti, personne ne se lève pour dire qu'on triture et détruit le Canada libéral. Le roi nu ne cherche qu'à sauver son trône et n'a pas le courage et l'honnêteté de partir en disant simplement qu'il est incapable de faire ce travail. Comme si la politique n'était pas la défense des citoyens mais la tâche pour les politiciens de garder leur emploi afin que, dans un avenir improbable, les citoyens en profitent. Car, bien sûr, à ce moment, le moment choisi par eux, les Canadiens comprendront que Stéphane Dion n'est pas nu.

Plus ça change…

10 novembre 2007

On connaît la chanson. Lysiane Gagnon rappelait jeudi dans sa chronique de *La Presse* qu'elle avait publié une série de reportages alarmistes sur la qualité du français en 1975. La réaction des lecteurs avait été à ce point horrifiée que *La Presse* avait décidé de transformer ces reportages en petit livre. Le même journal revient cette semaine avec une série d'articles sur le même sujet et avec le même constat : c'est une catastrophe, et il n'existe que des linguistes postmarxistes pour dire le contraire.

Que faire ? En ces domaines où tout le monde a une opinion, les politiciens réagissent rapidement, comme les amateurs de La Cage aux sports. À La Cage aux sports, on disait que l'avenir du Canadien passait par Guillaume Latendresse ; à Québec, la ministre rétorque que l'avenir du français doit passer par la dictée. Cela ne peut pas nuire, tout comme le jeune ailier gauche ne nuit pas au Canadien, mais 1 000 dictées ne remplaceront jamais un enseignant et un programme qui ne privilégient pas le français correctement écrit, correctement parlé et bien compris.

On dira qu'il faut revoir la formation des enseignants. C'est comme l'œuf et la poule. On ne peut pas enseigner le français à l'université, on y enseigne la didactique du français, et il est normal que les enseignants en général connaissent mal leur langue parce qu'ils ne l'ont pas étudiée à l'école. On dira qu'il faut changer les programmes et les méthodes, mais là encore, l'œuf et la poule se pointent. Qui mettra en œuvre ces nouvelles approches ? Les enseignants.

Le problème du français au Québec est beaucoup plus profond et paradoxal. Pour résumer, disons que nous défendons l'espace francophone en Amérique mais que nous nous foutons du français. La société québécoise a toujours entretenu une sorte de rapport schizophrène avec sa langue maternelle. C'est la langue qui fonde la nation qui en pousse même certains à vouloir proscrire des droits si on ne la baragouine pas, mais c'est aussi une langue étrangère. C'est la langue des Français de France, celle de l'élite et des intellectuels. Et nous, Québécois, parlons et écrivons à notre manière.

Passons sur l'absence historique des Français ici, sur la survivance au Québec d'un français vieillot, plein de charme et de beauté, et sur les contrastes qui apparurent plus tard entre le français d'ici et celui de Paris ou de Lyon. Le mal est plus profond. Je viens d'une famille de la classe moyenne où on était fier de sa langue : pas de l'accent français mais du français. Écolier, je découvris rapidement que le français correct n'était pas un atout dans une cour d'école. Si je ne parlais pas comme une « tapette », je parlais comme un intellectuel, terme encore méprisant dans son acception québécoise.

Passons aussi rapidement sur l'élévation du « joual », idiome de mon quartier natal, au rang de langue libératrice par les pédagogues révolutionnaires. Passons encore, même si c'est important, sur les grandes théories progressistes de l'« oralité » de l'apprentissage de la « communication », qui permettaient au cri primal de remplacer un adjectif bien senti et bien choisi. On apprenait que le français n'était pas la langue du peuple et que, à la limite, son apprentissage constituait un outil d'aliénation pour l'élite capitaliste productiviste. C'est le nationalisme gauchiste des pédagogues québécois qui a tué l'enseignement du français il y a bien longtemps ; maintenant, tous les œufs ressemblent à la poule.

François Cardinal a développé dans un petit livre une thèse intéressante : les Québécois sont parmi les plus écologistes de la planète en pensée mais font partie, tant individuellement que collectivement, des pires pollueurs du monde occidental. Grands parleurs, petits faiseurs : voilà une belle expression, à la fois française et québécoise. À propos de la qualité du français, nous entretenons la même attitude. Nous ferons l'indépendance du Québec pour sauver notre langue, mais pour l'écrire correctement, nous ne ferons rien.

Le français est un problème d'école parce que c'est là qu'on l'enseigne, mais c'est avant tout un problème de société. Comment
demander aux enfants de parler mieux que Guy A. Lepage ou que les
ados attardés de *Loft*? La norme du langage est déterminée par trois
lieux : l'école, la famille et la télévision. Le plus faible de ces lieux est
l'école. Ne demandez pas aux enseignants de se battre contre Lepage
et Julie Snyder, de se battre contre les messages texto et les marion-
nettes de Dollarama que Radio-Canada vient d'acheter. Ne demandez
pas aux écoles de remplacer la société.

Je n'aimais pas les dictées ni les cours de français. J'étais un écolier
normal. Il existe quelque chose d'oppressant et d'intimidant dans
l'obligation d'apprendre une langue qu'on croit posséder et qu'on
parle. J'ai quitté cette relation maladive en abordant les livres. Ce
n'était pas de la grande littérature mais de bonnes histoires et, pour en
suivre les péripéties, pour bien comprendre le comportement du
héros, il fallait bien que je me concentre sur les phrases et les mots et
que j'en remarque les accords. L'orthographe du mot s'imprimait dans
mon subconscient autant que son sens, que je vérifiais dans un dictionnaire. La construction de la phrase s'imposait. Je m'en souvenais
le lendemain quand je devais écrire une narration. Je ne voulais pas
apprendre le français, je voulais comprendre l'histoire. Mais voilà,
même cela, grâce aux pédagogues, aux gouvernements et à la société
qui méprise le livre, n'est plus possible. On ne lit pas dans les écoles. Il
n'y a pas de livres dans les écoles, seulement des programmes de compétences transversales et des objectifs de « diplomation ». Et au nom
de la nation, nous continuons à former des ignorants. Pas de mots, pas
d'histoire, pas de culture générale, rien. Le *Loft* comme système
d'éducation.

Mon vieux curé

1er décembre 2007

Quand j'ai vu le sublime témoignage du cardinal Ouellet devant la commission Bouchard-Taylor, je me suis frotté les yeux comme après un mauvais rêve. Je me retrouvais à l'école Sainte-Bernadette en 1950. Les mêmes clichés, la même foi aveugle, les mêmes admonestations. À cette époque, je croyais vraiment que les mécréants dont j'étais, ceux qui trichaient au carême, avaient de mauvaises pensées et regardaient les filles d'un air concupiscent, étaient voués aux supplices éternels. Je fis mille cauchemars car la vie ne cessait de me proposer l'enfer et rarement le paradis. Je regardais le cardinal à la télé et je voyais mon ancien curé qui venait faire l'examen de catéchisme, entendant les mêmes paroles suaves, les mêmes menaces, le même constat de dépravation de la société moderne. À cette époque, je ne savais pas que je vivais dans une société moderne, mais le curé le savait, lui, et il semblait que le modernisme, notamment la télévision qui apparut trois ans plus tard, menaçait la fibre solide du peuple québécois. Voilà, je faisais un mauvais rêve.

Je me suis dit en regardant le triste cardinal que son intervention serait accueillie avec quelques froncements de sourcils, des commentaires polis et un silence total, car cet homme m'apparaissait comme un Martien, et on ne commente pas les propos des extraterrestres ou des marginaux illuminés. On les rapporte, sans plus.

J'attendais le désintéressement, ce fut le tollé et le olé. Nous voilà repartis comme en 1960 au sujet de la place de l'Église dans la société, comme dans les années 1980 à propos de l'enseignement de la religion à l'école. Le Québec et surtout ses intellectuels adorent reprendre des débats passés pour se prouver qu'ils sont enfin modernes, comme si nous n'en étions jamais certains. La sortie du pilier conservateur de l'Église ne méritait qu'un respect poli et un profond silence. Je me disais : « Je n'écrirai pas sur un mauvais rêve, sur un cardinal de 2007 qui me fait penser à mon curé de 1950. »

*   *   *

Mais le cardinal est « sur une mission », comme on dit en anglais. Quelques jours plus tard, il publie une fascinante lettre d'excuses pour les péchés passés de l'Église, et si mon catéchisme dit vrai, selon cette lettre, l'Église devrait se retrouver en enfer. Ce ne fut pas sa conclusion. L'Église demande pardon et, bien sûr, son Dieu l'entend et lui évite l'enfer. Maintenant, on ne parle que du cardinal Ouellet.

Si les Québécois ne pratiquent plus même s'ils croient majoritairement en Dieu, c'est que, comme moi, ils ont trop connu de cardinaux Ouellet, ces prédicateurs intégristes d'un dogme et de règles qui n'ont aucun rapport avec les livres saints mais seulement avec la volonté de l'Église d'enrégimenter la vie des humains sans égard à leur bonté ou à leur conduite exemplaire. Je connais une femme qui fut excommuniée à Saint-Jean parce qu'elle était tombée amoureuse d'un soldat noir américain divorcé et souhaitait l'épouser. Ils étaient amoureux, se marièrent aux États-Unis, eurent plusieurs enfants, et ils s'aiment encore. C'est bien ce que souhaite l'Église, celle du cardinal : un couple heureux qui fait des enfants, mais elle a interdit ce couple coupable, condamné à l'enfer pour l'éternité.

Monsieur le cardinal, les Québécois vous ont quitté parce que vous ne vivez pas, parce que vous n'êtes pas marié, parce que vous ne connaissez pas le doute et l'adultère, la tentation de l'autre, parce que vous ignorez la violence des hommes que vous avez toujours protégés et excusés, à cause du « devoir conjugal », parce que les femmes sont pour vous des sacristaines et des porteuses de burettes, parce que le condom qui empêche le sida est un péché. Les Québécois vous ont quitté parce que vous ne vivez pas avec eux, vous vivez avec le Vatican, cette incroyable bureaucratie de la foi, ce club de vieillards frileux qui pensent posséder en propre la pensée de Dieu. Dieu, s'il existe, est sûrement plus généreux, plus souple et plus intelligent que vous. Sinon, il ne serait pas Dieu.

*   *   *

Il existe dans le discours du cardinal une trame fascinante qui n'a pas été relevée, sauf récemment dans mon journal. C'est le discours des intégristes musulmans, celui des intégristes américains et, bien sûr, celui des intégristes catholiques comme le cardinal Ouellet. Ce discours se résume ainsi : la terre va mal, les conflits se multiplient, les hommes violent des femmes, la violence augmente, les sociétés sont désorganisées et sans repères, les jeunes consomment de la drogue. Et tout cela est dû à une crise de spiritualité que le retour de la religion pourrait résoudre. Le cardinal, comme tous les intégristes, confond spiritualité et code religieux. La spiritualité n'a aucun rapport avec les dogmes et les commandements de Dieu, au contraire. Ce que le cardinal nous propose comme spiritualité, c'est la prison du dogme du Vatican. Il ne nous propose pas une morale, une éthique, un dépassement de soi, une adhésion à des projets collectifs ; il nous propose un catéchisme, un code de conduite, comme un code de la route.

Notre société est effectivement en crise, mais il ne faut pas exagérer. Ce dont elle manque, ce ne sont pas des règles idiotes décrétées par des vieillards peureux réunis en conclave mais des engagements collectifs, des choix sociétaux qui privilégient le partage. Ce qui nous manque, ce n'est pas le catéchisme, c'est la solidarité, ce sentiment selon lequel nous possédons en commun ce monde et cette société et que nous sommes les seuls à pouvoir les sauver. Et que ferons-nous avec la religion, monsieur le cardinal ? Nous ferons comme les intégristes américains : nous l'enseignerons à la maison et à l'église. Pour vous qui nous avez prêché le sacrifice et l'abnégation durant si longtemps, cela ne constitue certainement pas un trop grand effort de mortification. À moins que vous ne croyiez que vos troupes sont incapables de le faire. Et quand j'y pense, je me dis que c'est probablement la véritable raison de votre triste appel au secours.

L'exil

2 février 2008

Je sais, vous me direz que j'exagère, mais j'ai pensé à l'exil et à l'immi-grant pendant mon déménagement, jeudi. Un tout petit exil d'à peine un kilomètre, un minuscule déracinement d'un quartier de Montréal à un autre, si minuscule que je ne change même pas d'arrondissement et que je conserverai les mêmes tracasseries administratives. Voilà un domaine où je ne serai pas dépaysé.

Dans mon ancien pays, j'avais mes sentiers, mes paysages. Je pos-sédais mes marques et mes repères, des centaines de visages connus et des dizaines de compagnons de voisinage. René, le boucher, avait tou-jours un mot gentil, Sophie, la fleuriste, un sourire et une petite conversation anodine. J'avais presque ma table à une terrasse fleurie et autant Nadine que Dan savaient ce que je prenais comme apéro. Je m'arrêtais au resto de Merlin et de Robin juste pour dire bonjour ou pour parler cuisine autour d'un petit rouge bien frais. Il y avait aussi la Chinoise de mon dépanneur, belle et timide comme la lune, des voisines qui nourrissaient mon chat jusqu'à ce qu'on découvre qu'il souffrait d'une allergie alimentaire. Pour tout dire, même en période de solitude, de difficultés ou de découragement, je n'étais jamais seul. Je possédais un petit pays en forme de cocon qui me confortait et me rassurait.

* * *

Même à un kilomètre de ce quartier que j'adore, je me sens comme un immigrant qui découvre un pays étranger et qui se demande comment il prendra ses marques et, surtout, comment il retrouvera un confort mental différent, certes, mais tout de même rassurant. Dans mon ancien pays se côtoyaient toutes les cultures, toutes les couleurs et toutes les langues. Le ciment commun était le français, que tous les habitants connaissaient, et la Saint-Jean-Baptiste, que tout le monde fêtait peu importe ses origines. Là où j'habite maintenant, c'est tricoté serré et c'est blanc pur. Il n'y a pas de terrasses fleuries et le premier vrai boucher est à vingt minutes de marche, les restos sont plutôt branchés et touristiques, je ne sais pas où se trouve la fleuriste. Seule continuité avec mon ancien pays, c'est une Chinoise qui est à la caisse du dépanneur le plus proche.

Comme un immigrant nouvellement arrivé, je devrai donc partir à la découverte et à l'apprivoisement de mon nouveau pays, sans toutefois avoir le problème d'apprendre une nouvelle langue.

Je pensais à tout cela à la lumière de la dernière «crise linguistique» qui se fonde sur le fait que, dans la région de Montréal, il y a de moins en moins de gens qui parlent le français à la maison. On a monté cette statistique en épingle au détriment du fait que de plus en plus de nouveaux arrivants maîtrisent le français grâce à la loi 101. Mais voilà qu'on s'alarme que des Chinois parlent chinois à la maison même s'ils nous accueillent en français dans leur commerce.

Quand il arrive ici, que possède l'immigrant qui lui appartienne en propre et sur quoi il puisse se reposer pour savoir qui il est et d'où il vient? On ne choisit pas un nouveau pays pour détruire le passé et effacer une partie de sa vie. On souhaite l'améliorer. Celui qui met les pieds dans un nouveau pays arrive avec une valise pleine de souvenirs, des albums de photos, peut-être quelques tableaux et un cerveau débordant d'odeurs, de paysages, de chansons et de sons, les sons de sa langue maternelle qui lui rappellent non seulement d'où il vient mais aussi qui il est. Quand il visite son nouveau pays, tous les sons, tous les chants sont étrangers et nouveaux, les cuisines sont différentes et les vêtements aussi. Pas à pas, le nouvel arrivé modifie ses comportements, adopte de nouvelles habitudes, goûte au pâté chinois, qu'il aime mais pas au point d'abandonner complètement le poulet du général Tao ou le canard laqué. Il se glisse lentement dans une nouvelle peau, il se métamorphose, et ses enfants encore plus, qui doivent fréquenter en très bas âge une culture radicalement différente et une nouvelle langue. Cela a de quoi donner le tournis identitaire.

*   *   *

J'ai un ami médecin algérien qui vit et pratique à Paris depuis trente ans, où il a d'ailleurs fait ses études de médecine. Avec sa femme, elle aussi médecin et algérienne, ils parlent arabe à la maison et écoutent souvent de la musique algérienne. Dès qu'ils sortent, ils passent au français, et Kamal fréquente les boîtes à chansons parisiennes. Il adore la chanson française. Mon ami est citoyen français, très engagé politiquement et responsable d'une des principales ONG françaises de lutte contre le sida. Il est parfaitement intégré mais refuse l'assimilation. À Nice, on parle encore italien à la maison après des siècles de présence en France, et à Pau, on parle souvent espagnol.

Pierre Elliott Trudeau disait que l'État n'avait pas à se préoccuper de ce qui se passe dans la chambre à coucher de ses citoyens. On pourrait dire en paraphrasant qu'une société n'a pas à s'alarmer de la langue qu'on utilise dans la chambre à coucher. Qu'on s'inquiète de la langue de travail, qu'on s'inquiète de la langue et de l'affichage dans les commerces, voilà qui est absolument normal. Souhaiter que l'immigrant abandonne sa langue, sa culture et son âme ancienne non seulement constitue un handicap de plus pour ce dernier, c'est aussi une sorte de vol et un appauvrissement pour notre société. C'est ce qu'ont tenté nos missionnaires et nos gouvernements avec les Amérindiens il y a plus d'un siècle. Depuis ce temps, on se confond en excuses pour cette tentative presque réussie d'assimilation et on mesure les conséquences néfastes de ce crime culturel.

Parler le créole québécois?

15 mars 2008

On peut se demander ce que le conseil exécutif national du PQ avait fumé collectivement quand il a décidé de proposer pour défendre le français au Québec «l'enseignement de la langue standard québécoise écrite et parlée». Chaque mot dans cette proposition surréaliste mérite d'être pesé.

«Langue». Il existerait donc, comme le pense un important clan de linguistes et de sémanticiens obtus et «nationaleux», une langue québécoise. Pas un idiome, pas un patois, pas des particularismes québécois, mais une langue. Faut-il rappeler qu'une langue possède un vocabulaire distinctif, une orthographe et une syntaxe? Non, pour ces gens, les rappeurs possèdent leur propre langue, comme les fourmis et une communauté berbère du nord de l'Atlas. Pour ces gens, tout groupe de signes communs et compris dans une communauté constitue une langue. Nous serions huit dans notre quartier à pratiquer les mêmes mots que nous posséderions une langue. Le PQ, dans sa fuite identitaire qui veut rameuter les indépendantistes aigris pour faire oublier sa «conversation nationale», adopte cette thèse: une langue québécoise.

Langue «écrite». J'imagine qu'on veut ici désigner les ajouts souvent intéressants que le Québec a apportés au français: courriel, clavardage, baladeur, qui d'ailleurs ont été généralement acceptés dans les dictionnaires, même s'ils ne sont pas utilisés de manière importante en France. Mais dans la langue «parlée» ici, on dit plutôt «*chat*», «*walkman*», «iPod». Je ne connais aucun adolescent qui se livre à du clavardage mais j'en connais plusieurs qui «chattent». Qu'allons-nous enseigner selon le PQ? «*Chat*» ou clavardage? Et s'il faut enseigner la langue standard québécoise écrite, faudra-t-il enseigner l'absence d'accord des participes passés, l'orthographe sonore, l'inutilité de la syntaxe?

Langue québécoise standard «parlée». Voilà une proposition encore plus surréaliste. Un Marocain ou un Sénégalais vous dirait qu'il ne comprend pas pourquoi il devrait, pour devenir Québécois, mal parler le français.

Et quel est le «standard» de la langue québécoise parlée? Ce n'est même pas la médiocrité du français qu'on entend à *Tout le monde en parle,* ce qui serait déjà horrible, c'est la langue parlée au Loft ou à *Occupation double,* dans la télé-réalité qui, au chapitre du langage, est malheureusement bien réelle.

*   *   *

J'essaie d'imaginer ce qui surviendrait en Suisse ou en Belgique si on proposait d'y enseigner le belge français standard ou le suisse français standard. Ce serait la convulsion générale. Pourtant, les Belges et les Suisses possèdent autant que nous des particularismes, des accents, des expressions qui vivent dans leur français quotidien. Mais de ces différences réelles et sonores, ils n'en font pas une langue, une différence telle qu'il faille enseigner le belge ou le suisse standard parlé. Et pour parler d'autres langues, enseigne-t-on le mexicain ou l'espagnol au Mexique?

Pour paraphraser je ne sais pas quel politicien qui parlait du fédéralisme, une langue n'est pas une cafétéria où on choisit ce qu'on veut. Une langue, c'est un repas complet, une table d'hôte. Entrée, plat principal, dessert. Tout est compris. Vocabulaire, orthographe, syntaxe.

Au moment où la ministre de l'Éducation réintroduit dans les écoles les fondamentaux, comme disent les économistes, la lecture et la dictée, le Parti québécois veut nous enseigner l'ignorance et la complaisance langagière. Il y a là une contradiction qui me paraît troublante.

Le mouvement indépendantiste souffre d'une ambiguïté coupable à l'égard de la langue française. Il a toujours fondé son action sur la menace contre la survie du français et il l'a fait avec raison. Mais aujourd'hui, dépourvu d'objectifs mobilisateurs, il se rabat sur tout ce qui est identitaire, prenant le risque de nous précipiter dans la médiocrité et l'isolement linguistique.

Si nous sommes si isolés linguistiquement, comme le disent les péquistes, pourquoi devrions-nous nous isoler encore plus en enseignant une sorte de créole québécois, une langue qui n'existe pas?

Je comprends Pierre Curzi, qui aime sa langue, le français, d'être complètement bouleversé par cette proposition de son conseil exécutif national, par cette régression intellectuelle qui nous ramène au début des années 1970, quand dire «crisse» et «tabarnak» constituait une forme d'affirmation identitaire.

Cette semaine, on a fêté Gilles Vigneault à Paris. De grands poètes et de grands artistes étaient présents. Guy Béart, Hughes Aufray, Julos Beaucarne, Luc Plamondon, Marie-Paule Belle, Anne Sylvestre. Ils célébraient le plus grand des chanteurs québécois, le plus profondément québécois des auteurs-compositeurs. Vigneault, à quatre-vingts ans, tourne en France et ailleurs où on parle et comprend le français. De ses chansons, dans ces pays étrangers, on entend le Québec, on le comprend, on l'imagine, on l'invente, on le souhaite. Vigneault, ce n'est pas «la langue standard québécoise écrite et parlée» du PQ, Vigneault, c'est le français avec le Québec qui se glisse sans problème dans une langue universelle.

Vigneault a toujours été un indépendantiste convaincu, grand défenseur du français, refusant la créolisation du langage et l'isolement. Je me demande ce qu'il pense de cette «langue standard québécoise écrite et parlée» qu'il n'a jamais écrite ni chantée.

La grogne des ménages

12 avril 2008

La Haye — Ça grogne dans les ménages néerlandais. Dans ce pays de maraîchers hors pair, efficaces et prudents, le prix des tomates et des concombres augmente plus vite que le rythme de l'inflation. Ici, on cultive essentiellement en serre, et les profits de la Dutch Shell signifient que les tomates de serre coûtent beaucoup plus cher à la ménagère néerlandaise. Des serres, ça se chauffe, et le printemps n'est pas encore arrivé. Et le pétrole de la Dutch Shell coûte sans cesse plus cher.

En France, l'impopularité croissante de Nicolas Sarkozy est en partie due au style de Rambo présidentiel, à la médiatisation de sa personne omniprésente mais surtout, disent les sondages, au « pouvoir d'achat ». Les Français, en partie avec raison, se sentent de plus en plus pauvres. En fait, ils ne sont pas tellement plus pauvres qu'avant, mais quand ils font les courses au marché, ils ont l'impression qu'on les arnaque. Avec l'essence, c'est l'alimentation qui subit les hausses de prix les plus considérables. De tous les prix, ce sont évidemment ceux de ce que nous mangeons que nous connaissons le mieux et dont la hausse nous offusque le plus.

En Italie, des élections législatives auront lieu demain. Les sondages prédisent une victoire du chevalier d'industrie Silvio Berlusconi, un homme qui, dans tout autre pays que l'Italie, serait en prison. Mais voilà, il était dans l'opposition quand le prix des pâtes a augmenté de 40 %, au point de provoquer la panique dans les supermarchés. En Europe, la hausse du prix des aliments n'atteint pas le seuil de la crise, on ne manifeste pas dans les rues, mais elle nourrit la grogne, le mécontentement et la morosité.

En janvier, le prix de la tortilla, élément de base de l'alimentation mexicaine, a augmenté de 40 %. Le gouvernement Calderón, qui pratique un néolibéralisme classique, s'est transformé en gouvernement interventionniste pour éviter la révolte. Gel des prix, subventions aux producteurs : on se serait cru en pays socialiste.

Dans tous ces exemples, la hausse du prix des denrées alimentaires inquiète, joue un rôle politique et entraîne des corrections de politiques. Mais on ne parle pas de crise.

*   *   *

Ce n'est pas le cas en Haïti. La crise est là, avec quelques morts déjà, un gouvernement menacé, une mince reconstruction en question. Haïti ne produit presque rien. Le pays importe presque tous ses produits alimentaires. En plus, le gouvernement, qui n'a presque aucune source de revenus, taxe les importations. Chez nous, une hausse de 10 % peut s'absorber, ce n'est qu'un irritant, mais en Haïti, c'est un repas de moins par jour.

C'est presque tout le tiers-monde qui est plongé dans la crise du prix de la nourriture et, dans certains pays, cette crise menace une stabilité durement acquise.

L'Afrique est particulièrement fragilisée par la hausse soudaine du prix des denrées alimentaires. Au cours de la dernière année, le prix du blé sur le marché de Chicago a augmenté de 49 %, et celui du maïs, de 55 %. Le prix de la tonne de riz thaï (référence pour les prix mondiaux) est passé de 320 à 795 dollars.

Dans au moins une dizaine de pays, dont l'Égypte, le Mali, le Burkina Faso, le Sénégal, le Maroc, la Côte d'Ivoire et le Cameroun, les femmes descendent dans la rue pour réclamer des repas à un prix raisonnable. Dans ces pays aussi, on a déploré quelques morts. On comprend la colère et le désespoir. Au Sénégal, le coût d'un repas quotidien a augmenté de 40 % en un an. En Asie, les Philippines, le plus grand importateur de riz au monde, font face à une tension croissante et le gouvernement poursuit les gens soupçonnés de stocker du riz.

Même les organisations internationales peinent à cause de cette envolée du prix des denrées alimentaires. Le Programme alimentaire mondial, qui fournit de l'aide alimentaire aux plus démunis de la terre, voit sa facture augmenter de 500 millions.

*   *   *

On pourrait croire que cette hausse des prix ferait au moins quelques heureux : les agriculteurs. Pas si simple. Certes, les grands producteurs de céréales et les exploitations industrielles recueillent une partie de cette manne. Par contre, les éleveurs de porcs ou de bœufs voient leurs coûts de production s'envoler. Je viens de lire sur Internet le désespoir d'une productrice de porc québécoise qui « mange sa marge de crédit » depuis un an. En Asie, la hausse du prix du riz est une catastrophe pour la majorité des petits cultivateurs, car ils sont dans l'ensemble des acheteurs de riz. Ils ne produisent pas suffisamment pour couvrir leurs besoins alimentaires et doivent donc acheter au marché au prix du marché.

Cette folie des prix, on l'explique poliment. Sécheresse dans certains pays, hausse des prix du pétrole, stocks au plus bas et, phénomène de plus en plus troublant, conversion de denrées alimentaires en carburant pour les autos. On mentionne rapidement la spéculation et rarement la mondialisation et la concentration. Dans le domaine des céréales comme dans celui du pétrole existent une dizaine de conglomérats géants qui manipulent les prix et retiennent les stocks pour créer des pénuries artificielles.

On ne mentionne surtout pas l'idéologie néolibérale de la Banque mondiale qui a détruit l'agriculture en Afrique et la capacité de ses gouvernements de réguler le plus essentiel des besoins : l'alimentation. Pendant vingt ans, la Banque mondiale a imposé un modèle aux pays africains : produire des choses qui s'exportent et laisser le marché décider des prix des denrées alimentaires. Le manioc a été remplacé par les cacahuètes, les bananes par le coton. Les gouvernements ont laissé entrer les produits importés et abandonné le contrôle des prix pour les denrées essentielles. Aujourd'hui, la maman du Sénégal paie 40 % de plus pour du riz importé. Auparavant, elle et son mari possédaient un lopin qui produisait du manioc, des oignons et des tomates. Dans le champ pousse maintenant du coton que personne n'achète parce que les marchés occidentaux protègent leurs fermiers subventionnés. Dans son rapport annuel de l'année dernière, la Banque mondiale reconnaissait son erreur. Elle disait à la maman sénégalaise d'arracher son coton et de se remettre au manioc. Pour cette année, il est trop tard, et peut-être aussi pour l'année prochaine. La maman va souffrir.

Le cul-de-sac

28 juin 2008

La Haye — Dans les couloirs de la Cour pénale internationale, on a un peu souri en prenant connaissance de la déclaration de monseigneur Tutu, Prix Nobel de la paix, qui souhaitait voir accuser Mugabe de crimes contre l'humanité et ainsi être déféré devant la justice internationale. Ce n'est pas demain la veille, même si ce devrait être aujourd'hui et que Mugabe est un plus grand criminel que tous ceux que la cour s'apprête à juger.

Les spécialistes de l'Afrique se sont tapé les côtes et ont ri jaune quand ils ont entendu Paul Kagame, le président du Rwanda, déclarer qu'il était évident que des élections démocratiques étaient impossibles au Zimbabwe. Bien sûr, le leader rwandais pouvait donner l'exemple. Il avait emprisonné son seul rival pour crime de trahison et avait remporté une élection style Mugabe: tu votes pour moi ou je te tue. Kagame, si la justice internationale avait toute la puissance de la justice ordinaire, devrait lui aussi faire face à des juges. Et il a le culot de donner des leçons de démocratie à aussi dictateur que lui.

Nous avons beaucoup ri aussi en groupe de la résolution du Conseil de sécurité qui condamnait Mugabe. On évoquait de nouvelles sanctions, la mise au ban des membres du gouvernement. Nous nous souvenions d'une récente visite de Mugabe à Rome pour le sommet de la FAO, un organisme des Nations unies qui lutte contre la faim dans le monde. Le président Mugabe est interdit de séjour dans les pays de l'Union européenne, mais il a profité d'une dérogation spéciale de l'Italie de Berlusconi pour y assister. Nous sommes dans le comble du ridicule. Voilà un homme qui a hérité d'un pays riche, notamment de son agriculture. Toutes ses politiques, menées au nom de la décolonisation, ont conduit le pays à la famine et il serre la main de chefs d'État dans une conférence qui lutte contre la faim. Tout le monde sait qu'il a perdu l'élection présidentielle, mais on l'appelle encore président. C'est tout ce qu'il souhaite, cet homme, pas le bien-être de ses citoyens, pas la prospérité du pays, mais en être le président-propriétaire.

Mugabe est un combattant de la liberté. Il a défait les Anglais. En Afrique, cela le rend divin, en quelque sorte, aux yeux de ses pairs. Avoir été libérateur d'un peuple en Afrique semble vous accorder tous les droits sur le peuple que vous avez libéré.

Il est évident que le silence africain à la suite du vol de l'élection de mars dernier ainsi que les réactions plutôt modérées de la communauté internationale ont convaincu le « vieux lion » qu'il pouvait faire n'importe quoi en toute impunité. Pourquoi pas s'organiser un deuxième tour qu'il s'assurerait de remporter ? Mugabe a alors mis sur pied une véritable machine à détruire l'exercice démocratique. En utilisant la menace en cas de défaite : « Les balles des vétérans de la révolution sont plus puissantes que les stylos. » Traduction : « Si je perds, vous mourrez. » Puis il ajouta que seul Dieu qui l'avait choisi pouvait lui retirer son poste. Comme ses collègues le laissaient aller sans dire un mot, il retira les annonces publicitaires de l'opposition de la télévision et interdit aux journaux contrôlés par l'État d'évoquer la campagne du MDC. Pour faire bonne mesure, il lance ses milices qui tuent une centaine de militants de l'opposition et fait arrêter le numéro deux du MDC, Tendai Beti. Accusé d'avoir dévoilé les résultats du scrutin avant la commission électorale, l'opposant est emprisonné et est passible de la peine de mort pour cette « haute trahison ». Beti a été libéré sous caution jeudi. Le montant de celle-ci dit tout sur l'état de perdition économique de ce pays : un trillion de dollars, 1 000 milliards de dollars zimbabwéens. Valeur réelle : moins de cent dollars canadiens.

Ce n'est que depuis les derniers jours, à la suite de la décision de Tsvangirai de se retirer de l'élection, qu'on entend quelques murmures africains ; pas des cris d'indignation ni des dénonciations fortes, mais plutôt des appels au calme et à la négociation. Le « vieux lion » répond sans rire qu'il négociera quand il deviendra chef.

Le président Mbeki de l'Afrique du Sud ménage son vieux copain de combat et l'ANC, ce grand mouvement historique qui a vaincu l'apartheid et mené l'Afrique du Sud sur la voie de la démocratie, y va d'une légère admonestation. Le parti de Nelson Mandela réclame bien sûr la fin des violences, mais la plus grande partie de la déclaration est consacrée aux conséquences négatives sur les pays africains, dont le Zimbabwe, de la colonisation, et sur le fait que les colonisateurs n'ont jamais respecté les principes démocratiques dont ils se réclament maintenant pour dénoncer Mugabe. Le mouvement de libération s'en prend à tous ceux qui évoquent une intervention extérieure pour résoudre la crise et proclame que toute solution à la situation au Zimbabwe ne peut venir que de l'Afrique. Mais voilà, il n'y a jamais eu de solutions africaines à des crises africaines, sauf peut-être récemment dans le cas du Kenya.

On attendait avec impatience la voix sacrée de Mandela. Lui peut-être pourrait faire reculer Mugabe et contribuer à une solution régionale. Ce fut en vain. Dans un discours prononcé jeudi à Londres, le vainqueur de l'apartheid s'est limité à dire qu'il déplorait « une cruelle faillite de leadership » sans même prendre la peine de mentionner par leur nom Mugabe et le Zimbabwe. Au moment où j'écris ces lignes, je regarde à la télévision des citoyens du Zimbabwe en train de voter sous l'œil vigilant de gardes armés, et le ministre de l'Information déclare que les Zimbabwéens votent en masse pour dénoncer le « poltron » qui s'est retiré et pour protester contre la violence organisée systématiquement par l'opposition.

Lors du premier tour, il avait fallu près de deux mois pour connaître les résultats du scrutin. Parions que le dévoilement se fera plus rapidement cette fois-ci.

Moi, un Noir?

Kinshasa — Devant l'hôtel où j'habite durant quelques jours, un édifice locatif. Des fils parcourent la façade comme des serpents collés au mur. On se raccorde comme on peut au réseau électrique. Un comptoir d'achat de diamants, libanais sûrement. À l'entrée de l'hôtel, des vendeurs de cigarettes, des changeurs avec des briques de billets et quelques artistes qui vous font la première page de *Tintin au Congo* en proposant de remplacer le nom de Tintin par le vôtre ou celui d'un ami. J'ai commandé un Charles au Congo. Le tableau est déjà peint, il ne s'agit que d'ajouter le nom du héros choisi par le touriste.

Je rentre à l'hôtel et regarde la conclusion du sommet du G8 au Japon. Il n'existe pas de meilleur endroit pour observer un autre sommet inutile, une autre opération de relations publiques pour clientèle locale et télévision continue, qu'une capitale africaine comme Kinshasa. Je regarde tous ces Blancs qui parlent beaucoup et ne font rien, qui jouent aux grands chefs, aux grands patrons, aux «bwanas», et je me sens un peu africain. Je me dis, c'est la même chose ici. Les chefs parlent beaucoup, mais ils ne font rien. Je pense au silence de l'Afrique sur Mugabe.

Premier rappel qui n'est pas anodin. Le budget propre de la République démocratique du Congo est de 260 millions de dollars, les reste vient de l'aide internationale. J'imagine que le budget du sommet du G8 (ou je l'ai lu) fait dans les 60 millions? Pour trois jours et pour rien, seulement pour des photos et des communiqués de presse. Vu d'ici, les gesticulations et les communiqués semblent encore plus ridicules, mais on comprend pourquoi on voit les « Grands Huit » à la télé. Ce sont des chefs et les chefs passent à la télé.

Vus d'ici, on les trouve encore plus drôles ou plus tristes et on comprend pourquoi les Africains ont plutôt tendance à penser que, sur Mugabe, les Occidentaux se vengent de leur propre échec et de leurs fausses promesses.

*   *   *

Personne n'est dupe de l'invitation dans le Saint des Saints des riches de quelques chefs d'État africains. On est habitué ici à ce genre de pratique hypocrite qui a pour fonction de ne pas perdre la face. Vu d'ici, on a l'impression de reconnaître une culture du mensonge qui est familière.

Il y a trois ans, au sommet du G8 en Grande-Bretagne, les chefs blancs promettaient que l'Afrique constituait la nouvelle priorité de l'Occident. D'ici 2010 (cinq ans plus tard), l'aide au développement atteindrait 50 milliards par année. Tony Blair avait déposé son sourire adolescent dans la corbeille comme gage de sincérité et avec lui Paul Martin, Jacques Chirac, un premier ministre japonais qui n'est plus là. C'est une grande qualité de la démocratie que de permettre à des dirigeants de s'engager tout en sachant qu'ils ne seront pas présents pour remplir leurs promesses. Ici, on sait au moins que toutes les promesses sont des mensonges, comme si gouvernements autoritaires ou dictatures étaient plus prévisibles.

Parenthèse. L'Afrique est vraiment une priorité pour Tony Blair. Il vient d'accepter un poste de conseiller auprès du président Kagame du Rwanda. Ici, dans ce pays qui a été en partie ravagé et disloqué par les troupes du président Kagame, on se demande à juste titre que signifie le mot « priorité » pour un chef du G8.

Mais revenons en 2005, au moment où l'Afrique est l'objet de toutes les attentions de la part du G8.

La RDC sort de dix ans de guerre qui ont fait entre deux et cinq millions de morts, des millions de déplacés. Tous les diamants se sont envolés clandestinement, les lingots d'or aussi de même que le coltan qui fait fonctionner vos PlayStation. Tout cela passe par le Rwanda ou l'Ouganda. Le pays est morcelé, découpé en baronnies dont profitent les minières internationales, parmi lesquelles plusieurs canadiennes. On attend cet argent nouveau, cette respiration artificielle qu'annonce le G8. Mais rien ne vient. En fait, le Canada constitue un bel exemple : l'aide au développement diminue. On se demande alors ici si les grandes démocraties peuvent donner des leçons de gouvernance alors que, toutes riches qu'elles soient, elles ne peuvent tenir leurs promesses. Au poker menteur, ce sont les Occidentaux qui perdent ici.

Et on regarde la télé, un peu pour rire de tous ces mots et de toutes ces paroles, comme ici on écoute les longs discours pour se moquer des mots et des paroles des politiciens locaux.

*   *   *

Au G8, la Chine était invitée dans le cadre de la participation des pays émergents. Réflexion personnelle : comment l'Italie incapable de ramasser les ordures de Naples peut-elle faire partie du G8 et pas la Chine ? Réflexion locale : pourquoi voulez-vous mettre Mugabe en prison alors que Berlusconi est au G8 ? C'est une bonne question qui demande s'il existe deux catégories de crimes, ceux des Blancs et ceux des Noirs.

Mais revenons aux Chinois. Ils sont de petits invités au G8, mais autour de la piscine de l'hôtel (j'aime bien les piscines), ils sont là. Et pas en tant que figurants comme au Japon. Un magazine d'affaires de Kinshasa titre : « La République populaire de Chine fait tout à grande échelle. »

La Chine remplit ici les promesses du G8 à la place du G8 avec un programme d'aide de 8,5 milliards et des prêts préférentiels.

Durant quelques minutes, on a espéré ici que ces Blancs puissants puissent trouver des solutions pour organiser leur propre capitalisme et lutter contre la hausse des prix du pétrole et des aliments, mais en lisant le communiqué final du G8, on a conclu que c'était le G-zéro. Rien sur le pétrole, rien sur les aliments. En fait, c'est un G africain.

Des grands chefs parlent, boivent et mangent bien. Ils parlent encore devant la télévision. Finalement, se dit-on ici, les chefs noirs et les chefs blancs, c'est pareil. Ils parlent et ne font rien. C'est Harper qui serait surpris d'entendre une telle comparaison. Moi, un Noir?

Du Plateau aux crimes contre l'humanité

26 juillet 2008

La Haye — Éric MacDonald a la quarantaine élégante. Il passerait facilement pour un habitant typique du Plateau-Mont-Royal où il est né et où il a eu son dernier appartement au Québec. Mais voilà, il habite depuis trois ans le centre de La Haye sur une rue un peu bruyante et travaille en moyenne soixante heures par semaine dans l'anonyme et froide tour qui abrite la Cour pénale internationale.

Éric MacDonald est le procureur qui est chargé à la CPI de mener l'accusation contre deux hommes, Germain Katanga et Mathieu Ngudjolo, qui sont accusés d'avoir perpétré le massacre de 200 civils au moins dans la bourgade de Bogoro en République démocratique du Congo en 2003. On a aussi violé, pillé, utilisé des enfants soldats. Nous sommes loin des méfaits auxquels il était habitué à l'aide juridique, où il a pratiqué, ou même de son premier procès pour meurtre. Il avait vingt-cinq ans.

Éric MacDonald avait un père policier qui voyageait. De quatre à sept ans, il vécut à Paris. « Quand tu rentres à Montréal, tu te sens un peu différent des autres élèves dans ton école. » Très jeune adolescent, il est fasciné par les histoires judiciaires et en particulier par les causes criminelles telles que relatées par les journalistes. Son père travaille en Côte d'Ivoire. Il le rejoint pour les vacances et il découvre le fossé entre les riches et les pauvres. Sa famille vit dans une grosse villa avec un jardinier, un cuisinier, un boy. Il veut se servir dans le frigo, mais le boy lui dit que cela ne se fait pas. Il s'assoit seul au bout d'une table et le jeune Ivoirien lui sert banane et jus d'orange. Malaise, questions. À

Ottawa, il hésite entre le droit du travail et le droit pénal, qu'il choisira. Mais de Paris et de la Côte d'Ivoire, il a hérité d'un désir, celui de se trouver un job qui le ferait voyager. Mais il ne voyagera pas tout de suite. Il fera l'aide juridique à Montréal, puis sept ans à Hull, où il se spécialise dans les crimes de violence sexuelle. C'est dans cette pratique qu'il découvre la difficulté de traduire la version de la victime en témoignage crédible. Car dans les affaires de crime sexuel, la victime est souvent le seul témoin de la poursuite.

*   *   *

Il est toujours obsédé par cette envie de voyager. Il s'inscrit à l'UQAM en droit international, puis travaille pour la Couronne fédérale. Cela le conduira enfin au voyage. En 2002, il est au Timor oriental dans l'unité d'enquête des crimes graves. Il postule à la Cour pénale internationale, qui vient d'être chargée d'enquêter sur les crimes perpétrés en Ouganda par l'Armée de résistance du Seigneur, dont le chef charismatique est Joseph Kony. Ce ne sont pas de petits crimes. Jusqu'à 20 000 enfants soldats, une politique systématique de mutilation des civils, une terreur permanente animée par des motivations mystiques. Des milliers de morts. MacDonald se retrouve sur le terrain en plein conflit pour interroger des témoins qui sont aussi des victimes. Les crimes sont d'une autre envergure, mais les techniques d'interrogation apprises sont les mêmes. Écouter, tenter d'établir la crédibilité de la version, évaluer si le témoin pourra convaincre. Les conditions sur le terrain sont précaires et souvent dangereuses. Nous sommes dans des coins perdus de l'Ouganda où un groupe de Blancs qui interrogent et filment des gens attire la curiosité sinon la suspicion. Les enquêteurs de la Cour pénale internationale prétendent être anthropologues ou voyageurs aventuriers. Mais ils reviennent avec suffisamment de témoignages pour permettre à la CPI d'émettre en 2005 un mandat d'arrêt à l'endroit de Joseph Kony.

L'avocat de Hull pénètre dans la démesure. Kony possède entre cinquante et quatre-vingts femmes, toutes enlevées. On estime que 20 000 enfants soldats ont combattu sous ses ordres. Il ordonne des mutilations atroces contre les civils et en particulier les femmes. «Quand je pense à Kony, je pense à Marlon Brando dans *Apocalypse Now.*»

Mais aujourd'hui, ce n'est pas Kony qui préoccupe Éric Mac-Donald, ce sont Germain Katanga et Mathieu Ngudjolo. Il mène devant les juges de la Cour l'étape de confirmation des charges. Son travail consiste à expliquer aux juges les crimes dont les deux hommes sont soupçonnés, à décrire le contexte, les événements et les degrés de responsabilité.

Nous sommes encore une fois très loin de Hull — qui s'appelle Gatineau maintenant, mais Éric dit toujours Hull —, très loin d'une simple cause de viol ou de meurtre.

Le 24 février 2003, la petite ville de Bogoro en République démocratique du Congo a été attaquée par deux groupes armés dirigés par les accusés. On avait ordonné de tuer les civils d'origine hema et, selon un témoignage, « d'effacer la ville ». Au moins 200 civils furent massacrés pour la seule raison qu'ils étaient hema. Les maisons furent pillées et la bourgade, à toutes fins pratiques, effacée de la carte, comme l'avaient ordonné les deux chefs de guerre.

Malgré le peu de moyens dont la CPI dispose pour faire ses enquêtes, malgré la difficulté de protéger les témoins et les victimes, Éric MacDonald est convaincu de défendre une cause solide. Sur le plan du droit, il ne la trouve pas fondamentalement différente de toutes celles qu'il a engagées à Hull ou à Montréal. J'insiste sur le peu de moyens, sur la rigueur souvent incompréhensible des juges, il fait gris dehors, gris hollandais, gris triste. Il ne dit mot, sinon : « Il faut être un peu idéaliste pour travailler ici. » Et puis nous parlons de son fils qui vit à Montréal, qu'il essaie de voir le plus souvent possible, mais ce n'est pas évident. Il faut être un peu idéaliste pour travailler ici.

Ministre de l'Inculture

23 août 2008

La Haye — Disons d'entrée que Josée Verner ne s'est jamais distinguée par son intelligence politique, sa hauteur de vue ou la profondeur de sa pensée. Dans tous les postes qu'elle a occupés, elle a fait preuve d'une légèreté d'esprit et d'une ignorance des dossiers qui laisse bouche bée. Avouons-le, Madame la ministre ne profiterait pas d'une limousine si elle avait été élue en Ontario. Elle ferait tapisserie à l'arrière-banc. Mais voilà que, pour notre plus grand malheur, la faible représentation des conservateurs au Québec lui donne la permission de sévir.

L'épisode est désolant à plus d'un titre. Il y a tout d'abord la manière. Des communiqués laconiques, suivis d'un silence de plomb de la part du ministère. Nulle justification, nulle explication démontrant que les programmes ne sont pas efficaces ou encore sont trop coûteux. On parle ici de quelques millions de dollars seulement.

Sur le fond, on devine des motivations cachées. Plusieurs des programmes abolis subventionnent des formes de création culturelle que certains pourraient qualifier de marginales ou d'avant-garde. Des bastions conservateurs proviennent des commentaires qui trahissent, non pas une volonté de bonne gouvernance et d'efficacité financière, mais plutôt un désir de « nettoyage culturel », de priver de soutien gouvernemental tout ce qui ne correspond pas aux normes conservatrices de la morale et du bon goût.

Cette décision doit être replacée dans le contexte de l'infâme clause qui voulait interdire le financement de certains films pour

« atteinte » aux bonnes mœurs. On veut condamner à la marginalité absolue les artistes hors normes ou les formes moins populaires de création, comme les nouveaux médias ou la danse contemporaine. Voilà une forme de censure proactive. Mais si on s'arrête un moment pour y penser, l'attitude de Mme Verner ne surprend pas. Elle trahit et symbolise tout à la fois le rapport que ce gouvernement et le parti entretiennent avec la culture et les arts. La culture est une affaire de snobs, de marginaux et de rebelles qui ne partagent pas les valeurs de la société. Elle est un produit de luxe comme le caviar et le champagne. Pour ces gens-là, comme dirait Brel, leur chemin culturel s'est terminé avec la disparition de *La Petite Maison dans la prairie* de nos écrans de télévision et la perte de popularité de la valse.

*   *   *

Vue d'un pays d'Europe occidentale, la décision de Josée Verner de faire disparaître sans état d'âme une série de programmes de subventions pour la culture paraît relever d'un autre âge. Cette notion selon laquelle la production culturelle au Canada est trop subventionnée ne tient tout simplement pas la route. Il n'existe pas un pays digne de ce nom (sauf nos voisins du Sud) qui ne subventionne pas systématiquement les activités culturelles et qui n'investit pas dans sa diffusion et son exportation à l'étranger.

L'aide à la production culturelle, que ce soit à la littérature, au cinéma, à la danse, fait partie du paysage et n'a pas à être continuellement justifiée, tout comme le sont les programmes d'aide à l'agriculture ou les prêts garantis aux entreprises ou encore les programmes d'assurance aux exportations.

La France, par exemple, qui est dotée d'une solide industrie du cinéma, subventionne cette dernière pour qu'elle soit encore plus solide et aussi pour permettre l'émergence de nouveaux talents. Elle le fait à la fois pour des raisons de prestige à l'étranger et pour des raisons économiques.

En agriculture, on aide les producteurs qui, dotés d'un trop petit marché local, ne pourraient sinon faire face à la concurrence étrangère. On subventionne Bombardier pour la création d'emplois. Personne ne proteste.

Les artisans de la culture forment une industrie, on l'oublie trop souvent à force de ne voir dans la culture qu'une sorte de nourriture de l'esprit ou de divertissement luxueux. Il en va de même pour la littérature ou la danse. Notre marché est trop petit, mais une société normale ne peut vivre sans culture.

Plus profondément, les conservateurs mènent une bataille idéologique et nul argument économique ne les convaincra que le Canada a besoin de Robert Lepage ou de Louise Lecavalier, encore moins de poètes inconnus du public ou de peintres abstraits. Leur modernité, leur rébellion, leur remise en question permanente des valeurs agacent et dérangent.

Josée Verner aurait sabré les projets de développement ou de tournée du jeune Maurice Béjart. Elle aurait refusé d'orner son bureau d'un tableau de Picasso et serait sortie en furie d'un concert de Stravinski. À leur époque, ces grands artistes du patrimoine mondial bousculaient les règles, renversaient les conventions, remettaient toutes les normes en question. C'est ce que les conservateurs n'aiment pas dans la culture. Pour eux, deux jeunes filles qui ne font pas la finale de kayak valent plus pour la réputation du Canada et la santé du pays que deux jeunes filles qui peinent à monter un spectacle de danse.

Le Canada serait un pays moins intéressant sans ces jeunes artistes de l'aviron, tout comme il sera moins intéressant quand nos jeunes étoiles de la danse contemporaine décideront de venir s'installer ici, à La Haye, pour pouvoir pratiquer leur art.

Du Ritalin pour Sarkozy

27 septembre 2008

La Haye — L'Europe observe, incrédule, le président français. On le fait en termes polis. Voilà un autre genre de politique et d'approche de la politique et de la personnalisation de la politique. En Europe, on est habitué aux grands hommes : Churchill, de Gaulle, Adenauer, Willy Brandt. Mais ces gens poursuivaient une mission claire, limpide. Ils tenaient un langage cohérent, ne s'égaraient pas. Ils poursuivaient un but. Devant Sarkozy qui affiche sa jolie femme autant que ses errances intellectuelles, on reste bouche bée. Et on commence à se demander si cet homme n'est pas un peu irresponsable ou du moins hyperactif.

Voilà pourquoi un diplomate m'a dit à la blague qu'on devrait peut-être lui prescrire du Ritalin, à défaut de l'enfermer en France. Car le président français emmerde tout le monde. On dirait un électron libre qui veut percer toutes les murailles, un franc-tireur qui peut résoudre l'ensemble des problèmes de la planète, réconcilier les antagonismes les plus anciens. Rien n'est à son épreuve. Tous les pays du monde ont besoin de lui. En début de mandat, il a visité l'Afrique et expliqué aux Africains qu'ils n'étaient pas encore entrés dans l'histoire, ce qui expliquait leur retard et leurs difficultés et, benoîtement, comme le pape du même nom, il a promis de les aider à entrer dans l'histoire. Il a envoyé son ex, Cécilia, négocier en Libye la libération d'infirmières bulgares. En retour, le très démocratique guide de la Révolution verte a été reçu en grande pompe à l'Élysée. Il a soupesé à haute voix la possibilité de boycotter les jeux de Beijing, puis est allé faire son apparition tranquille dans le pays qui met de la mélamine dans le lait des enfants.

*   *   *

Président de l'Union européenne, il se voit chargé de calmer la donne dans la crise entre la Géorgie et la Russie. Il proclame la fermeté, puis se perd en excuses pour expliquer que les Russes interprètent différemment les termes du cessez-le-feu. Avant, tel un président américain, il avait décidé de résoudre la question palestinienne et, avec son bouffon de la cour, Bernard Kouchner, s'était rendu en Syrie, l'État de tous les rejets. La France se fera le passeur de la paix dans cette région. Or, tout le monde se fout de la France. Mais le Speedy Gonzalez français pavoise.

De quel problème ne s'est-il pas occupé encore? Il a fait la Chine, la Libye, l'Afrique, dit quelques mots sur la Birmanie, rien sur les USA, il a ouvert des canaux secrets entre la Syrie et Israël. De quelle crise cet homme qui ne fait rien d'autre que tourner en rond en se regardant dans un miroir qui le suit pourrait-il maintenant trouver la solution? Le Darfour! Eurêka!

Son analyse est simple. La crise du Darfour met en danger la stabilité de ses petits amis africains que sont le Niger et le Tchad. Les Africains, depuis son premier discours sur leur absence historique, réclament un signe de l'ancienne puissance coloniale. Les Africains, mais aussi les Chinois qui l'attirent, s'opposent absolument à la mise en accusation pour génocide du président El-Béchir par la Cour pénale internationale, comme le Canada, d'ailleurs. Voilà donc notre hyperactif qui se rend à New York pour l'Assemblée générale des Nations unies et qui sort de sa poche de polichinelle une proposition presque chinoise. La recherche de la paix est fondamentale. La mise en accusation du président soudanais met en péril le processus de paix. Il faut donc que le Conseil de sécurité, comme le statut qui régit la Cour pénale internationale le permet, suspende les procédures contre le criminel président soudanais.

*   *   *

L'hyperactif se fout complètement des 200 000 morts, des 2 millions de déplacés. Il nous raconte qu'on peut faire confiance à ce gouvernement qui n'a jamais respecté aucun de ses engagements et, surtout, il prend le risque de mettre en doute l'utilité même de la justice pénale internationale.

Pour dire qu'il est là, lui, le président d'une nouvelle France, il est prêt à brader sa femme, à supporter une visite humiliante du leader libyen à Paris, à s'agenouiller devant les Chinois, à faire la cour à la Syrie, à se taire sur la Birmanie. Mais revenons au Soudan. Le discours est tellement double qu'il fait honte. Le président français admet implicitement que les crimes reprochés au régime soudanais sont fondés puisqu'il réclame en même temps que le gouvernement de Khartoum livre à la Cour pénale internationale deux personnes, dont un ministre, qui font l'objet de mandats d'arrestation. Comme si ce ministre et ce chef de milice avaient pu agir sans l'approbation d'El-Béchir.

Ce que Sarkozy dit en fait, partout où il va, sur tous les dossiers dont il se préoccupe, c'est que le monde est une boutique de village, une brocante. On négocie, on vend des produits avariés, on fait du troc et au bout du compte, sachant que tout le monde a menti, on prend un verre au café entre petits brigands. Je le regardais hier à l'Assemblée générale des Nations unies, donnant des leçons de moralité sur les règles du capitalisme, déplorant le laxisme financier. C'était le même homme qui n'a jamais cessé durant sa carrière politique de dire qu'il fallait lever les barrières qui empêchaient le privé de créer de la richesse et des emplois.

Je vous en prie, mes amis français, donnez-lui du Ritalin ou enfermez-le. Cet homme est dangereux.

L'art de la dissimulation

13 décembre 2008

Pour changer radicalement le Canada, Stephen Harper manie à la fois le coup de force et la dissimulation. Le coup de force, c'était la tentative de limiter les droits démocratiques au Canada dans un énoncé économique, puis, devant le tollé, la décision brutale de tout simplement fermer le Parlement au beau milieu d'une crise économique sans précédent.

La dissimulation, il la pratique sur le plan international en particulier dans les domaines de l'environnement et des droits de la personne. Durant des décennies, le Canada a été à l'avant-garde dans la lutte pour un meilleur environnement, et surtout dans la défense des droits de la personne au pays et dans le monde. Ce n'est plus le cas. Dans ces deux domaines, le Canada fait partie d'un petit club de pays réactionnaires, dont la Chine, la Russie et les États-Unis, qui tentent systématiquement de miner les efforts de la communauté internationale.

Ce fut le cas à Bali et ça l'est aussi cette semaine à la conférence de l'ONU sur l'environnement qui se déroule à Poznan. Alors que le discours officiel parle de la nécessité d'affronter collectivement les défis de Kyoto et de sa suite, là-bas, en Pologne, la délégation canadienne mène un travail de sape qui vise à empêcher la conclusion de tout accord global sur la réduction des émissions de GES.

C'est au même travail de sape que se livre ce gouvernement dans le domaine du développement international et de la promotion des droits de la personne. Ce revirement commence avec ses propres citoyens. Le Canada est le seul pays occidental qui abandonne à Guantánamo un de ses citoyens, le très jeune Omar Khadr. C'est aussi un des rares pays qui ont refusé de signer la Déclaration de l'ONU sur les peuples autochtones. Dans son discours inaugural, le gouvernement annonçait aussi son intention de créer une organisation destinée à la promotion de la démocratie. Or il existe une organisation qui s'appelle Droits et Démocratie, financée par le Parlement et qui jouit d'une réputation enviable dans la communauté internationale, dont la première mission est précisément la promotion de la démocratie dans le monde. On peut se demander sérieusement ce que cache cette annonce surprenante.

Mais c'est dans son appui à la justice internationale et en particulier à la Cour pénale internationale que la position canadienne dans le monde a changé le plus radicalement dans la dernière année.

* * *

Historiquement, le Canada a toujours été en faveur d'une Cour de justice internationale, chargée de juger les crimes de génocide, des crimes de guerre et les crimes contre l'humanité. Depuis 2002, la CPI a toujours pu compter sur l'appui du Canada. Ce n'est plus le cas maintenant. Lors de mon passage à la CPI à La Haye, j'ai constaté et appris des faits troublants.

Joseph Kony, leader de l'Armée de résistance du Seigneur en Ouganda, fait l'objet d'un mandat d'arrestation de la CPI. Il est accusé d'avoir tué ou mutilé des milliers de civils, d'avoir ordonné le viol de milliers de femmes et d'avoir utilisé des milliers d'enfants soldats. La CPI a demandé au Canada sa collaboration dans la recherche et la mise aux arrêts du prévenu. Le Canada a froidement refusé et a même tenté de compliquer la tâche de la CPI dans ce dossier.

En juillet dernier, le procureur de la CPI a requis de la Cour qu'elle lance un mandat d'arrestation contre le président du Soudan. Peu de temps après, le gouvernement a envoyé à La Haye un émissaire spécial qui a rencontré le président Hirsch (un juge canadien) et le procureur Moreno-Ocampo. Officiellement, le gouvernement canadien condamne la conduite du Soudan au Darfour, mais l'émissaire canadien s'est employé à convaincre la CPI que la mise en accusation d'El-Béchir serait une grave erreur. L'envoyé canadien, à partir de notes, a invoqué point par point la position chinoise qui cherche à protéger à tout prix le principal responsable de la mort d'au moins 200 000 civils. Voilà le camp qu'a choisi ce premier ministre, se gardant bien de le dire ouvertement aux Canadiens.

Et, on le sait depuis longtemps, Harper n'est pas un homme qui fait dans la dentelle. Mais il peut pousser ses convictions jusqu'à la pire mesquinerie.

En octobre 2007, le procureur en chef de la CPI a effectué une courte visite à Montréal dans le cadre d'un colloque sur le génocide rwandais. Comme c'est l'usage, son bureau a contacté le ministère des Affaires étrangères et a demandé si des représentants du gouvernement, ministres, députés, etc., seraient intéressés à rencontrer cet homme que partout dans le monde on s'arrache. À la grande surprise du bureau du procureur, aucun politique conservateur, nul membre de ce gouvernement, n'était intéressé à le rencontrer. La seule exception fut la gouverneure générale, qui eut une rencontre très chaleureuse avec le procureur. Lors de cette rencontre, M. Moreno-Ocampo a proposé à Michaëlle Jean de faire une visite à la Cour et d'y prononcer une conférence. Mme Jean fut enthousiasmée par la proposition.

L'été dernier, le chef de cabinet de Mme Jean, que j'ai croisé dans les couloirs de la CPI, est venu pour mettre au point les détails de la visite. L'ambassade canadienne à La Haye contactait déjà des journalistes, dont moi-même, pour s'assurer de pouvoir nous joindre facilement.

Et puis paf, un soudain problème d'agenda fait son apparition à Ottawa, alors que Mme Jean avait déjà, ou presque, fait ses valises. Visite et conférence sont annulées. Officiellement, il y a eu confusion dans l'agenda. La réalité est plus simple et plus bête. Mme Jean n'est pas libre de ses mouvements. Elle doit faire approuver ce genre de déplacement par le premier ministre. Et Stephen Harper, premier ministre de ce grand pays défenseur des droits de la personne, a interdit à Mme Jean d'aller prononcer une conférence sur les droits et la justice devant la Cour pénale internationale.

Les petits bonheurs

20 décembre 2008

Expliquer le monde est un piège. Celui qui le fait domine et risque de perdre ses repères, ses bases, ce millier de petites choses qui font la vie quotidienne, tissent les liens familiaux, nourrissent l'amour quotidien, l'amitié ou les plaisirs simples.

J'ai longtemps cru que la vie était relativement simple et le monde extrêmement complexe, et je ne me suis jamais demandé pourquoi j'écrivais tant sur le monde et si peu sur la vie.

Je sais un peu pourquoi j'écris : pour partager, pour donner ce que je découvre, ce que j'apprends. Vous ne pouvez être à La Haye, j'y étais, tout comme au Rwanda ou au Liban et en Éthiopie. Alors, je me dis que je vous représente, que je suis votre envoyé, votre messager. Je vous explique, je vous raconte, un peu comme un ami très renseigné qui écrit de longues cartes postales.

Mais quand je le fais, malgré l'affection que je peux avoir, je prends une posture de professeur, d'analyste. Je prends surtout une énorme distance, je me mets en dehors de vos vies et sûrement de la mienne.

Ce n'est pas rien de voir soixante enfants mourir en quelques heures dans le camp de Bati en Éthiopie, de fouiller dans les fosses communes du Rwanda pour retrouver le corps d'un ami. Cela vous retourne les tripes et le cœur. Il est extrêmement passionnant de fréquenter les coulisses de la Cour pénale internationale et d'avoir l'impression de participer à une mission fondamentale de la communauté internationale. Cela donne un sentiment de pouvoir et d'influence sur des événements historiques.

Mais tout cela risque de vous isoler, comme le succès crée une bulle dans laquelle on se love et s'admire.

On s'isole d'abord de ses origines, de son pays, des problèmes de son pays ou, ici, de sa province. On devient facilement méprisant pour les « petits » problèmes locaux, les questions linguistiques, la pauvreté locale, qui est supportable comparativement à celle du Zimbabwe, les urgences qui sont relativement efficaces par comparaison avec celles de Kandahar. On perd la mesure des choses et du quotidien réel de sa propre société. Les pauvres québécois sont aussi pauvres que les pauvres africains, aussi impuissants, aussi démunis, et leurs enfants, aussi malheureux même si leur sort est différent. Ici, on ne meurt pas de faim comme en Afrique, mais on meurt d'impossibilité de vivre.

*   *   *

Je disais plus haut que j'écrivais pour partager, alors partageons un peu dans cette période des Fêtes qu'on dit destinée au partage. J'ai découvert deux ou trois choses qui pourraient vous être utiles, pas pour comprendre le monde, mais pour vivre mieux. Une sorte de cadeau de Noël.

Le monde est d'une simplicité confondante. Des jeux d'intérêts, des blocs d'influence qui se modifient, qui évoluent de manière généralement prévisible, des forces économiques qui peuvent s'analyser. Il y existe des surprises, mais nul mystère impossible à percer.

La vie de tous les jours, par contre, quelle complexité et quel effort d'attention elle requiert. La complexité des relations humaines risque d'échapper à celui qui explique le monde, mais aussi à beaucoup d'autres. Car nous sommes nombreux à croire que la vie quotidienne est simple et dépourvue de pièges. Obnubilés que nous sommes par le travail, la crise, les habitudes ou le déneigement, notre regard pour l'autre est myope. Obsédés par le confort et la facilité, convaincus de les pourvoir, les hommes cessent de regarder, d'apprivoiser, de comprendre leurs proches.

Tout ici semble acquis sur le plan social, ce qui nous rend apolitiques et nous incline à voter de moins en moins. Et trop souvent, dans nos relations personnelles, nous manifestons le même comportement, surtout quand nous prétendons résoudre des problèmes importants.

En fait, je voulais vous parler de l'inutilité des grandes explications qu'on trouve dans les livres et les journaux renommés et de l'importance fondamentale des petits bonheurs et des attentions minuscules. Pas les fleurs offertes pour excuser un retard, mais la main tendue, la caresse chaleureuse, le mot amoureux, et surtout l'attention pour l'autre.

Là, j'écris surtout pour les hommes, car nous nous complaisons facilement dans l'explication du monde et le refus de la vie qui nous semble trop complexe et désordonnée. Les hommes craignent l'incertain, le douteux, l'incompréhensible.

Le colonel Bagosora, maître d'œuvre du génocide au Rwanda, vient d'être condamné à la prison à vie par le tribunal d'Arusha. J'en ai pris note, mais je ne pense qu'au sapin de Noël, aux cadeaux et aux petits bonheurs que j'ai si souvent oubliés parce que je ne pensais qu'au colonel Bagosora.

La hiérarchie du malheur

27 décembre 2008

Les difficultés, les crises et les malheurs rendent bien souvent aveugles. On ne perçoit que sa douleur, ses problèmes. On se referme sur soi et on marche le regard bas fixant le trottoir, étranger à tout ce qui nous entoure. Cela est vrai pour l'enfant, pour l'adulte, pour les groupes et les pays.

Rappelez-vous enfant comment la plus petite écorchure du genou devenait le plus grand malheur de votre vie. Nul réconfort de la mère ou du père ne parvenait à relativiser la douleur. L'enfant blessé était le plus malheureux des êtres humains et personne ne pouvait le convaincre du contraire. Il semble qu'il existe une sorte de hiérarchie du malheur dont l'échelon suprême est soi.

L'amoureux éconduit, le travailleur licencié voient difficilement ou évitent l'itinérant qui dormira dehors. Ils sont installés dans leur malheur, dans leur crise existentielle, même s'ils dormiront au chaud, un peu plus pauvres, beaucoup plus tristes, certes, mais au chaud quand même. Ils ne regardent pas et conservent leurs pièces de monnaie comme si elles pourraient leur procurer le bonheur qui leur échappe.

Les classes sociales adoptent le même comportement. En temps de crise comme aujourd'hui, pour maintenir leur niveau supérieur de vie, elles rechignent contre l'aide sociale, vilipendent les assistés sociaux, se plaignent des étrangers et des fonctionnaires paresseux. Elles transfèrent leur malheur sur les autres. Les entreprises et les gouvernements qui font face à des difficultés font de même. C'est l'inutile et le superflu qui feront les frais de leur malheur. On coupe en rase-mottes, des petites choses qui ne coûtent pas beaucoup mais qui paraissent luxueuses. La culture par exemple, l'aide à l'étranger, en un autre temps, les prestations d'assurance emploi, comme si transférer son malheur sur plus petit que soi, sur plus malheureux que soi, allégeait la douleur.

La communauté internationale, qui en fait est la communauté des pays riches et un peu riches, n'échappe pas à cet aveuglement et à ce retournement sur soi que provoquent le malheur et la difficulté.

Nos pays sont en état de choc, quasiment tétanisés par l'ampleur du désastre financier qu'ils ont eux-mêmes provoqué par laxisme, insouciance et foi absurde dans le pouvoir autorégulateur du marché.

Alors, on sort la pompe à billets pour relancer l'économie qu'on a mise à mort. On fait la respiration artificielle à un cadavre financier qui est pourtant encore bien-portant si on le compare aux itinérants et aux démunis de la planète. Dans cette course à la reconstruction de la planète financière, ce sont les plus dépourvus et les plus démunis qu'on laisse à leur sort misérable en attendant que chez nous les choses s'améliorent. Le monde riche, englué dans son infortune, ne se préoccupe plus des laissés-pour-compte de la planète. Non pas qu'il s'en occupait beaucoup avant, mais maintenant, c'est la dèche. Nada.

*　　*　　*

Certes, notre malheur est grand et dans les familles la crise provoque des difficultés souvent tragiques, les pays font face à de douloureuses restructurations, mais nous demeurons dans le domaine du gérable et du vivable. L'Occident continue à vivre, même s'il se serre la ceinture. Ce n'est pas le cas pour beaucoup de pays qui, crise oblige, ont disparu plus ou moins des préoccupations des pays riches.

La Somalie, dirait-on, semble avoir été classée dans la colonne des pertes irrécupérables. On lutte contre la piraterie qui fait parfois les manchettes, mais rien n'est tenté contre l'anarchie et la pauvreté qui transforment les pêcheurs en pirates. Objet de tous les ressentiments l'été dernier, Robert Mugabe laisse son pays pourrir de la famine et du choléra. Nous laissons faire, tout occupés que nous sommes à sauver l'industrie automobile ou les prêteurs d'hypothèques douteuses. Je ne dis pas qu'il ne faut pas le faire, j'essaie seulement de dire que notre malheur n'est pas si grand et qu'il ne nous affranchit pas de notre devoir de justice, ni de nos engagements.

L'Europe s'était engagée à envoyer une force armée pour stabiliser la situation en République démocratique du Congo, qui depuis une dizaine d'années est une sorte de génocide permanent. On attend toujours. Ils attendent toujours. Les Congolais sont un peu comme l'itinérant que l'homme triste ignore. L'homme triste, c'est nous, obnubilés que nous sommes par nos problèmes de richesse incertaine et fragile. Cinq millions de morts depuis vingt ans, des millions de déplacés, des tueries atroces, le viol comme arme systématique, les enfants soldats, toute la panoplie de l'horreur. Une horreur qui ne dérange pas les grandes entreprises, dont beaucoup sont canadiennes, qui s'enrichissent de l'or, des diamants, du coltan, ce métal inconnu qui fait fonctionner les téléphones portables. Voilà bien une façon de lutter contre la crise chez nous : se nourrir de la misère des autres.

Depuis deux mois, la reprise des affrontements entre le Congrès pour la défense nationale du peuple de Laurent Nkunda et les forces gouvernementales de la RDC a fait plus de 300 000 déplacés. Le Rwanda, protégé des Américains et des Britanniques, attise et alimente la rébellion. Mais quand on passe nuit et jour à sauver des banquiers que l'appât du gain a menés à la faillite, quand on entend la grogne des petits épargnants, comment s'inquiéter de plus malheureux que soi ? Et comment peut-on penser qu'un peu d'attention pour l'autre ne nous rend pas plus pauvre ni plus malheureux ?

Je vous souhaite une meilleure année que celle que j'aurai. Et si jamais je peux faire quelque chose, dites-le-moi. Bonne année.

La peur d'écrire

17 janvier 2009

La semaine dernière, j'ai invoqué des problèmes réels de logistique pour expliquer à mes patrons que je ne pouvais écrire de chronique. C'était un demi-mensonge, ou une demi-vérité. J'ai déjà rédigé des chroniques malgré ce genre de problème.

Je voulais parler de Gaza. Mais comment expliquer à son patron la peur d'écrire sur un sujet qu'on connaît, la peur de se tromper, celle de nuire ou de dériver? Alors, j'ai choisi le prétexte logistique parce que trop d'idées se bousculaient dans ma tête et que je ne parvenais pas à les mettre dans un ordre et un cadre qui faisaient un sens quelconque.

Essayons. Il y a la démesure. Tout le monde s'entend. Et les bavures israéliennes qui ne sont pas des bavures. Mille morts, treize morts. On répète cette équation absolument fausse *ad nauseam*. La mort n'est pas mathématique et évaluable en chiffres. La mort est un abîme. Cinq millions de morts en République démocratique du Congo, cent mille pages de journaux de moins. Nous choisissons les morts qui nous obsèdent et les conflits qui nous importent.

Dans ce conflit quasiment biblique qui pourrit le monde depuis des siècles, comme beaucoup d'autres, j'ai choisi le camp des «justes», comme dirait Camus. C'est la position la plus pénible, la plus complexe, la plus vulnérable. Car le «juste» se retrouve avec de curieux compagnons qu'il n'aime pas nécessairement. Le «juste» déplore le sort des réfugiés palestiniens tout en soutenant le droit d'Israël d'exister en sécurité en même temps que l'existence d'un État palestinien. Mais il doit rappeler que ce sont les pays arabes qui ont déclenché la première guerre en Israël, guerre qui fut en partie responsable de l'exode palestinien, de la radicalisation de son nationalisme et surtout de la mise en tutelle par des pays arabes des mouvements de libération palestiniens.

Le « juste » doit dénoncer Israël pour les exactions, les colonies illégales, le mépris des résolutions du Conseil de sécurité de l'ONU, mais il ne peut taire l'occupation d'une partie du Liban par le Hezbollah, l'émergence de l'extrémisme islamiste, le rôle pervers dans le conflit de l'Iran et de la Syrie, l'encouragement de l'Arabie saoudite aux mouvements extrémistes. Il doit se demander si Israël ne souhaite pas plus la paix avec les Palestiniens que ne le font les principaux pays arabes, hormis l'Égypte et la Jordanie.

Puis, le « juste » est confronté à la douloureuse question de la responsabilité, de l'intention criminelle des États ou des acteurs. Est-ce que Israël a décidé de tuer de façon systématique des enfants et des civils, décidé froidement de bombarder les installations de l'ONU, de faire mourir les gens de faim ou de froid dans la bande de Gaza ? Si oui, le calcul du gouvernement serait le suivant : remporter les prochaines élections et faire prendre conscience aux habitants de Gaza que le Hamas ne peut leur apporter que douleur et souffrance.

Mais il faut en même temps poser une autre question : est-ce que le Hamas a repris les tirs de roquettes sur le sud d'Israël pour provoquer une réaction violente et brutale de Tel-Aviv, espérant assurer encore plus son emprise sur le petit territoire étranglé et exsangue ? Car si Israël possède le pouvoir de détruire, de raser Gaza, le Hamas n'a aucun pouvoir militaire réel. Il ne peut qu'égratigner, exacerber, nuire. Les appels à la guerre sainte sont des complaintes d'illuminés qui tiennent une population en otage. Treize morts contre mille. Tel est le bilan de la glorieuse aventure du Hamas dans la destruction d'Israël.

Je n'excuse pas Israël, je crois que ce gouvernement est coupable, comme l'a déjà dit Louise Arbour, de crimes de guerre et de crimes contre l'humanité. Mais dans sa folie suicidaire, le Hamas fait pire. Il provoque volontairement le meurtre de ses concitoyens. De toute manière, dans le prêche islamiste, cela augmentera le nombre de « martyrs », doivent se dire ses dirigeants.

J'ai souvent écrit que la pire erreur commise au cours des dernières années dans ce conflit avait été de rejeter le Hamas après son élection, de refuser de négocier avec lui et d'avoir tenté de ne négocier qu'avec le pouvoir pourri de l'Autorité palestinienne. Je le crois encore. Isoler ainsi la plus démunie des populations palestiniennes créait les conditions de l'extrémisme, créait un terreau favorable aux comportements suicidaires. Cela ne justifie pas pour autant l'action du Hamas aujourd'hui, même s'il accepte dans les jours qui viennent de signer une trêve. Le Hamas n'a pas fait campagne en promettant la guerre sainte et le terrorisme. Il dénonçait la corruption des héritiers d'Arafat, promettait des écoles et des hôpitaux qui fonctionnent, un État de droit. Voilà pourquoi le Hamas a été élu. Puis, le parti a usurpé son mandat et consciemment entraîné Gaza dans l'enfer qu'on connaît aujourd'hui avec l'accord opportuniste de politiciens israéliens en campagne électorale.

Quand on mesure mathématiquement les tragédies, le coupable est généralement celui qui tue le plus. Mais plus j'y pense, plus je crois que, s'il existait un tribunal international chargé de juger les crimes commis dans ce conflit, il y aurait deux accusés à la barre, chargés des mêmes crimes contre l'humanité : Israël et le Hamas.

Ruptures

24 janvier 2009

Quand on évoquait cette semaine l'assermentation de Barack Obama, on soulignait avec raison l'arrivée au pouvoir du premier président noir de l'histoire. C'est une date historique, certes, et cela marque un passage fondamental. À long terme, Obama aura peut-être une influence déterminante comme modèle pour les jeunes Noirs américains qui, depuis quelques décennies, ne trouvent une inspiration que chez les athlètes professionnels ou les rappeurs.

L'arrivée de ce nouveau président marque un changement encore plus profond et signale des ruptures encore plus radicales avec les cinquante dernières années de la politique américaine.

C'est d'abord la fin de la richesse et de l'aristocratie politiciennes, peut-être le véritable début de l'*American dream*. Eisenhower, héros de guerre et libérateur, faisait partie de l'aristocratie militaire. John Kennedy n'occupa jamais de véritables emplois sauf celui d'être le choix de son père milliardaire pour devenir président. Lyndon Johnson régnait sur des milliers d'hectares et de bœufs dans son Texas de millionnaires. Richard Nixon venait d'un milieu pauvre mais devint rapidement un avocat d'affaires et un politicien professionnel. Ronald Reagan faisait partie de l'aristocratie du cinéma, puis du monde corporatif. Les deux Bush sont nés dans les barils de pétrole. Bill Clinton fit un peu de droit puis se consacra entièrement à sa carrière politique. Une seule exception : Jimmy Carter, le planteur de cacahuètes, qui d'ailleurs possède beaucoup de valeurs en commun avec Barack Obama.

*   *   *

De tous ces présidents, sauf Carter, Obama est le seul qui est familier avec la difficulté de vivre, familier avec les quartiers pauvres et les trottoirs des grandes villes. Connaître la pauvreté, la vivre, connaître les maisons délabrées, l'insécurité, l'itinérance, voilà ce que possède dans son CV le nouveau président américain. Cela est une rupture fondamentale, un président qui a passé du temps avec et dans la pauvreté. En fait, c'est le premier président depuis des décennies qui peut se targuer d'avoir passé une heure avec un démuni sans être en campagne électorale. Un président qui n'a pas toujours fréquenté le beau et le bon monde, ce n'est pas rien!

Une deuxième rupture, et celle-là on la sent dans tous les discours qu'il a prononcés depuis mardi: la complexité du monde. Les présidents que j'ai mentionnés plus haut avaient peu voyagé, et quand ils le faisaient, c'était en limousine. Leur connaissance du reste du monde était théorique et jamais vécue. Dans la complexité du monde n'existent pas que les rapports de force et les lourds héritages historiques. Il y a aussi la vie, les hantises, les odeurs, les couleurs, les paysages urbains et ruraux. Obama ne possède pas une connaissance du Kenya ou de l'Indonésie qu'il a puisée dans des essais ou des mémos de conseillers; il a touché des univers différents, y a vécu, les a ressentis.

Autre rupture fondamentale. Depuis Reagan, la politique américaine est organisée autour d'une sorte de rapport à Dieu et à la mission divine qu'il a confiée au pays de lutter pour les valeurs chrétiennes. Même durant la période Clinton, ce jumelage indécent de Dieu et de l'Amérique a perduré. Après le 11-Septembre, ce devint un abîme de réflexion. Bush proclama que Dieu avait confié aux États-Unis le devoir sacré de défendre la liberté, la démocratie et sa conséquence bête et idiote, le libre marché, qui nous a menés gentiment à la pire crise économique de ce siècle depuis les années 1930.

Obama est croyant. Impossible d'imaginer un dirigeant du monde qui avouerait être agnostique ou athée, alors que nombreux le sont. Ils paradent tous à la messe et s'ennuient. Peu importe. Depuis mardi, Obama a clairement indiqué que les valeurs qu'il défendait n'avaient pas de couleurs messianiques. Il les a qualifiées d'américaines. Bon, on lui pardonne de penser que les valeurs démocratiques soient américaines. Mais il parlait de démocratie et d'État de droit, de justice et d'égalité, pas devant Dieu, mais entre les humains. C'est un retour aux valeurs civiles de droit et de justice, une rupture avec la paranoïa sécuritaire, avec la guerre sainte que Bush avait décrétée.

*   *   *

Dernière rupture fondamentale, la diplomatie plutôt que la canonnière. Le choix de ses deux envoyés spéciaux au Proche-Orient et en Afghanistan est éloquent. Mitchell a arbitré le conflit « religieux » en Irlande du Nord. Holbrooke, le conflit ethnique et « religieux » en ex-Yougoslavie. La fermeture de Guantánamo, la dénonciation de la torture, l'engagement pour une plus grande transparence, voilà qui souligne un retour aux valeurs fondamentales de la démocratie. Et puis, semble-t-il, un retour de Washington dans la communauté internationale comme la superpuissance, certes, mais aussi comme un partenaire. Un retour dans la communauté scientifique en permettant les recherches sur les cellules souches, un retour dans la lutte contre le sida sans tenir compte de préceptes religieux, un retour dans la lutte contre le réchauffement climatique et le développement d'énergies nouvelles.

L'homme serait-il miraculeux? Il pourrait l'être si l'urgence de changement qui l'a mené au pouvoir était autre chose qu'une lassitude de la faillite et une reprise en main de ce pays si riche mais si pauvre. Car cela, Obama le sait fort bien. Il a déjà parlé avec les pauvres de son pays riche.

Une leçon de démocratie

21 février 2009

J'ai toujours soutenu que la politique constitue un des métiers les plus nobles du monde. Et je persiste à le croire malgré la médiocrité qui se répand dans nos démocraties occidentales, malgré le manque d'imagination et d'audace que j'évoquais récemment.

Parlons de la noblesse de ce métier. Souvenirs anciens. René Lévesque avec sa cigarette et son tableau noir en 1962 qui fait la tournée de la province pour promouvoir la nationalisation des compagnies privées d'électricité. Nationalisation, à cette époque, évoque socialisme, sinon communisme. Grand pédagogue, il désamorce les mythes et les mots, remet la chose en perspective, décrit patiemment comment la situation piège et pénalise les Québécois. Il explique, décrit, mobilise les citoyens à propos d'un problème extrêmement complexe : grilles qui ne communiquent pas, inégalités des tarifs, rentes exagérées pour des entreprises qui n'innovent pas.

Lévesque ne considère pas le citoyen moyen comme un imbécile. Il croit que, lorsqu'on lui explique quelque chose, le citoyen peut comprendre et s'engager, qu'il soit assisté social ou médecin. Lévesque croyait en la politique, qui dans sa meilleure expression est un dialogue permanent entre le citoyen et son représentant. Il ne parle pas avec les politiciens et les puissants, il discute avec les citoyens. Paul Gérin-Lajoie empruntera la même approche quand il décidera de mettre en œuvre les recommandations du rapport de la commission Parent. Expliquer, décortiquer, convaincre. Dans ce genre de démarche, il faut croire que le citoyen peut comprendre et il faut trouver le langage, la manière, le style.

*   *   *

Parlons de la médiocrité de ce métier. Jean Charest en campagne électorale qui nous parle de la crise et du besoin de direction pour y faire face. Un seul discours répété sans variation aucune à chaque occasion. Nulle explication sur la crise, nul exercice pédagogique, pas de conversation avec les citoyens, pas d'effort de mobilisation collective. Juste un « il faut deux mains sur le volant » et « faites-nous confiance ». Stephen Harper a adopté la même attitude lors de sa dernière campagne : un seul discours répété à satiété, empli de slogans et de phrases creuses. Une fois réélus, les deux hommes se retranchent dans leur monde intime, celui de la politique politicienne. Ils ne se préoccupent plus des citoyens mais se mettent à parler aux parlementaires et aux leaders d'opinion.

Pour ces gens, le lieu de la politique est le Parlement, leur petit monde. Citoyens, laissez-nous la politique, c'est notre métier, le vôtre, c'est celui de voter pour nous. Nous nous reverrons à la prochaine élection. En attendant, restez tranquilles, on s'occupe de vous plus ou moins bien, mais pourquoi irions-nous parler avec vous, vous pouvez écouter la période des questions ou lire nos déclarations dans les journaux. Pour ces politiciens qui donnent de la politique une image désolante et méprisable, le lieu de la politique est la politique politicienne, pas la société.

Barack Obama l'a rapidement compris. Malgré la crise, malgré l'urgence, la menace de faillite des grands de l'automobile, le Congrès américain s'est conduit de manière absolument partisane. Politique de politiciens pour politiciens. Obama a décidé de faire de la politique comme René Lévesque en faisait. Il a pris son bâton de pèlerin et a convié la population. Trois fois en une seule semaine, il a tenu de grandes assemblées populaires en Illinois, au Colorado et en Arizona. J'ai regardé la rencontre qui s'est déroulée à Phoenix, en Arizona, un État où la crise immobilière est particulièrement aiguë.

*   *   *

Obama ne commence pas son discours par un « nous avons trouvé la solution et faites-nous confiance », il ne dit pas que tout va aller mieux. Il débute en expliquant la gravité de la crise, il en décortique les détails, il donne un cours sur les prêts hypothécaires à risque, comment les grands financiers en ont profité, mais aussi comment les citoyens n'ont pas réfléchi avant d'investir. Il fait de la politique comme elle doit être faite. Il partage les informations qu'il détient, il convie les citoyens à en prendre conscience, il annonce que rien ne sera facile et qu'il ne connaît pas toutes les réponses.

Contrairement à Jean Charest et à Stephen Harper, il ne se comporte pas comme un envoyé de Dieu détenteur de solutions magiques. Il dit : j'ai besoin de vous, parlons-nous, travaillons ensemble. Et il répond aux questions du public, pas aux questions des journalistes qui sont les seuls interlocuteurs de nos politiciens.

Barack Obama a remis la politique là où elle doit être, dans l'arène des citoyens. Je pensais à cela jeudi en regardant Harper et Obama donner leur conférence de presse. Obama qui cherche à comprendre, à entendre. Harper qui veut bousculer, qui ne parle à personne, enfermé dans sa rigueur idéologique.

Jamais je n'ai cru que nous pourrions prendre des leçons de démocratie des États-Unis. Je me trompais. En fait, les leçons ne viennent pas du pays, mais d'un homme. Est-ce que l'homme peut changer le pays ? Je ne le sais pas. Pour convaincre les Américains que le gouvernement n'est pas le mal, mais un bien approximatif, que le gouvernement est la somme des biens collectifs, il devra sans cesse poursuivre son œuvre pédagogique. Au lieu de l'invoquer, nos premiers ministres devraient s'en inspirer et sortir de leur bureau et de leurs communiqués de presse.

Mieux vaut être riche quand on est malade

28 février 2009

Mes rares expériences avec le réseau québécois de la santé remontent à cette époque heureuse où les urgences n'étaient pas bondées et où chacun possédait un médecin de famille. C'est dire mon âge avancé. Me basant sur les statistiques et mes expériences à l'étranger, je persistais à en défendre la qualité même si je ne le fréquentais pas. Notre performance est plus qu'honorable, je persiste à le penser. La grogne populaire m'étonnait, l'accent mis sur les urgences engorgées aussi. Quelques petites déconvenues personnelles m'ont éclairé sur un sentiment de frustration qu'exploitent beaucoup les politiciens et les médias.

De retour d'un long séjour à l'étranger, je me retrouvai ici affligé d'un malaise sans gravité mais qui minait ma vie. Je cherchai donc de l'aide. Il existe trois portes d'entrée dans le système pour celui qui ne sait rien comme moi : les CLSC, le médecin personnel ou l'urgence. Comme des centaines de milliers de Québécois, je n'ai pas de médecin. Mon CLSC n'a pas de médecin et je ne voulais pas encombrer encore plus une urgence avec mon problème mineur médicalement, mais fondamental pour moi. Parmi mes relations, il y a un ami urgentologue. Je l'ai appelé pour lui demander conseil. Il m'a répondu de venir à l'urgence de son hôpital. Personne à l'urgence ne semblait souffrir de plus grand bobo que le mien. Des toux pas trop pernicieuses, des enfants qui pleurent, mais une salle pleine. Un peu d'attente, quelques examens consciencieux et je repartis avec une ordonnance qui devait régler mon problème. Avoir des relations, c'est être riche.

Quelques semaines plus tard, je fus affligé d'une extinction de la voix qui empira au point que je fus obligé de refuser de prononcer des conférences et de donner des entrevues. Je n'ai toujours pas retrouvé ma voix, ce qui réjouit beaucoup de mes proches qui pensent que je parle à tort et à travers. Une parente qui œuvre dans le système public me parla des cliniques sans rendez-vous qui font partie du système public dans lequel je souhaite demeurer. Dans la première, je fus étonné de voir des gens allongés dans le corridor, une majorité d'immigrants tenant des enfants qui hurlaient ou dormaient. La salle d'attente débordait, pas une chaise n'était libre. La réceptionniste me demanda de revenir quatre jours plus tard à 7 h 30 du matin pour m'inscrire enfin d'être vu cinq jours plus tard. À peu près le même scénario se répéta dans la seconde clinique. Pourtant, dans les deux cas la réceptionniste m'avait assuré au téléphone que je pouvais me présenter n'importe quand sans aucun problème.

*   *   *

À ce moment, je suis presque complètement aphone, je peine à commander un plat au restaurant. Ma fille me dit d'aller dans le privé. Horreur! Mais, merde, je dois gagner ma vie et continuer à emmerder mes semblables. Mardi, je téléphone. Le ton est affable, on sent la réceptionniste qui sourit. Elle me propose un rendez-vous pour le jeudi. Coût pour l'ouverture d'un dossier : 60 dollars payables immédiatement par carte de crédit. Coût de la consultation : 100 dollars payables sur place. La clinique est presque luxueuse, salle d'attente avec revues récentes, machines à café, GameBoy pour les enfants, ordinateur avec Internet. Le médecin me reçoit à l'heure prévue, m'explique que je dois voir un spécialiste et que l'infirmière va m'organiser un rendez-vous. J'imagine deux mois d'attente, trois probablement. Elle se met derechef au téléphone et me trouve un rendez-vous avec un ORL pour le 11 mars. Je trouve cela un peu loin. Je ne connais vraiment pas le Québec. L'infirmière me dit qu'elle va trouver mieux et qu'elle me rappellera. Je la trouve gentille, mais je n'y crois pas. Je passe à la caisse. Ce n'est plus 100 dollars pour la consultation, mais 150 parce qu'il y a eu référence et suivi. On m'a dirigé vers une clinique de radiologie dans le même bâtiment. C'est gratuit et il y a seulement trente minutes d'attente. Mes sinus vont bien. J'ai perdu deux heures. Je rentre à la maison. Le téléphone sonne. C'est l'infirmière gentille de la clinique privée. Elle se réjouit pour moi : j'ai un rendez-vous avec un célèbre ORL de Westmount mardi prochain, dans quatre jours.

Que fait le travailleur qui est miné par la même inquiétude que moi ? Il va payer 210 dollars pour avoir un rendez-vous et du café dans une clinique privée ? Non. Il demande congé à son patron qui lui retiendra son salaire. Il se pointe à 7 h 30 dans la clinique supposément sans rendez-vous. Il perd une journée, il s'emmerde et il pense que le système ne fonctionne pas. Il se plaint dans une ligne ouverte. Mario Dumont reprendra sa plainte à TQS. Ou encore, et c'est ce qui explique les salles d'attente qui débordent à l'urgence, il se rend dans un hôpital, avec sa grosse grippe, sa bronchite, son acidité stomacale, sa légère douleur là où le cœur n'est pas. Il plombe le système parce qu'il est plus pauvre que moi.

J'ai vécu une expérience pénible à Paris. Une chambre infestée par des puces de lit. Je me réveille plein de rougeurs et les yeux bouffis. La pharmacienne me dit qu'elle ne peut rien faire mais qu'elle peut m'organiser un rendez-vous avec un médecin. Je pars dans deux jours. «Vous aurez un rendez-vous aujourd'hui, monsieur.» Ce qui fut fait deux heures plus tard à cent mètres de la pharmacie.

Parlant de santé, ils pètent de santé, les dirigeants de la Caisse, Jean Charest et sa madame sacoche. Les premiers évoquent quelques erreurs médicales que la physio pourrait réparer. Les seconds faisaient confiance au système. Et en plus, ils nous assurent qu'ils ne savaient pas que la maladie se répandait dans leur hôpital. Rions.

La liberté est un instrument dangereux

21 mars 2009

Le conseil scolaire de Toronto, organisme public, acceptait il y a une dizaine de jours la création d'une école réservée exclusivement aux Noirs. À Sherbrooke, récemment, quelques profs de cégep bien intentionnés prétendant défendre l'espace public et laïque s'insurgeaient contre la tenue d'une conférence sur le créationnisme dans les locaux de leur établissement. À Montréal, dimanche dernier, le Collectif contre la brutalité policière organisait son *happening* annuel pour provoquer de la violence policière, piège dans lequel, on ne sait trop pourquoi, la police tombe toujours un peu. Ce qui relie ces trois événements, c'est la lecture qu'on peut faire de la notion de liberté et, surtout, cette croyance que la liberté ne peut avoir que des effets positifs.

Nous sommes tous libres de nous regrouper, de resserrer les liens communautaires ou identitaires, libres de ne fréquenter que des gens qui partagent les mêmes valeurs et une vision identique du monde. Libres, en tant que groupes et collectivités, de perpétuer des valeurs et une histoire, des coutumes et des rites. C'est bien ce qu'on fera dans cette école « publique » réservée aux Noirs. Ce qu'il faut se demander est simple : les enfants qui sortiront de cette école seront-ils plus libres, plus affranchis, ou seulement plus Noirs ? Les historiens savent que l'Histoire est une montagne qui possède de multiples versants et que, selon la lumière, l'image de la montagne diffère. Dans ces écoles communautaristes, la montagne est un miroir apaisant. Nulle aspérité, nul défaut. L'enfant qui grandit dans ce genre de ghetto scolaire en sort éminemment informé de la grandeur de ses origines, ce qui est bien.

Il en sort aussi avec la notion de tout ce qui est nauséabond dans la culture de l'autre, en particulier du Blanc. L'école a la liberté de créer des aveugles. Les élus n'ont pas le droit de donner à l'école la liberté de conforter les ghettos et leur pensée. Mais ils sont libres.

*   *   *

Le créationnisme est à la raison et à la science ce que *Star Académie* est à la création artistique. Une sorte d'aberration folklorique que pratiquent surtout aux États-Unis des millions d'évangélistes qui changent de trottoir quand ils croisent un homosexuel. Ils ne font de mal à personne, sauf quand ils votent et bloquent l'entrée des cliniques d'avortement. Ils sont libres de croire que Darwin est le diable, et je suis libre de croire qu'ils se trompent. Voilà donc que quelques jeunes croyants de la Bible veulent exprimer leurs convictions dans un établissement scolaire public. Grand brouhaha de laïcisme à Sherbrooke. L'espace public et laïque ne saurait accepter un tel viol. Dieu n'a pas le droit de pénétrer dans les locaux grisâtres de la laïcité et de la science. Autrement dit, ceux qui croient en Dieu n'ont pas la liberté de s'exprimer chez ceux qui croient en la science. On pourrait comprendre un tel sursaut de protestation si le conférencier invité niait l'existence des chambres à gaz, s'il était connu pour tenir des propos haineux et encourager la violence, toutes choses interdites par nos lois. Mais nous sommes libres de croire que Dieu a créé l'homme et la femme, qu'il y avait un serpent, une pomme, et qu'aucun des susnommés n'est le fruit de l'évolution de Darwin. Nous sommes libres de le penser, de le dire et de défendre nos convictions partout, y compris dans un collège de Sherbrooke. La liberté de penser et de dire s'applique aussi à ceux qui ne pensent pas comme nous. Ce sont là affaires de croyances, pas de lois. Les pauvres petits créationnistes, devant la colère « publique », ont plié bagage et ont tenu leur conférence dans une église devant des créationnistes convaincus. Nul élève du collège n'eut la liberté d'aller entendre ce discours, de le discuter, de le ridiculiser, de le découvrir ou de l'adopter. Pourrait-on parler d'obscurantisme postmoderne? Tu es libre de dire ce qui convient scientifiquement. Salut Copernic.

*   *   *

Nous sommes libres de manifester et la police est libre d'encadrer les manifestations au nom de l'ordre public dont elle est dépositaire. Non, la police n'est pas libre, elle est dans l'obligation de le faire. Depuis dix ans environ, un petit groupe d'anarchistes manifeste contre la brutalité policière. Ils sont libres de le faire, libres aussi de comparer les policiers montréalais aux tortionnaires de l'Amérique centrale. Ils partagent ce droit au mensonge et à la démagogie avec des gens qui nous dirigent. Nous sommes libres de croire en leurs maigres slogans et de prendre leur défense. Mais ont-ils le droit, même s'ils récusent officiellement la violence, d'organiser un événement qui en a toujours entraîné ? Le collectif est-il responsable ? Oui, la police est souvent imparfaite et raciste, comme les dépanneurs et les propriétaires, comme mon père et son voisin. Ils sont libres de manifester, les anarchistes, et on ne saura jamais les encadrer, leur demander un parcours. Ce sont des anarchistes et leur *credo,* c'est la création du désordre, la destruction gratuite, le bordel. La brutalité policière n'est qu'un prétexte. Chacun peut choisir son prétexte. Mais leur liberté diminue celle des autres, en particulier la liberté de ceux qui peinent dans les couloirs du droit pour établir les preuves de la brutalité occasionnelle et de l'irrationnel policier, comme dans l'affaire Villanueva.

La liberté est un idéal et aussi le pire des pièges. La liberté de se regrouper peut mener à l'enfermement ; celle de proclamer la vérité, à l'exclusion ; et celle de dénoncer violemment peut entraîner la répression. La liberté est un instrument dangereux quand elle n'est pas accompagnée par la réflexion.

Ce génocide qui dure depuis quinze ans

8 avril 2009

Il y a eu cette nuit du 6 au 7 avril 1994 quand les machettes, les grenades, les gourdins ont commencé les massacres, et les hommes, les viols. Durant cette nuit, au tout début de cette entreprise du mal absolu, les premiers saccagés furent des gens que je connaissais et que j'aimais. Salut Lando et Hélène et vos magnifiques enfants. Salut le sourire confiant de Lando qui croyait à la démocratie, qu'il avait un peu apprise ici durant ses études universitaires et qu'il tentait d'instaurer au Rwanda. Il fut tué pour deux raisons: sa croyance en la démocratie et le fait qu'il était tutsi. Mais quelques-uns de ses voisins qui étaient hutus et militaient avec lui pour le changement furent aussi assassinés. Durant cette nuit, on mit en place un mécanisme implacable, on déclencha l'attaque finale contre le droit et la différence. C'était une attaque frontale contre les fondements de la civilisation moderne, une plongée rétrograde dans l'obscurantisme des haines injustifiées, un refus quasi théologique de ce que les humains peuvent faire de mieux. Vivre ensemble.

Ils ne furent pas les premiers à agir ainsi, mais dans leur terreur, les bourreaux furent plus efficaces malgré leur pauvreté que les Allemands qui avaient engendré un même cauchemar mortuaire et raciste.

Je ne suis pas Rwandais. Je ne pense pas chaque jour à un proche disparu dans la tourmente de ces cent jours. Mais au Rwanda, le génocide se poursuit, il fait partie du paysage et du vent qui balaie les collines. En compagnie de Victor qui avait perdu plus de deux cents membres de sa famille, j'ai rencontré sur une piste un jeune homme qui avait tué quelques-uns de ses parents. Ils en avaient discuté calmement et Victor avait accepté les regrets du jeune assassin, convaincu que la justice divine vaincrait finalement, convaincu que la justice locale ne servait à rien. Il n'avait pas pardonné. Il avait accepté les excuses. Et depuis, ils demeurent voisins, se voient, se saluent peut-être, font leur marché au même endroit. Elles sont ainsi, toutes les collines du Rwanda, frères, sœurs, cousins de tueurs revenus sans trop demander pardon aux veuves, car sur les collines vivent surtout des veuves et des orphelins que les veuves ont adoptés sans demander leur acte de naissance. «Les femmes sont l'avenir de l'homme.»

Le génocide se poursuit autrement. Il justifie la dictature du président Kagame, permet l'emprisonnement de tout ce qui peut ressembler à une idée de démocratie. Le génocide est complètement instrumentalisé par le régime tutsi. Car nous sommes revenus paradoxalement à une conception ethnique de l'État. Mon ami Lando luttait pour un État multiethnique et démocratique. Ceux qui ont emprisonné ses assassins, ou du moins les ont vaincus, ont recréé le même modèle. Je ne crois pas que Lando serait heureux, lui le Tutsi, dans cet État tutsi. Je crois qu'il militerait dans l'opposition et que le gouvernement l'emprisonnerait.

Le génocide de 1994 se poursuit et tue chaque jour. Pas une seule journée depuis quinze ans, le génocide n'a cessé de tuer. Le génocide voyage. Avec les deux millions de Hutus réfugiés au Kivu en 1994, encadrés par les milices et les militaires du régime déchu, le génocide rwandais a déposé ses cellules cancéreuses et ses métastases dans la République démocratique du Congo, qui à l'époque s'appelait Zaïre. La présence dans le pays voisin de ces milices fut une des principales causes des deux guerres qui ont déchiré la RDC. Sans génocide rwandais, Kabila ne renverse pas Mobutu. L'Ouganda, l'Angola, le Rwanda ne se taillent pas des zones d'influence et de spoliation des richesses minières. Sous prétexte de poursuivre les génocidaires, mais plutôt en quête de diamants et d'or, le Rwanda ne ravage pas la province du Kivu. Deux millions de morts, mon ami Lando, deux millions.

Deux millions que le monde a laissés mourir en silence, car ils n'étaient pas victimes de racisme ou de génocide, mais de violence ordinaire orchestrée par des États reconnus. Le pire du génocide rwandais s'est déroulé dans l'État voisin. Deux millions. Et ça continue.

Qu'avons-nous fait pour honorer la mémoire des morts et dire une fois de plus « plus jamais » ? Peu, car, comme on le sait, l'Afrique est un continent sans importance. Pour la RDC, nous avons formé une force internationale, la MONUC, qui ne fait qu'un maigre et timide tampon entre les tueurs des différents groupes armés.

Le seul progrès notable que la communauté internationale ait accompli est la création de la Cour pénale internationale. Le traité de Rome dont elle est issue consacre en particulier le droit des victimes et déclare la fin de l'impunité. J'y ai passé plusieurs mois récemment. L'institution balbutie encore, elle invente ses normes de justice, tente parfois d'être plus catholique que le pape, mais elle existe dorénavant, enquête, accuse et emprisonne. Elle traduit en justice des criminels qui avant le génocide rwandais vivaient dans leur palais ou un exil doré. Voilà le seul geste que nous avons fait pour demander pardon pour la mort de Lando : la création de la CPI.

Lando, pour le moment, cela te semble dérisoire, je te comprends. Et oui, le génocide se poursuit.

Salam alaikum

6 juin 2009

« Que la paix soit avec vous. » Ce furent presque les premiers mots prononcés par Barack Hussein Obama devant les invités réunis à l'université du Caire jeudi. On ne refait jamais le monde avec un discours. Le président américain l'a répété plusieurs fois dans son discours. Mais, avouons-le, ce fut un discours historique.

Le président américain n'a annoncé rien de neuf, n'a promis aucune initiative nouvelle, n'a révélé aucun nouveau développement dans les dossiers chauds qui empoisonnent le monde et en particulier le monde arabo-musulman. Ce qui est historique, ce sont le respect, l'ouverture et l'humilité dont il a fait preuve. Ces trois qualités ont rarement fait partie de l'arsenal des États-Unis dans leur conduite des affaires mondiales.

Pour en prendre la mesure, il faut lire le texte intégral du discours, en analyser les détails et le choix des mots. Les États-Unis nous avaient habitués à des textes faits de slogans et de formules creuses; voici que nous sommes devant un véritable texte, nuancé, soucieux des détails et des sensibilités culturelles et religieuses.

Plusieurs présidents américains ont cité le Coran dans leurs appels à la tolérance et à la compréhension. Je suis certain que c'est la première fois que le Coran est cité plus de dix fois dans un discours et qu'un président ne parle pas du Coran, mais du « saint Coran ». Mots et symboles, répliqueront les sceptiques. Mais, dans l'islam, mots et symboles sont lourds et parfois explosifs. Rappelons que nous parlons d'un monde où religion et vie et politique se confondent et se réclament du « saint Coran ».

Puis, il y a eu cet éloge de la culture arabo-musulmane, ses découvertes scientifiques, sa poésie, sa musique, son architecture, sa calligraphie, la mention de l'université al-Azhar (plutôt conservatrice maintenant), comme racines de la Renaissance européenne. Le président a dit en termes clairs: « Nous vous devons énormément. » Cela est nouveau et radicalement différent de tout le discours américain sur l'islam.

Le président a fait aussi quelques mea-culpa. La torture en Irak, Guantánamo, cette guerre contre l'Irak qui était une guerre choisie mais non justifiée. Et enfin, dans un geste vers l'Iran, qui votera dans quelques jours, la reconnaissance du fait que les États-Unis ont comploté avec les Britanniques pour renverser en 1953 le régime démocratiquement élu de l'Iran pour y installer le chah. Début de tout le bordel iranien. C'est moi qui le dis, pas Obama.

Sur la Palestine, rien de neuf. Seulement des mots forts pour dire que les Palestiniens vivent une situation insupportable. Des mots suffisamment forts pour que le discours soit très mal accueilli en Israël et considéré comme positif par le Hamas. On le sait, le temps n'est pas venu de lancer une nouvelle initiative de paix.

Avant de passer en Égypte, Obama avait salué son allié qu'est l'Arabie saoudite, monarchie corrompue qui nie les droits démocratiques et en particulier les droits des femmes. Et il se retrouve avec son deuxième grand allié dans la région, Hosni Moubarak, plus libéral sur la question des droits des femmes, mais quand même dictateur sous un déguisement de président élu. Voilà un des problèmes fondamentaux de la diplomatie américaine. Dans cette région, ils n'ont d'alliés démocratiques que les Israéliens. Leur politique de stabilité régionale s'appuie sur la monarchie saoudienne et sur la dynastie Moubarak, et pourtant ils proclament les vertus de la démocratie, de la liberté de pensée et d'expression. Comment proposer la démocratie et l'égalité des droits, alors que nos principaux alliés n'en ont cure? L'exercice est périlleux.

Obama l'a tenté. Il a longuement parlé des droits fondamentaux, mais surtout des droits des femmes, tout en rappelant que, dans son pays, on protégeait le droit des femmes musulmanes qui désirent porter le hidjab. Puis, il a abordé les droits fondamentaux dans un pays où ils sont théoriques. Il a essentiellement dit que, sans système judiciaire indépendant, sans liberté de la presse et d'association, il n'existe pas de démocratie même si on organise périodiquement des élections. À ce moment, un cri de l'audience a été entendu : « Merci. » C'était probablement Ayman Nour, un leader de l'opposition, qui a été emprisonné par Moubarak et qui avait été invité à l'université du Caire par le gouvernement américain. Voilà un autre signe.

Un discours ne fait pas le printemps, surtout dans cette région. D'autant que des orages et des fronts froids s'annoncent. En Israël, on se demande si Obama ne veut pas faire chuter le gouvernement, car un gel de l'extension des colonies aurait probablement cet effet. Au Liban, on assistera peut-être demain à la victoire du Hezbollah aux élections législatives. Et en Iran, trois candidats se disputent les voix des modérés contre l'illuminé soutenu par les Gardiens de la révolution et le Guide suprême. Imaginons le pire. La Syrie reprend le contrôle du Liban avec l'Iran. Le Hezbollah agite le saint Coran. L'Arabie saoudite décide de continuer à financer le Hamas, etc. Aucun musulman n'oubliera le discours de jeudi, mais tous les gouvernements qui ne sont musulmans que de nom l'oublieront peut-être. Car la seule chose qui manquait dans ce discours, c'est que, dans le monde arabo-musulman, il n'existe pas de relations entre le gouvernement et la population.

Créateur de souvenirs

20 juin 2009

Pour le gouvernement conservateur, Radio-Canada constitue une sorte d'aberration à la fois politique et économique. C'est une entreprise vouée à la faillite, qui produit des biens non rentables, et une sorte d'organisation qui se situe en marge de la majorité des citoyens. La preuve en est que la SRC et la CBC recueillent des cotes d'écoute inférieures à celles de leurs concurrents privés. Des esprits malins pourraient répondre que l'entreprise médiatique préférée des conservateurs, Canwest, qui possède Global et le *National Post,* n'arrive pas à vendre sa camelote de droite à la population. Ce n'est pas parce que c'est privé que cela répond mieux à ses besoins.

Je veux toutefois me situer à un autre niveau. Celui du service public, qui coûte de l'argent, bien sûr, mais qui construit les hommes et les pays. Car avec le raisonnement des conservateurs à propos de la SRC, on fermerait les écoles et les hôpitaux, et on les solderait dans une grande vente pour les confier à l'efficacité redoutable du privé. Voilà probablement pourquoi les conservateurs doivent allonger des milliards pour sauver GM et Chrysler qui, on le sait, sont des entreprises d'État incapables de productivité et d'innovation. Le ridicule n'a jamais tué en politique canadienne.

Pour défendre la SRC, que j'ai critiquée plus souvent qu'à mon tour, j'ai plutôt envie d'expliquer ce que je dois à la société d'État.

Je ne serais pas ce que je suis si Radio-Canada n'avait pas existé. Je ne parlerais pas ce français correct que j'ai toujours parlé et que je n'ai pas appris à l'école, tout comme mes cinq frères et sœurs. Je ne sais pas si j'aimerais la musique classique ou le théâtre. Ce dont je suis certain, c'est que, si la télévision avait été confiée à Pierre Karl Péladeau, je ne saurais même pas ce que sont le théâtre et la musique classique. Je ne saurais pas non plus ce que sont la danse et le français dans le sport. J'ignorerais que des poètes chantent *Mon pays* et *Le Phoque en Alaska* et croirais que la chanson se résume à Michel Louvain, que j'aime bien, et à Joël Denis.

Des souvenirs. Le hockey de René Lecavalier, la liberté de pensée de Jacques Normand, les émissions de Jacques Boulanger, le théâtre le dimanche soir, les premières séries policières, l'écriture de Lemelin, de Dubé. Nous ne sommes pas dans le marginal et l'inutile, nous sommes dans la construction d'un pays, dans le développement d'une dramaturgie qui donnera naissance à une cinématographie. Il n'y a pas de cinéma québécois sans la dramaturgie télévisuelle que Radio-Canada a suscitée, puis qu'elle a continué jusqu'à aujourd'hui d'encourager. Je parle d'un lointain passé, car c'est celui qui m'a construit. Une sorte d'équilibre entre la Culture avec un grand C et la culture avec le petit c de la culture populaire. Dans le monde conservateur, il n'existe que le petit c, comme dans cul, et jamais le grand C, comme dans Culture. Radio-Canada m'a appris que Molière faisait toujours rire et que Gilles Richer avait du génie, qu'on pouvait aimer en même temps Léo Ferré et un match de football bien décrit. Je ne serais pas ce que je suis sans cela, et nous sommes des milliers ainsi.

*   *   *

J'ai eu mille problèmes pendant mon passage dans cette maison bureaucratique et timide en information. Mais jamais on ne m'a interdit un sujet, un intérêt et, surtout, on a toujours encouragé une ouverture sur le monde. Imaginons notre connaissance du monde depuis quarante ans limitée à celle de Pierre Karl Péladeau et de CTV. Nous ne connaissons rien, nous ne comprenons rien, nous ne savons pas que la planète flambe, mais nous savons en lisant *Le Journal de Montréal* que Nathalie a gagné un million au *Banquier*.

Il faut mentionner ici la CBC qui, avec moins d'audace que la SRC, lutte contre l'hégémonie de la culture américaine véhiculée par les chaînes privées que les conservateurs veulent encourager en affaiblissant Radio-Canada et en favorisant les productions rentables par le Fonds de la télévision.

Mais revenons ici à Radio-Canada, car la réticence des conservateurs à assurer un financement adéquat à la société d'État tient bien plus à sa branche francophone qu'à sa contrepartie torontoise. CBC ne plaît pas, mais sa part du marché anglophone est négligeable. On peut laisser la chaîne dans son statut de chaîne culturelle canadienne. La chaîne québécoise, par contre, ne cesse de proclamer l'unicité québécoise. Et ce gouvernement qui reconnaît la nation québécoise a horreur de tout ce qu'elle exprime.

Je parlais des souvenirs qui m'ont construit quand j'étais petit. Mais vieux que je suis maintenant, je possède les mêmes besoins, et nous sommes des centaines de milliers à souhaiter la même ouverture d'esprit. Cet équilibre entre le complexe et le simple, cette porte ouverte sur l'ensemble du monde sans que la synergie TVA élimine une information, une chanson, un film.

Souvenirs. La voix de René Lecavalier. Essayez d'imaginer maman Plouffe. *Moi et l'Autre.* Et récemment, *La Petite Vie, Sophie Paquin, Les Invincibles.* La même tradition de la SRC qui réussit à composer entre populaire et qualité. Essayez d'imaginer un monde inventé par Péladeau et Snyder. Essayez d'imaginer une télé animée par le *Banquier.*

Voltaire avait raison

27 juin 2009

C'est Voltaire qui disait que le journalisme est le métier le plus difficile du monde, car il s'agit d'écrire l'Histoire au quotidien. Je paraphrase. Cette pensée, juste et fondée, oubliée depuis longtemps par les chaînes d'information continue, prend tout son sens dans la couverture occidentale des élections en Iran et des événements qui ont suivi.

Bien malin serait celui ou celle qui aujourd'hui saurait nous dire ce qui se passe exactement dans ce pays qui se voile sous une sorte de burqa et dont les médias cherchent désespérément les yeux derrière le grillage de toile. Nous ne savons plus rien. Pourtant, nous avions presque tout prédit.

Quelques jours avant l'élection, les médias occidentaux étaient unanimes. Une vague de fond pour le changement semblait se transformer en marée triomphale. On évoquait une victoire du «réformiste» Moussavi au premier tour. La liberté de parole qui se manifestait à Téhéran, l'audace des partisans de Moussavi, l'ampleur des rassemblements de l'opposition, tout cela impressionnait. On évoquait les révolutions pacifiques, l'orange ou celle de velours.

Il faut rappeler ici que tous ces reportages provenaient de Téhéran, que les personnes interviewées étaient généralement des jeunes vêtus à l'occidentale, parlant un bon anglais, ou encore des étudiants, des journalistes, des commerçants menacés par les politiques économiques désastreuses d'Ahmadinejad. L'interlocuteur du journaliste occidental était l'Iranien qui partageait les mêmes valeurs et surtout le sentiment que le démagogue antisémite était l'incarnation du mal et d'un danger qui menace la planète. Souvent, le journaliste à l'étranger perd son devoir de réserve, il fait la chronique de ce qu'il souhaite, privilégie un avenir qu'il aimerait. Et dans un pays comme l'Iran, profondément meurtri historiquement par les interventions étrangères, russe, turque, anglaise, américaine, ou un pays comme Israël, profondément schizophrène, le journaliste ne trouve comme interlocuteurs que ses semblables. De là à croire que ceux-ci représentent le pays, il n'y a qu'un pas.

Aujourd'hui, qui peut expliquer, sinon raconter des généralités? Lundi 15 juin, ils étaient un million dans les rues dénonçant la fraude électorale. Jeudi, quelques dizaines, quelques centaines peut-être. Que s'est-il passé et que se passe-t-il maintenant? Nous ne le savons pas, mais, convaincus qu'il faut continuer à parler de l'Iran, nous essayons de remplir des colonnes de caractères et des plages d'images qui se font de plus en plus rares. Même les portables, les BlackBerry, les iPhone n'offrent plus rien pour nourrir les CNN de la planète.

Le pays s'est refermé comme une huître. Que savons-nous? Il existait dans une large partie de la population une volonté de changement. Le score attribué au président sortant est certainement exagéré. On a réprimé brutalement des manifestations et arrêté plusieurs membres de l'opposition. Voilà ce que nous savons.

Ce que nous ne savons pas. Nous ne connaissons même pas les résultats de l'élection. Aucune preuve de fraude n'a été mise en avant, seulement une conviction profonde. Nous ne savons pas comment les régions rurales ont voté. Nous ne savons pas non plus dans quelles régions se fait le recomptage partiel et personne n'assiste à ce recomptage.

Nous savons que le véritable gouvernement iranien réside dans les mains de l'ayatollah Khamenei et nous savons que le Guide suprême est nommé par l'Assemblée des experts, dont le président est Hachemi Rafsandjani, qui fut battu au deuxième tour en 2005 par Ahmadinejad. De là à penser qu'une lutte de pouvoir se joue actuellement dans la branche théocratique du gouvernement iranien, voilà un autre pas que nous avons franchi. Peut-être avec raison, mais sans informations solides.

Dépourvus d'informations, les médias occidentaux sont condamnés à la supputation et à utiliser Twitter ou Facebook. À propos de supputation, voici la manchette du *Figaro* de Paris de samedi dernier : « Journée décisive pour la liberté. Mise au défi par l'ayatollah Khamenei de poursuivre sa contestation du résultat de la présidentielle, l'opposition prévoyait se rassembler aujourd'hui dans la rue, malgré sa crainte d'un bain de sang. » Il y eut quelques manifestations, une répression violente, mais pas de bain de sang. Une fois les journalistes occidentaux expulsés, Twitter et Facebook devinrent les seules sources d'information des grandes télévisions occidentales. Mais voilà, rien n'est vérifiable. Les images peuvent être facilement falsifiées, les messages de détresse et de dénonciation peuvent n'être qu'inventions. On ne peut pas construire une couverture événementielle en se référant à des blogues ou à une sorte de « révolution citoyenne » à l'aide de téléphones portables. C'est pourtant de ces miettes d'informations incertaines que CNN a tenté de se nourrir toute la semaine pour expliquer aux Américains qu'un grand mouvement se dessinait en Iran.

Taisons-nous, attendons. Nous sommes dans l'ignorance absolue. Attendons, étudions, réfléchissons, entre autres sur les erreurs passées de l'Occident à l'égard de l'Iran. Le renversement de Mossadegh, l'appui à l'Irak dans cette guerre qui tua un million d'Iraniens dont les veuves votent pour Ahmadinejad. Nous découvrirons peut-être que ce Moussavi, que la presse internationale appelait de tous ses vœux, veut bien que les femmes ne portent pas le voile, mais croit lui aussi avoir droit à la bombe.

Moi, Omar Khadr

29 août 2009

Je m'appelle Omar Khadr et je suis né à Toronto, au Canada, le 19 septembre 1986. Je suis le plus jeune d'une famille de quatre enfants. J'ai deux frères, dont un est emprisonné à Toronto, et une sœur. Mon père est d'origine égyptienne et ma mère, palestinienne.

Mon père, Ahmed Said Khadr, fut un ami et un associé d'Oussama Ben Laden, et ce, bien avant ma naissance. C'était un homme dur, qui ne tolérait aucune désobéissance et surtout pas les accrocs aux principes de l'islam. Il était profondément religieux, convaincu que l'Occident voulait tuer tous les musulmans et que seule la guerre sainte pouvait sauver les musulmans de ce complot occidental et sioniste.

Dès que j'ai pu me tenir debout, on m'a mis un Coran dans les mains. Dès que j'ai pu marcher, mon père m'a expliqué qu'il n'existait pas plus grande bénédiction que de choisir de devenir un « martyr ». Tout petit, j'ai entendu mon père dire à mon frère Abdurahman que s'il trahissait l'islam, il le tuerait de ses propres mains. Depuis que je suis tout petit, on m'apprend que devenir un kamikaze est l'aboutissement de la vie de tout bon musulman.

Quand j'avais deux ans, nous avons déménagé à Peshawar, au Pakistan. Papa nous parlait toujours de « martyrs » et maman aussi. Puis nous sommes revenus au Canada parce que papa avait été blessé par une mine. J'avais six ans quand nous sommes retournés au Pakistan, puis en Afghanistan. Je n'avais jamais lu un autre livre que le Coran, je savais que tous les Occidentaux voulaient la disparition de ma religion et que mes deux frères ainsi que mon père souhaitaient mourir pour défendre Allah et son Prophète.

En Afghanistan, nous vivions avec Ben Laden ; c'est vous dire l'éducation qui fut la mienne et à quel point il me fut impossible de choisir une autre voie que celle décidée par mon père et de choisir un autre camp que celui qui avait été ma seconde famille.

Je crois que j'avais onze ans quand mon père m'a confié à un camp d'entraînement d'al-Qaïda. Ce n'est pas un camp de vacances. On nous traite comme des prisonniers. On apprend le Coran, puis le maniement de la grenade et des lance-roquettes, la ceinture d'explosifs. À cet âge, j'étais convaincu que si je ne tuais pas un infidèle, un mécréant, comme dit le Coran, je serais damné, que je deviendrais moi-même un infidèle et un mécréant.

*   *   *

Puis, il y a eu cette guerre, après le 11-Septembre. Je ne savais rien de ces deux tours que « mon camp » avait abattues. Et puis, tous ces soldats étrangers qui nous tiraient dessus. Les gens autour de moi ont combattu, ils ne voulaient pas mourir. On m'a crié de lancer une grenade. Je ne me souviens pas de l'avoir fait. Et si je l'ai fait, c'était parce que j'avais peur.

C'est le 27 juillet 2002. Deux balles transpercent mon corps. On me fait prisonnier et on m'accuse d'avoir tué un soldat américain.

Si je l'ai fait, c'est que j'avais peur. J'étais un enfant et je ne savais pas ce que je faisais. Oui, peut-être que je me souvenais des incantations de mon père, qui disait que si je ne tuais pas l'infidèle, il me tuerait.

On est certain que j'ai tué, mais il n'existe aucun témoin. Je suis ici depuis sept ans. J'étais un enfant, je suis un peu plus vieux. Mais je crois que je demeure un enfant perdu, démuni. Je ne sais pas pourquoi je suis ici, ni pourquoi mon pays me refuse.

Mon pays ne m'aime pas. Je ne suis pas un bon Canadien, comme disent les conservateurs. Je suis musulman. Si vous êtes d'origine italienne, comme Arturo Gatti, le champion de boxe, le ministre des

Affaires extérieures répond automatiquement à la demande d'aide de la famille. Il invoque les autorités brésiliennes, au risque de les insulter. Beaucoup de compassion pour un cadavre et d'intérêt pour une chicane de famille à propos de l'héritage.

Mon contact avec le Canada fut intéressant. C'est en février 2003. Trois agents des services de renseignements canadiens viennent m'interroger à Guantánamo. Ils savent déjà que j'ai été torturé, dans le sens légal du terme, mais c'est le dernier de leurs soucis. Ils veulent revenir avec une culpabilité.

Ils sont gentils au départ, même s'ils ne connaissent pas mes goûts. Ils sont comme tous les espions canadiens, cons et sans culture. Pour m'apprivoiser, ils se présentent avec des Big Mac, des Subway et du Coca. Ils veulent faire amis, je veux bien, mais ils n'entendent rien. Je tente de leur expliquer que je ne suis pas un monstre. Ils me qualifient de robot, me disent que je répète un texte appris. Ce ne sont pas des interrogateurs, mais des accusateurs. Je suis musulman et je suis terroriste.

Mon gouvernement ne veut pas de moi. Il croit peut-être gagner quelques milliers de votes ainsi. Il a raison. Les musulmans sont rentables ; en fait, du fond de ma cellule, dans ma tenue orange, humilié par les chiens qui passent toujours, brûlé par le soleil, je me dis que Stephen Harper est raciste ou qu'il n'aime pas les enfants.

Poubelles municipales

24 octobre 2009

J'ai souvent soutenu que la politique municipale pourrait être le lieu idéal de l'apprentissage démocratique et je le crois encore. Problèmes de proximité, dossiers qui sont à la portée des citoyens. Ne méprisons pas l'importance de l'éclairage dans une rue bordée d'arbres, celui de l'enlèvement des ordures, de l'entretien des parcs, de l'animation culturelle d'un quartier, du ramassage des feuilles. Ne méprisons pas les choses quotidiennes qui font une bonne partie de nos vies.

Mais pas facile de dire aux citoyens de s'engager dans cette vie municipale et surtout de voter.

Et je comprends. La politique municipale est une poubelle, le dernier lieu des corruptions dignes de l'époque Duplessis. En fait, la politique municipale n'existe pas, c'est le commerce municipal qui existe.

J'ai, par affection et admiration pour deux personnes, contribué à deux campagnes électorales à la mairie. La première fois, j'étais bénévole et la seconde, engagé comme consultant. Dans les deux cas, nos premières rencontres se déroulèrent dans des bureaux d'ingénieurs-conseils spécialisés en infrastructure. Dans les deux cas, les organisateurs en chef qui étaient des «bénévoles» étaient des ingénieurs libérés par leur employeur. Autour des ingénieurs, des développeurs, des constructeurs, des promoteurs discutaient de la meilleure manière de construire un parti ou plutôt d'inventer un parti. Chacun d'eux possédait un lien privilégié avec un organisateur libéral ou péquiste qui pouvait livrer quelques centaines de membres qui assisteraient au congrès de fondation du parti. Bien souvent, on leur donnait leur carte de membre. Toutes ces discussions et ces manœuvres se déroulaient bien avant le début officiel de la campagne électorale. Ces activités étaient essentiellement financées par les firmes qui gravitaient autour des candidats à la mairie.

*   *   *

Voilà le premier problème. Depuis le RCM, il n'y a jamais eu de parti politique à Montréal. Un parti, ce n'est pas un homme, mais des idées, un programme, une vision, du militantisme, des réunions et des congrès périodiques. Dans les partis municipaux, toutes ces activités relèvent de la frime et du théâtre. Et je ne parle pas de Québec ni de Laval, où la politique municipale se résume à l'existence d'un seul homme.

Dans un cas, j'ai découvert bien après que deux hommes, deux millionnaires fortement engagés dans le développement du centre-ville, avaient réuni quelques amis, proposé le nom d'un candidat et décidé de financer la création d'un parti. Cette opération prit plusieurs mois et fut entièrement financée au noir, soit par de l'argent comptant, soit en fournissant du personnel, des services ou des locaux. Je le sais maintenant, l'objectif était de contrôler Montréal, les plans d'urbanisme, la hauteur des tours, le réseau routier, les réfections. Posséder la ville. Mon candidat honnête était entouré de profiteurs et je sais qu'il le sait maintenant. La démarche suivie est exactement l'inverse de celle qui procède à la naissance d'un parti. Quelques hommes choisissent un candidat, lui proposent de l'appuyer, recrutent des professionnels de l'organisation qui trouvent quelques centaines de personnes, puis un nom de parti. Pour le programme, on engage un consultant, moi en l'occurrence, qui pond quelques pages en solitaire. Comment les quelques véritables propriétaires du parti, les quelques hommes mentionnés plus haut, s'assurent-ils d'un retour d'ascenseur? En faisant en sorte que quelques postes clés de l'administration, du comité exécutif et de la direction de services soient réservés à des membres du consortium, car un parti municipal, c'est un consortium qui investit dans une entreprise. La ville comme filiale.

*   *   *

Pourquoi vivons-nous ces épisodes désolants? Le maire Tremblay qui ne sait rien de sa ville, Zampino qui mange des crevettes avec Accurso, Louise Harel qui ignore tout de son parti inventé qu'elle emprunte sans poser de questions. Car elle a bien emprunté un parti pour satisfaire son ambition. La loi sur le financement des partis est trop facilement contournable. Le régime d'octroi des contrats par soumission peut facilement être manipulé. Le secteur de l'industrie de la construction est pourri jusqu'à la moelle. Tout cela, on le sait depuis toujours et les deux anciens ministres qui s'affrontent à Montréal ne peuvent absolument pas plaider l'ignorance.

Bien sûr, il faut que Québec cesse de jouer aux trois singes qui ne voient rien, n'entendent rien et ne disent rien. Oui, il faut des enquêtes policières, mais aussi une enquête publique, de même que des lois plus rigoureuses et des mécanismes de contrôle plus efficaces. On pourra peut-être procéder à un certain ménage, mais le problème fondamental ne disparaîtra pas et, avec le temps, le système de corruption reviendra. Le cancer c'est l'artificialité des partis politiques municipaux, qui sont des coquilles vides qui ne peuvent s'autofinancer légalement, contrairement aux partis politiques provinciaux ou fédéraux.

Tant que les citoyens ne s'investiront pas massivement dans la politique locale, les machines électorales municipales auront besoin d'argent sale et d'amis riches qui demanderont continuellement des retours d'ascenseur. Des retours d'ascenseur qui nous coûtent des centaines de millions de dollars.

Torturegate

21 novembre 2009

Lorsque le ministère des Affaires étrangères doit choisir le diplomate qui occupera le poste de premier secrétaire chargé du renseignement à Washington, il met en place un processus de sélection méthodique et méticuleux. C'est un poste crucial, sensible et délicat, qui requiert de nombreuses qualités dont une capacité d'analyse exceptionnelle, le don de démêler le vrai du faux, les rumeurs de la vérité, et un jugement à toute épreuve. On ne nomme pas un blanc-bec, on choisit une personne en qui on possède une confiance absolue et dont on est certain du professionnalisme.

En 2007, le ministère a choisi un diplomate de carrière pour occuper ce poste, un dénommé Richard Colvin. Ce n'était pas la première fois que le ministère témoignait de sa confiance en Colvin depuis son entrée dans le service diplomatique en 1994. Si on étudie sa feuille de route, on constate que ses supérieurs lui ont toujours confié des missions dans des postes à haut risque : en Russie où se posait, entre autres choses, le problème tchétchène, au Sri Lanka en pleine guerre avec la rébellion tamoule et finalement en Palestine, avant de le nommer numéro deux à l'ambassade de Kaboul en 2006. Force est d'admettre qu'une telle expérience apprend à faire la différence entre la rumeur, la propagande et les faits avérés.

C'est pourtant cette même personne dont le gouvernement dit aujourd'hui qu'elle est un colporteur de rumeurs, un naïf qui s'est fait berner par la propagande des talibans et que son témoignage de mercredi est plein de trous et finalement un tissu d'allégations fantaisistes. Il faut dire qu'il n'est pas facile pour un gouvernement d'entendre un de ses diplomates les plus importants l'accuser de se faire «complice de crimes de guerre», d'avoir toléré la torture d'Afghans innocents et de tenter maintenant par tous les moyens, y compris l'intimidation de ses propres fonctionnaires, de tout faire pour empêcher la vérité d'éclater.

*   *   *

Posons-nous une première question. Voilà de toute évidence un homme en qui on a eu confiance durant toute sa carrière, un diplomate professionnel habitué de mesurer ses propos et de ne pas se lancer dans les extrapolations invérifiables. C'est un diplomate qui occupe un poste de premier plan et qui peut aspirer assez rapidement à être promu à un poste d'ambassadeur. Demandons-nous si cet homme prendrait le risque de venir livrer publiquement un témoignage aussi accablant pour ses supérieurs et le ministère de la Défense s'il n'était pas fermement convaincu que ce qu'il décrit peut être documenté et prouvé sans l'ombre d'un doute. On ne risque pas ainsi toute une carrière et un avenir prometteur quand on n'est pas certain de pouvoir prouver ce qu'on dénonce. Et puis, Richard Colvin n'est pas une âme sensible et instable prête à crier au feu dès le premier signe de fumée. Son indignation n'est pas soudaine car, en diplomate modèle, il a suivi les procédures durant tout son séjour en Afghanistan pour avertir ses supérieurs ainsi que le ministère de la Défense. Il a fait parvenir plus d'une quinzaine de mémorandums aux autorités supérieures dans lesquels il détaillait ses craintes. Plus de soixante-dix personnes étaient au courant. Impossible d'imaginer que de telles accusations n'aient pas été portées à l'oreille du ministre de la Défense et de celui des Affaires étrangères, car à l'époque Richard Colvin était le diplomate en chef de l'ambassade de Kaboul.

Le gouvernement répond que le Canada faisait un suivi du sort des prisonniers en communiquant leur nom et leur lieu de détention à la Croix-Rouge internationale et à la Commission afghane des droits de la personne. Colvin démontre éloquemment que la Commission n'avait pas les moyens de s'assurer que les prisonniers étaient traités dans le respect des conventions internationales et explique aussi que le système de notification utilisé par l'armée canadienne faisait en sorte qu'il pouvait se passer des semaines et même des mois avant que la Croix-Rouge en Afghanistan ne reçoive les informations pertinentes, ce qui laissait amplement de temps aux tortionnaires pour effectuer leur triste boulot. Les Britanniques et les Néerlandais, stationnés aussi dans la province de Kandahar, informaient la Croix-Rouge le jour même d'un transfert de prisonnier dans une prison afghane.

*   *   *

De toute évidence, on assiste à Ottawa à une tentative tous azimuts de *cover-up* qui a débuté lorsque le supérieur immédiat de Colvin, maintenant ambassadeur en Chine, lui a ordonné de ne plus communiquer d'informations sur la torture par écrit et de se contenter de le faire par téléphone. Puis, il y a eu les manœuvres pour paralyser les travaux de la Commission des plaintes concernant la police militaire. Les avocats du gouvernement ont interdit de témoigner à vingt-deux fonctionnaires que la Commission souhaite entendre. Les juristes ont aussi tendu un piège juridique à Colvin : s'il refuse de témoigner, il est passible de six mois de prison; s'il accepte, il fait face à une peine de cinq ans. On lui a même interdit de consulter ses propres mémorandums.

Dans le domaine des droits de la personne, ce gouvernement est une honte. Dans les affaires Arar et Khadr, il refuse d'appliquer ses propres lois. Dans ce cas, il paralyse le travail d'une de ses propres commissions de contrôle et tente de faire passer un courageux diplomate qui défend les lois et les valeurs canadiennes pour un homme qui colporte des rumeurs. En fait, dans le monde, seuls Stephen Harper, Peter MacKay et Lawrence Cannon ne savent pas que la torture est un mode de vie dans les prisons afghanes.

Lettre à Dany Laferrière

16 janvier 2010

Salut Dany, content de savoir que tu écriras encore. Nous avons des souvenirs communs que nous n'avons jamais partagés. La grande rue qui descend de Pétionville vers Port-au-Prince, le bruissement populeux de Carrefour, la misère de Cité Soleil, le palais présidentiel d'une impeccable blancheur, planté au milieu des rues sales et désertées la nuit. Et sûrement l'hôtel Oloffson, parce que Graham Greene y écrivit *Les Comédiens.*

Tu étais chez toi, et moi chez CNN mardi soir. Je peux imaginer ton bonheur et ta satisfaction pendant que tu attendais à l'hôtel Karibe l'arrivée de nos amis corsaires de Saint-Malo. Michel Lebris et sa bande d'écrivains voyageurs qui allaient faire escale en Haïti après plusieurs tentatives ratées. La terre a tremblé. Tu n'as pas pu voir la compacte nuée de poussière, de cendre et de fumée qui couvrit l'ensemble de la ville en quelques secondes. Je l'ai vue et, dès lors, j'ai deviné la catastrophe. Le maire de Port-au-Prince avait déclaré il y a deux ans que plus de 60 % des édifices de la ville ne respectaient pas au minimum les règles de construction.

Tu as quitté les hauteurs à la recherche de ta mère et de ta sœur. Es-tu allé vers Delmas ou Carrefour ? Peu importe la direction que tu as prise, je sais que tu n'as pas vu de policiers, ni d'ambulances, seulement des bâtiments aplatis comme des omelettes trop cuites, des gens hagards arpentant le milieu des rues pour fuir les édifices. Nous avons des souvenirs communs, mais n'avons pas fréquenté le même pays. Toi, tu connais les gens et sais leur résilience. Moi, je connais les gouvernements, leurs faiblesses et leur désorganisation éternelle.

En descendant vers le centre-ville, tu as certainement admiré le courage des petits et des faibles, des démunis et des oubliés de toujours; je ne sais pas si l'absence des policiers t'a marqué, l'absence finalement de tout ce qui n'était pas initiative personnelle. Tu n'as certainement pas vu René Préval, le président, dire qu'il n'avait plus de maison ni de palais et qu'il ne savait où il allait dormir. Depuis ce moment, pas un seul membre du gouvernement haïtien ne s'est exprimé. Il n'y avait pas beaucoup de gouvernement dans ton pays, mais maintenant, il n'en existe plus.

*   *   *

Le lendemain et le surlendemain, as-tu vu? Pas un camion, pas une grue, pas une équipe de sauvetage, pas un policier pour calmer les impatients, pas un rien, juste des gens sans rien qui erraient sans but et d'autres plantés devant les gravats qui recouvraient leurs proches. Je ne sais pas où tu étais mercredi; moi, j'étais toujours à CNN, et enfin je vis une opération de sauvetage organisée, presque professionnelle. C'était au siège de la Mission de l'ONU, lourdement et tragiquement touché, mais quand même pas autant que le pays entier, que les millions de personnes que tu connais par leurs mots et leurs espoirs toujours déçus.

Et puis, jeudi, de partout, ils sont venus, mais ne sachant où aller. Islandais, Américains, Français, avec leurs chiens renifleurs et leurs outils sophistiqués. Jeudi, toujours pas de policiers ni de gouvernement haïtiens. Les équipes de sauvetage font la course au trésor, la chasse aux œufs de Pâques dans le labyrinthe que tu connais si bien. CNN se concentre sur des Islandais qui tentent de dégager une jeune fille d'un supermarché de Delmas. Ils sont optimistes. La jeune fille parcourait l'allée des confiseries quand le tremblement de terre est survenu et elle s'est nourrie de bonbons. Elle est en pleine forme et on va la délivrer. En conclusion, le reporter de CNN ajoute que des dizaines de personnes faisaient leurs courses au même moment.

J'imagine qu'à ce moment tu avais retrouvé ta mère et ta sœur et qu'avec raison tu avais choisi de rentrer chez toi, ici, où tu serais plus utile que là-bas. Mais j'en savais plus que toi, ce qui ne signifie pas que ma tristesse était plus grande. J'avais vu les images du port complètement détruit, la seule grue plantée dans l'eau comme une sculpture inutile, une jetée totalement ensevelie par l'eau. Tout se conjuguait pour empêcher une aide prompte et efficace. Pas de gouvernement, pas de port, un aéroport débordé.

*   *   *

Je sais ton amour et ta confiance pour ton île. Je suis de ceux qui ont eu beaucoup d'amour et peu de confiance, et de moins en moins de confiance. Ton peuple est brave et capable de vivre les pires tragédies. Il l'a fait depuis l'indépendance, à travers l'occupation américaine, sous les dictatures subséquentes. Mais tes gouvernements n'ont jamais eu de vrais rapports avec le peuple. Ils ne savent pas où les gens habitent, ne connaissent pas les quartiers, ne se soucient pas des conditions sanitaires. Et c'est ce bordel — car, que tu le veuilles ou pas, ce pays est un immense bordel — que nous devons sauver de l'extinction.

Tu as raison. Il n'y a pas de malédiction qui afflige Haïti. Que des catastrophes naturelles. Il faudrait peut-être que ceux qui aiment ce peuple disent que les élites haïtiennes font partie des catastrophes naturelles. Je sais, ce n'est pas le moment. C'est le moment d'admirer le travail courageux de ceux qui, avec seulement leurs mains et parfois des pioches, fouillent les décombres, extirpent un cadavre et le posent dans la rue en le recouvrant dignement d'une toile bleue ou rose. Il y a ma douleur théorique et la tienne incarnée. Que pouvons-nous ?

Solidaires et lucides

23 janvier 2010

Solidaires : dès les premières heures, malgré les répliques sismiques qui glaçaient le sang, la calme solidarité des Haïtiens jetés dans les rues de la capitale. Ce qui frappait, c'était l'absence de panique et la détermination collective d'aider et de secourir. Dès les premiers jours, la solidarité qui envahit les réseaux sociaux sur Internet.

Je pense à Gaël Monnin, responsable de la célèbre galerie Monnin de Port-au-Prince, qui multiplie les appels et les informations sur Facebook : localisation des cliniques fonctionnelles, lieux pour faire des dons, que ce soit à Paris, à Boston ou à Miami, appels à des médecins. Depuis le début devant son ordinateur, elle s'est transformée en répartitrice d'aide et de services.

Solidaire aussi et affirmant sa capacité d'organisation et de mobilisation, la communauté haïtienne de Montréal si souvent oubliée et parfois décriée. C'est cette communauté qui, dès les premiers jours, exerce la pression publique sur Québec et Ottawa qui, dans les premiers jours, eurent la solidarité bien hésitante. C'est cette communauté qui a forcé Québec à modifier son attitude en affirmant sa volonté et sa capacité d'accueil. Mais ici, les gouvernements ont la solidarité bureaucratique et polie, oubliant que le légalisme est souvent assassin. Déjà, les orphelins américains, néerlandais ou français étaient auprès de leurs parents adoptifs. Nous attendons toujours les premiers orphelins adoptés par des Québécois et nous attendons toujours que se concrétise la notion élargie de regroupement familial. Nous ne parlons pas ici de Kosovars, mais de frères, de sœurs, d'oncles, de tantes que des citoyens canadiens sont prêts à recueillir, loger, nourrir. Nous parlons d'une communauté de 130 000 personnes qui offre ses bras, ses maisons et ses capacités de prise en charge. Une communauté qui est justement scandalisée par la criminelle inflexibilité du gouvernement fédéral.

Et puis, comme un torrent sans fin, la solidarité de la population, la mobilisation des organismes communautaires, la réaction des artistes qui multiplient les interventions. Près de 100 millions de dollars donnés en dix jours.

* * *

Or cette générosité, cette mobilisation, cette solidarité risquent de faire long feu et de souffrir d'éparpillement et de cataplasmes, si elles ne laissent pas place à une calme et audacieuse lucidité pour contribuer à reconstruire ou plutôt à réinventer l'avenir. Car Haïti est un cas unique qui exige une analyse rigoureuse de la part des gouvernements amis, de son propre gouvernement et des organisations internationales. Il ne sert à rien de reconstruire pour retrouver le pays qui existait auparavant. Ce serait perpétuer une sorte de maladie chronique. Il ne faut pas reconstruire, il faut profiter de cette catastrophe pour refaire, pour transformer. Lors du tsunami, lors du grand tremblement de terre en Chine, les gouvernements, les forces de police ou les armées sont demeurés en place et ont pu contribuer de façon massive au sauvetage et à la reconstruction. Ce n'est pas le cas en Haïti, qui n'avait presque pas de gouvernement avant le séisme et qui n'en a plus du tout. Jusqu'ici on se fait fort de « respecter » la souveraineté haïtienne. Mais il n'est de souveraineté réelle, justifiable et utile que celle qui peut prendre en charge société et population. Il faut dès maintenant poser le problème de l'absence de gouvernement réel dans le pays et faire passer la réorganisation du pays concret avant celle de l'organisation gouvernementale. Et surtout demander aux dirigeants haïtiens d'examiner avec réalisme et humilité leur capacité réelle de diriger eux-mêmes la reconstruction du pays. Une des plus grandes qualités des Haïtiens est leur fierté nationale, mais trop souvent, elle s'est transformée en orgueil aveugle.

La structure, la nature de la capitale font partie des clés du désastre : la ville est surpeuplée, construite de manière sauvage, peu génératrice de richesses, vivant presque uniquement des services et du petit commerce. La reconstruction doit servir à assainir cette ville, à en réduire la taille, à condamner les bidonvilles érigés dans les ravines et dans la foulée à décentraliser les services publics tous outrageusement centralisés dans la capitale.

Soyons lucides quand nous parlons de plan Marshall. Il n'y a pas d'industries à reconstruire en Haïti et nul investisseur ne veut aller s'y établir. Il faut se souvenir que ce pays est un pays rural et que la seule source de richesse réelle vient de l'agriculture, une agriculture mal en point certes, mais qui peut servir de plateforme pour revitaliser le pays. Une relance des campagnes permettra aussi de convaincre ceux qui s'y sont réfugiés par dizaines de milliers d'y demeurer et de ne pas retourner végéter à Port-au-Prince, en quête de travail qui n'existe pas. Il est plus facile de remettre sur pied et de développer l'agriculture et en particulier la culture du riz que de reconstruire des quartiers de taudis. En ce sens, les Américains pourraient faire un geste significatif en cessant d'exporter vers la Perle des Antilles leur riz lourdement subventionné qui fait une concurrence injuste au riz produit localement.

Cela ne demanderait qu'une petite signature. Et lundi, lorsque les pays amis d'Haïti se réuniront à Montréal, on pourrait avec une simple signature prendre une première mesure structurante en annulant la dette de 2 milliards qui grève le maigre budget haïtien. Une autre petite signature solidaire.

Triste cinquantenaire

10 avril 2010

La « chose » surplombe le quartier pauvre de Ouakam, à Dakar, et fait face à l'Atlantique. Les pêcheurs du quartier regardent tristement la « chose » quand ils rentrent avec le fruit de leur maigre pêche, qui leur rapporte environ trois dollars chaque jour. Ils savent que la « chose » a coûté 35 millions à l'État sénégalais, qu'elle a été érigée sur des terrains cédés par l'État et que le propriétaire est le président du pays, le vieux et mégalomane Abdalouye Wade, qui s'en dit aussi le concepteur.

La « chose », c'est le Monument de la renaissance africaine, un ensemble de trois personnages dans le plus pur style stalinien, qui fut inauguré samedi dernier pour célébrer le cinquantième anniversaire de l'indépendance sénégalaise. Un homme au muscle puissant porte un enfant sur un avant-bras et, de l'autre main, il entraîne sa femme vers ce qui semble un avenir radieux. Le monument, plus haut que la statue de la Liberté et doté d'un ascenseur intérieur, devrait, selon Wade, attirer des millions de touristes. Pour le moment, l'avenir n'est pas radieux, ni pour Ouakam, ni pour le reste du pays, un des pays d'Afrique qui poussent le plus de jeunes désespérés vers la périlleuse aventure de l'émigration clandestine vers l'Europe.

Cette année, outre le Sénégal, seize autres pays célébreront en grande pompe leur accession à l'indépendance. Triste cinquantenaire. Ces pays sont le Cameroun, le Togo, Madagascar, la République démocratique du Congo, la Somalie, le Bénin, le Niger, le Burkina Faso, la Côte d'Ivoire, le Tchad, la République centrafricaine, le Congo, le Gabon, le Mali, le Nigeria et la Mauritanie. Qu'ils soient grands propriétaires de richesses naturelles, comme le Nigeria, la RDC ou le Gabon, grands producteurs agricoles, comme le Sénégal et la Côte d'Ivoire, qu'ils soient démocratiques ou gouvernés par des satrapes militaires ou des dictatures héréditaires, il n'est pas aisé de trouver parmi ces pays un seul qui serait justifié de célébrer la «réussite» de son indépendance. Il y a peut-être lieu pour les dirigeants de célébrer, mais pas pour les populations qui, dans presque tous les cas, se retrouvent, en particulier sur le plan de la survie quotidienne, plus mal en point qu'en 1960, cette année de tous les espoirs. Le chanteur malien Tiken Jah Fakoly résumait succinctement le sentiment général en déclarant : «C'est une honte d'organiser de telles célébrations.»

*   *   *

L'érection de ce monstre sculptural à Dakar symbolise parfaitement un des premiers maux des indépendances africaines : la volonté des dirigeants de paraître aussi occidentaux que les colonisateurs, puis la tentative permanente de pérenniser leur pouvoir ou de le transmettre à leurs enfants. Le Sénégal, pourtant un des pays les plus démocratiques de l'Afrique, voit le vieux Wade tenter de se présenter pour un troisième mandat ou de transmettre le pouvoir à son fils Karim. Ayant promis, pour se faire élire, de redonner sa place à l'agriculture, l'opposant progressiste s'est transformé en dirigeant obsédé par son rôle historique. Ce pays aux terres fertiles a connu en 2008 et 2009 les pires «émeutes de la faim» du continent.

Il n'y a rien à commémorer en cette année, pense aussi l'historien et politologue camerounais Achille Mbembe, un des intellectuels les plus respectés de l'Afrique noire. Dans un texte percutant et lumineux publié par *Le Messager* de Douala, il énumère cinq «tendances lourdes» qui plombent l'avenir de l'Afrique où, dit-on, «l'on vit *de facto* sous le joug de chefferies masquées».

Il déplore l'absence d'une pensée démocratique qui proposerait «une alternative au modèle prédateur en vigueur à peu près partout».

Il souligne l'absence de toute forme de «révolution sociale radicale».

Il constate que le pouvoir africain est de plus en plus sénile, rappelant ainsi le sort de plusieurs royaumes européens au XIXe siècle, qui disparurent, victimes de troubles sociaux ou de guerres civiles.

Quatrième tendance lourde, une des plus significatives sur le plan de la conduite de la vie quotidienne, c'est le «désir généralisé de défection et de désertion». Selon Mbembe, des centaines de millions d'Africains souhaitent vivre n'importe où sauf chez eux. C'est probablement le meilleur sondage dont on puisse disposer pour évaluer ce que les citoyens pensent du bilan de ce cinquantenaire.

Et finalement, il insiste sur un phénomène plus récent, une sorte de «gangstérisation» de la vie individuelle et collective, l'émergence d'une violence à la fois individuelle et institutionnelle qui s'inscrit dans une recherche tragique de la survie. Est apparue, écrit-il, «une culture du *racket*, de l'émeute sanglante et sans lendemain et qui tourne à l'occasion à la guerre de pillage [...] Cette sorte de populisme sanglant est également mobilisée [...] par les forces sociales qui, ayant colonisé l'appareil d'État, en ont fait l'instrument de leur enrichissement personnel ou, simplement, une source d'accaparements en tout genre».

En ce triste cinquantenaire où rien n'est à commémorer, il faudrait peut-être prendre le temps de souligner et de célébrer la part de plus en plus importante que prend la femme africaine dans la prise en main de la vie quotidienne des communautés et son rôle de plus en plus déterminant dans l'émergence d'une économie locale et sociale. De plus en plus, en Afrique, le vers de Louis Aragon prend tout son sens : « La femme est l'avenir de l'homme ».

L'homme révolté

17 avril 2010

Il y a ceux qui ne se révoltent jamais et laissent couler la vie, indifférents au sort des humains et parfois même aux injustices dont ils sont eux-mêmes victimes. D'autres vivent des moments de révolte, mais, incapables de lui donner un sens, ils ne peuvent traduire leur révolte en actions ou en lignes de conduite.

Et puis il existe de rares personnes qu'on dirait nées avec un besoin si aigu de justice, d'équité et de bonheur qu'il leur est impossible de ne pas vivre en état de révolte permanente. On pense souvent que ces hommes révoltés vivent tristement, occupés qu'ils sont à sans cesse dénoncer les injustices, et qu'ils ne peuvent jouir des beautés de la vie. On se trompe. L'homme révolté, pour parvenir à l'équilibre sur la corde raide de la critique permanente, doit croire profondément au bonheur et à la beauté des choses. C'est parce qu'il est profondément inspiré par la beauté et le bonheur qu'il en fait sa revendication incessante. Tels étaient Camus, Éluard, Ferré et, pour moi, près de moi, en moi, l'homme dont la rencontre fut la plus déterminante pour le reste de ma vie, Michel Chartrand, notre homme révolté, mon homme révolté.

On écoutait beaucoup Ferré chez Michel, une manière peut-être de dire que de la révolte peuvent naître l'art et la beauté. Autour de la table familiale, on sautait de la littérature à l'actualité, du rire à la colère, des livres de Jacques Ferron à des souvenirs d'altercations avec la police. Dans ces conversations débridées émaillées tant de références à Molière que de blagues sur les «boss» ou de tirades anticapitalistes qui se terminaient invariablement par son rire rugissant, se dégageait une ligne directrice, une constante : on ne peut dénoncer la laideur du monde si on en ignore la beauté sous toutes ses formes. La politique n'est pas une technique, mais une vision globale du monde qui est souvent mieux portée par les poètes que par les politiciens. Je ne le compris que plus tard, mais c'est probablement pour cette raison que j'embrassai la politique tout en continuant d'écrire des poèmes d'amour pour une de ses filles dont j'étais follement amoureux.

C'est Michel, mon premier employeur, qui me mena au NPD. Il faut dire que dans son imprimerie de la rue Saint-François-Xavier, on ne savait pas si on imprimait ou si on faisait de la politique. De ce capharnaüm sortaient publications syndicales, brochures du NPD, pamphlets du Mouvement contre le nucléaire, conventions collectives et autres feuillets de groupes engagés dans la réforme de la société. Les presses fonctionnaient beaucoup plus efficacement que le service de perception des factures en souffrance.

Je n'avais pas encore vingt ans, comme dit la chanson, et pour moi, la révolte, l'indignation, la dénonciation me semblaient naître d'une sorte de sensibilité épidermique, d'une vague empathie pour les démunis, et non pas d'une lecture systématique de l'organisation sociale et d'une étude persévérante de son fonctionnement. Je croyais que le sentiment de révolte, sentiment qui conduisait à la dénonciation, suffirait à changer le monde. Au contact de Michel, puis des leaders du NPD, je découvris que la révolte qui veut construire est une étude permanente qui exige réflexion et propositions.

On ne retient souvent de Michel que ses coups de gueule, ses excès de langage, ses raccourcis explosifs, sa faconde. Ce qu'on ne comprend pas, c'est que contrairement à ce que nous expliquent les politiciens d'aujourd'hui, plus on connaît les dossiers, plus on est en « crisse » et en « tabarnak ». Plus on maîtrise l'analyse, plus on découvre que les solutions justes et équitables sont politiquement simples. Michel connaissait ses dossiers et ses colères simples étaient le fruit d'une profonde réflexion. Je ne sais pas s'il connaissait la phrase de l'écrivain Roger Vailland, selon qui « seuls les salauds nous disent que la politique est complexe », mais je crois qu'il était de cet avis.

Quand il fonde en 1983 la Fondation pour l'aide aux travailleuses et travailleurs accidentés, certains secteurs de l'économie, en particulier la construction, sont de véritables cimetières pour les travailleurs. Le diagnostic politique est simple : constructeurs véreux qui rognent sur les coûts, laxisme et corruption des inspecteurs, négligence des institutions de régie. Mais il faut monter des dossiers étoffés et blindés. Avec son ami Roch Banville, médecin engagé, il y consacrera des milliers d'heures de cistercien (ce qu'il serait peut-être devenu s'il n'avait pas eu à prononcer le vœu de silence).

Auprès de Michel, j'ai aussi découvert les limites de l'action syndicale, qui, si elle veut concrétiser ses valeurs, doit déboucher sur l'action sociale et l'action politique. Mais surtout, j'ai appris que la révolte n'est qu'un feu de paille au pire, un feu d'artifice au mieux, si elle n'est pas le fruit d'une lecture du monde nourrie par des valeurs fondamentales. Mauvais catholique mais chrétien exemplaire et convaincu, Michel incarnait ces valeurs : la générosité, la recherche de la justice, le partage, la solidarité humaine et, surtout, l'obligation sacrée de ne pas pratiquer l'indifférence et de travailler sans cesse à la possibilité du bonheur et de la beauté. C'est un lourd héritage que tu me laisses, Michel.

Faut-il reconstruire Haïti?

24 avril 2010

Haïti a été effacé ou presque de nos écrans radars. La tragédie de la Perle noire des Antilles a été emportée par le tremblement de terre chilien, la pédophilie catholique et les cendres islandaises. Pourtant, il y a toujours 1,3 million de sans-abri, alors que la saison des cyclones s'annonce et que la capitale demeure encore un tas de décombres non fonctionnel.

Le pays et son avenir vivent aujourd'hui une période charnière déterminante, le moment des choix qui orienteront la «reconstruction» ou la «construction» du pays. Ces choix sont d'autant plus compliqués qu'ils doivent s'élaborer et être mis en œuvre alors que persiste la crise humanitaire qui exige des solutions d'urgence. Or il y a souvent dans des solutions temporaires d'urgence des facteurs qui conduisent à transformer le passager en état permanent. Ainsi, les centaines de milliers de personnes qui se sont réfugiées dans les régions rurales, dont souvent elles sont originaires, doivent-elles être relogées en fonction d'un retour futur dans la capitale ou d'une installation permanente? Les communautés d'accueil possèdent-elles les capacités d'accueillir ces réfugiés sans taxer exagérément des populations qui vivent un état de survie précaire?

Soucieuse de désengorger physiquement et humainement Port-au-Prince, la communauté internationale, avec le gouvernement haïtien, doit-elle mettre sur pied un programme de reconstruction de la capitale qui en refera une ville qui attire comme un aimant toutes les misères du pays à la recherche d'un maigre boulot, d'une petite activité ou d'une rapine tentante ? Comment assurer la stabilité et la sécurité des nouveaux quartiers qui se forment à la périphérie de la capitale si, avec le déplacement, on ne propose pas une offre significative de logements, de services et d'emplois ? Comment désengorger les bidonvilles qui minent Port-au-Prince comme un cancer sans se contenter de déplacer de quelques dizaines de kilomètres les mêmes bidonvilles pourris ? Une question qui prend tout son sens et son poids quand on pense à la déclaration du premier ministre Bellerive : « Moi, je n'ai pas de ressources budgétaires et quasiment aucun contrôle sur les compétences d'un État : qu'est-ce que vous voulez que je décentralise ? »

Voilà tout le sens de la question : faut-il reconstruire Haïti ou construire Haïti ? Une question dont le corollaire est : faut-il recréer la même société ?

Dans la majorité des pays victimes de séismes d'envergure, la reconstruction des infrastructures et le relogement des victimes réussissent généralement à faire retrouver au pays son ancienne prospérité et peuvent même devenir un facteur d'une nouvelle croissance économique. Ce fut le cas en Indonésie à la suite du tsunami, une opération facilitée par l'existence d'un gouvernement structuré et d'une société civile engagée dans la reconstruction. Ou encore dans la ville d'Armenia, en Colombie, à la suite du tremblement de terre de 1999, que les experts considèrent comme un modèle de restauration.

Or en Haïti, malgré les centaines d'ONG, d'organisations caritatives et quelques faibles syndicats, il n'existe pas de véritable société civile structurée et pas plus de gouvernement.

Ce que l'on sait, c'est que, peu importe le choix qu'on fera, celui de la réparation ou de la refondation, on redonnera un peu de vie à un pays qui demeurera désespérément pauvre, sans espoir à court terme de développement industriel et qui risquera de retomber dans les mêmes travers et les mêmes culs-de-sac. C'est donc l'organisation de la société, sa vie, qu'il faut tenter de réinventer en reconstruisant.

Et cela passe obligatoirement par l'éducation. La question se pose avec acuité ces jours-ci, au moment où on tente de retourner les enfants à l'école. Le retour des enfants à l'école représente un facteur important de normalité, de stabilisation et de sécurité. Mais les retourner dans quelles écoles et reconstruire quel système d'éducation ? Si on redonne vie au passé, on remet sur pied une des causes principales du drame haïtien, on redonne vie à un bordel total. En fait, il n'existe pas de système d'éducation en Haïti et le ministère de l'Éducation est qualifié de ministère «fantôme». L'éducation en Haïti est une foire d'empoigne où se concurrencent écoles caritatives, établissements de prosélytisme religieux et entrepreneurs souvent sans scrupules et toujours sans compétence. Seulement 20 % des écoles primaires ou secondaires relèvent de l'État et elles sont, matériellement, les moins bien nanties. Reconstruire ces écoles, ce serait reconstruire des commerces et non pas des établissements de savoir.

Dans ces écoles qu'on veut reconstruire, 25 % des enseignants du primaire n'ont jamais fréquenté l'école secondaire et 15 % seulement possèdent un diplôme. On ne forme que 300 enseignants qualifiés chaque année alors qu'il en faudrait plusieurs milliers. Le résultat est calamiteux. Haïti possède le plus bas taux de scolarisation, de diplômés du primaire et d'alphabétisation de l'hémisphère. Et aussi le plus haut taux de décrochage avant l'école secondaire.

Voilà où est l'avenir. Profiter de cette occasion unique pour doter Haïti d'un véritable système public d'éducation. Reconstruire les classes, certes, mais refonder tout le fonctionnement de l'éducation. Les bailleurs de fonds ne devraient pas hésiter à en faire une condition incontournable de leur aide, quitte à froisser la souvent trop commode souveraineté nationale.

L'État pirate

5 juin 2010

Voici quelles étaient les forces en présence par cette nuit sombre qui couvrait les eaux internationales de la Méditerranée. D'une part, une flottille menaçante de six navires transportant de l'aide humanitaire et sur lesquels étaient embarqués quelques centaines d'activistes et militants propalestiniens. Ils étaient lourdement armés : quelques barres de fer qui traînaient sur les ponts, des couteaux de poche ou de cuisine, quelques lance-pierres et des rasoirs Bic. C'est le romancier suédois Henning Mankell, embarqué sur un des navires, qui rapporte ce fait accablant : un soldat israélien lui a montré un Bic quand il a évoqué les armes présentes sur le bateau. D'accord, un Bic, ça coupe.

D'autre part, dans le coin droit dirait-on, des bâtiments de guerre, des commandos masqués rompus aux opérations spéciales, des hélicoptères, des fusils automatiques UZI, des matraques électriques, des Taser, des gaz lacrymogènes, des grenades assourdissantes. C'est ce détachement lourdement armé qui s'est senti en état de légitime défense, à un point tel que, pour annuler la menace des rasoirs Bic, des couteaux et des barres de fer, il a choisi de faire feu. Au moins neuf morts et plusieurs blessés. Voilà comment on mesure la légitime défense au gouvernement de l'État pirate. Car c'est bien à un acte de piraterie que s'est livré l'État israélien en invoquant la nécessité de maintenir le blocus de Gaza pour des raisons de sécurité.

C'est pour cette même raison de « sécurité » qu'Israël avait envahi Gaza lors de l'opération Plomb durci, tuant 1 300 Gazaouis, en majorité des civils. Légitime défense, avait-on plaidé, invoquant les tirs de roquettes (réels et parfois meurtriers) provenant de Gaza.

C'était pour empêcher la fabrication de ces roquettes et l'importation clandestine d'armes qu'Israël avait imposé un blocus total à Gaza en 2007. Le moins qu'on puisse dire, c'est que le blocus n'a rien fait pour diminuer les attaques provenant de Gaza puisque, au blocus de légitime défense, il a fallu rajouter deux ans plus tard 1 300 morts et la destruction de presque toutes les infrastructures du territoire contrôlé par le Hamas. Et, de toute manière, tout le monde sait que les armes entrent par les souterrains de Rafah à la frontière avec l'Égypte.

Alors, pourquoi ce blocus, qui a réduit, selon l'ONU, 67 % de la population à l'état de pauvreté ? Les analystes disent que le gouvernement israélien croyait pouvoir affaiblir le Hamas en créant dans la bande de Gaza une situation économique et humaine intenable. D'autres vont plus loin : il fallait humilier les Gazaouis par ce que le directeur des opérations de l'ONU à Gaza, John Ging, qualifie de « siège médiéval ».

*   *   *

En laissant entrer au compte-gouttes et d'une manière tout à fait arbitraire quatre-vingt-un produits différents, les autorités israéliennes ont renforcé l'économie au noir, qui est lourdement taxée, sinon contrôlée par le Hamas, privant ainsi l'Autorité palestinienne des revenus de douane qui lui seraient versés si le commerce fonctionnait normalement. L'arbitraire des bureaucrates militaires décourage ceux qui persistent à vouloir fonctionner dans l'économie officielle. Vous pouvez importer de la cannelle, mais pas de la sauge ou de la coriandre, du concentré de tomates fabriqué en Israël, mais pas de boîtes de conserve vides, ce qui conduit à la faillite les transformateurs agroalimentaires locaux. Le journal *Le Monde* rapportait la semaine dernière la mésaventure d'un marchand de Gaza qui avait commandé 8 000 chemises en Chine avant l'instauration du blocus en 2007. Les chemises sont demeurées trois ans dans les entrepôts du port d'Ashdod, puis furent empilées sur un terrain vague. Quand le com-

merçant gazaoui en prit possession, trois ans plus tard, elles étaient
toutes pourries.

Les livraisons de pétrole et de diesel ont été réduites sans raison
(légitime défense, peut-être), ce qui fait que la seule centrale électrique
de Gaza ne produit qu'à environ 50 % de sa capacité. Dans les rues, les
voitures roulent de plus en plus à l'huile végétale. Dans les champs,
les pompes d'irrigation qui alimentent 40 % des terres agricoles et qui
fonctionnent au diesel sont trop souvent paralysées, ce qui entraîne
des pertes de récolte importantes. Et c'est sans parler des habita-
tions endommagées de 34 000 familles qu'on peine à reconstruire
à cause du blocus, qui limite sévèrement l'entrée des matériaux de
construction.

C'est ce « siège médiéval », comme le dit John Ging, que les soldats
qui ont tué neuf innocents voulaient maintenir, cet étranglement économique et psychologique qui réduit les populations en hordes sous-
humaines. Un patient et vindicatif travail d'humiliation et de vengeance.

Je pourrais bien parler des conventions de Genève qui obligent la
partie occupante à assurer le bien-être physique, économique et psychologique des populations occupées. Mais il y a longtemps qu'Israël
ne fait plus partie des États qui respectent le droit international. Et
soyons francs : la communauté internationale, malgré ses hauts cris,
s'en fout totalement ces jours-ci.

On nous dit qu'il faut faire la guerre aux terroristes du Hamas, j'en
suis et j'approuve, mais la politique israélienne à l'égard de l'OLP a
créé le Hamas et, depuis, n'a fait que renforcer son pouvoir et son
influence. Et encore cette semaine, n'est-ce pas une victoire du Hamas
que la réouverture de la frontière avec l'Égypte ? Malheureusement,
oui.

Délire sportif

18 septembre 2010

Le hockey embrase généralement les esprits quand le printemps débute et que le Canadien fait naître chez les partisans quelque espoir de coupe Stanley. Ou encore lorsqu'on échange une vedette comme Jaroslav Halak contre quelques jeunes inconnus. Mais voilà que l'automne n'est même pas arrivé, que le camp d'entraînement n'a pas commencé et que toute la province bourdonne, scribouille, grenouille et délire sur le retour des Nordiques dans un bel amphithéâtre tout neuf.

L'hyperactif maire Labeaume avait attaché le grelot, mais son drelin drelin nostalgique ne mobilisait pas les foules. Bien sûr, ce serait sympathique de voir renaître les Nordiques et que réapparaisse cette rivalité ridicule entre les Bleus de Québec et les Rouges de Montréal, mais le projet n'enthousiasmait que la confrérie sportive, celle qui anime de ses commentaires les lignes ouvertes et les chaînes spécialisées.

Puis dans un ciel clair et paisible retentit le cri du cœur de Jean Charest, heureux enfin de pouvoir parler d'un autre sujet que la nomination des juges. Québec, satisfait par une étude d'Ernst and Young, s'engageait à financer à hauteur de 45 % un nouveau Colisée, condition *sine qua non* du retour des Nordiques. Ne manquait plus qu'une participation équivalente du gouvernement fédéral.

*   *   *

Un mot à propos de ces études qu'on brandit régulièrement pour donner un vernis de rentabilité à des projets : on trouvera toujours un économiste ou une firme comptable qui, pour une rémunération conséquente, rédigera un rapport qui fera en détail la preuve de la rentabilité d'un projet dans un contexte hypothétique. Cela s'appelle «commander une conclusion». Les rédacteurs de ces rapports travaillent à l'envers : ils écrivent la conclusion puis cherchent les moyens de la justifier. Un peu comme ces études sur des médicaments qui louangent leurs vertus thérapeutiques tout en oubliant les effets secondaires que les malades auront la tâche de découvrir à l'usage. Guérir d'une maladie pour mourir d'un autre mal.

Mais voilà que la presse sportive s'emballe pendant que les sceptiques envisagent avec horreur le retour de Badaboum. Quelques voix mesurées prêchent la prudence et rappellent que ce n'est pas à l'État de financer ce genre de projet, mais elles se perdent dans le tintamarre triomphant. Surtout que, silencieux sur tout, les députés conservateurs du Québec arborent en conférence de presse le chandail des Nordiques. Déjà on pouvait prévoir le thème de la prochaine élection : «Votez pour les Nordiques.» Voilà le signe certain que le premier ministre suivra, puisque ces gens n'agissent qu'en service commandé. On aurait préféré que leur première audace historique se manifeste pour un sujet plus important pour les citoyens, mais quand on est petit, on a de petites audaces.

Puis dans ce délire de «ça sent la coupe», se construit cet extraordinaire mensonge. Le nouvel amphithéâtre que paieront les citoyens n'est qu'indirectement lié au retour des Nordiques. Il fait partie d'un vaste projet nécessaire pour la région. Le nouvel édifice accueillera de grands spectacles, comme si le vieux Colisée ne le faisait pas adéquatement. Il pourra accueillir des congrès, comme s'il n'existait pas à Québec un centre des congrès qui suffit amplement à la tâche. Et finalement, ce sera une infrastructure essentielle pour l'obtention des Jeux olympiques. Comme s'il ne faudrait pas bien avant construire ou trouver une montagne capable d'accueillir l'épreuve de descente. Personne ne croit aux Olympiques, mais pour le retour des Nordiques, on est prêt à tous les mensonges.

*   *   *

Et le délire devient hallucinogène quand s'élèvent au Canada anglais des voix pour s'opposer au financement public d'un domicile pour une équipe de hockey. Se joignent alors à tous les Tremblay de la terre le Bloc québécois, le PQ, toute la planète nationaliste qui voit dans cette position pourtant raisonnable un autre exemple du mépris profond pour le Québec qui existe dans le reste du Canada. Que des éditorialistes québécois partagent le même point de vue, cela fait partie du jeu démocratique. Mais qu'il s'exprime en anglais, voilà un rejet du Québec, une autre raison pour faire l'indépendance. Un pays pour les Nordiques!

Et puis, comme on dit à La Cage aux sports, survint la « cerise sur le sundae ». Pierre Curzi, oubliant qu'il ne joue plus dans *Virginie*, eut cette réplique qui restera dans l'histoire : « Le Canadien a déjà été un atout pour le nationalisme québécois, maintenant c'est un atout pour le fédéralisme. » Et pour ajouter au délire ambiant, Mme Marois endossa les propos de son député, dont on dit qu'il ne fume pas, ce dont je doute dorénavant.

Je me permets de compléter le raisonnement sous-jacent qui nourrit ce délire. Entre deux lock-out, Pierre Karl pourra regarder ses Nordiques dans un amphithéâtre payé par l'État. Si Stephen Harper n'acquiesce pas à la demande de financement, c'est que depuis sa tendre enfance il a horreur des francophones, une sorte de haine morbide. Le Canadien, ne faisant jamais les séries, redeviendrait un symbole du nationalisme québécois parce que la majorité des joueurs seraient des Québécois. Pendant ce temps, les Nordiques, condamnés à la performance, engageraient des Américains, des Tchèques, des Russes et même des Canadiens anglais, mais on les aimerait parce qu'ils gagneraient la coupe Stanley. Et les Nordiques deviendraient la fierté de tous les Tremblay et de tous les Curzi, car ils seraient présentés comme un magnifique exemple de notre capacité à intégrer les étrangers.

La dérive du grand démocrate

11 décembre 2010

Dans un roman truculent, cruel mais combien réaliste sur l'Afrique, *En attendant le vote des bêtes sauvages,* Ahmadou Kourouma fait la chronique du règne du général Koyaga, dictateur de la République du Golfe. Il y décrit la cruauté, la fourberie, l'intelligence manipulatrice qui lui permettent de se maintenir au pouvoir, car cet homme se croit investi par les esprits d'une mission. Il fera de la République du Golfe le pays modèle de l'Afrique et deviendra, lui, le modèle de tous ses dirigeants.

Kourouma est ivoirien et, dans les années 1990, il a cru comme tous les intellectuels de son pays que Laurent Gbagbo, qui s'accroche aujourd'hui pitoyablement au pouvoir, ferait partie de cette nouvelle génération d'hommes politiques qui permettrait aux « bêtes sauvages » d'entrevoir la lumière éblouissante de la dignité et de la démocratie. Il ne pouvait imaginer que Gbagbo se transformerait en Koyaga moderne, utilisant d'autres fourberies et potions magiques pour se maintenir au pouvoir.

Car il n'y a rien de commun en apparence entre le dictateur imaginaire et le « démocrate » dictatorial, sinon qu'ils sont tous les deux fils de guerrier, le père de Gbagbo, homme modeste, ayant été fait prisonnier par les Allemands durant la Seconde Guerre mondiale.

Le dictateur est un homme vulgaire et inculte. Gbagbo a fait les meilleures écoles de la Côte d'Ivoire; chercheur, professeur, il détient une maîtrise et un doctorat en histoire de la Sorbonne. Sa femme, Simone, est diplômée en linguistique, militante syndicale marxiste.

Tous les deux, lors d'un exil de trois ans en France, sont accueillis, entourés, soutenus par les esprits les plus brillants du socialisme français, pionniers de la décolonisation et fondateurs du mouvement altermondialiste.

Gustave Massiah, Jean-Yves Barrère me recommandent cet homme quand j'entame une tournée en Afrique pour enquêter sur le sida en 1988. Gbagbo s'apprête à renouer avec son peuple, le peuple bété, qui prépare une série de grandes célébrations pour souligner le retour au pays de l'enfant prodigue, devenu aussi héros et presque chef coutumier. Et c'est en roi qu'il est accueilli dans les villages lors de banquets pour lesquels on a économisé durant six mois. Gbagbo me confie, durant un de ces banquets où des centaines de personnes regardent la table d'honneur manger et boire du champagne, qu'il faut respecter cette culture, mais en extirper cette croyance qui accorde au chef des pouvoirs quasi magiques et qui l'investit de tous les pouvoirs.

Simone s'insurge privément contre le fait que, durant ces cérémonies de bienvenue, les femmes sont séparées des hommes. Elle est toujours marxiste et féministe, mais son mari lui enjoint de ne pas se prononcer publiquement. Gbagbo m'explique comment il modernisera le pays, cette modernité devant se faire dans l'apprentissage de la démocratie et de l'égalité. Il me parle des divisions ethniques, cancer africain, outil de domination des dictateurs et potentats. Mais quand on dépose à ses pieds les tributs, chèvres, sacs de riz, parures brodées d'or, il rayonne, triomphe, se laisse embrasser les mains, qu'il pose parfois sur les têtes comme un pasteur charismatique.

Dans ses discours, il ne manque jamais de rappeler ses origines ethniques et promet d'en garantir l'épanouissement. Nous sommes en 1988 et, déjà, le chef omniscient gruge les vêtements du socialiste idéaliste et moderne. Le vernis occidental s'écaille pour laisser apparaître les couleurs plus sombres du chef, du prince éclairé, qui n'est jamais loin du président à vie et du potentat.

Il est élu de justesse président en 2000 et triomphe d'une tentative de coup d'État en 2002 qui laisse le pays divisé entre le Sud chrétien et le Nord musulman. Les rebelles du Nord protestent entre autres contre la politique d'« ivoirité » qui a entraîné l'élimination des élections présidentielles d'Alassane Ouattara. Celui qui voulait abolir les divisions ethniques les manipule dorénavant sans vergogne pour asseoir son pouvoir. Les jeunes militants de son parti, le Parti populaire ivoirien, forment des brigades d'autodéfense qui se transforment rapidement en milice bien armée. Simone, ayant jeté socialisme et marxisme aux orties, fait la cour aux Églises protestantes charismatiques, suivie en cela par son mari. Le clientélisme et la corruption s'installent et fleurissent avec leur lot de disparitions. On parle d'escadrons de la mort.

De 2005 à 2010, Gbagbo fait tout pour empêcher la tenue d'élections qui devaient se tenir il y a cinq ans. Et il se résigne non sans avoir mis sur pied un garde-fou personnel : le Conseil constitutionnel, sa propriété personnelle. Il reste président malgré tout et tous, souverainement imbu de lui-même, assuré de son état messianique et indispensable à la nation, prêt à risquer le sang de la guerre civile. Il est au-dessus de ces banales considérations humaines, les esprits le lui ont révélé.

À la fin de son roman, Kourouma fait dire au conseiller de Koyaga qui a été obligé de décréter une élection : « Vous préparerez les élections présidentielles démocratiques. Des élections au suffrage universel supervisées par une commission indépendante. Vous briguerez un nouveau mandat avec la certitude d'être réélu. Car, vous le savez, vous êtes sûr que si d'aventure les hommes refusent de voter pour vous, les animaux sortiront de la brousse, se muniront de bulletins de vote et vous plébisciteront. »

Noël de voyous

24 décembre 2010

Ce soir, au traditionnel repas de famille, on ne parlera presque pas de politique. Dans ma famille pourtant très politisée et engagée, il en est ainsi depuis quelques années. Une sorte de lassitude, d'impression de tourner en rond ou, encore, de sentiment d'impuissance qui s'accompagne souvent d'une lente résignation. Je ne sais trop pourquoi, mais il en est ainsi. On parlera cuisine, voyages, parcours des enfants qui le sont de moins en moins, santé parce que la famille vieillit, pressions économiques. Mais on ne parlera pas de la crise économique dont, comme tous les citoyens modestes, nous sommes les premières victimes pendant que ceux qui l'ont produite retrouvent leurs parachutes dorés, leurs primes, leurs profits. Comme si cela était inévitable, inscrit dans l'ordre des choses.

, Inscrit dans l'ordre des choses, paysage étonnant qui cesse de surprendre à force d'habitude. On fait avec.

Le 24 janvier prochain, ça fera deux ans, oui, deux longues années, que les 250 employés du *Journal de Montréal* auront été privés de leur travail. Je ne connais pas beaucoup de sociétés où une telle situation aurait pu se produire sans que le gouvernement intervienne de manière forte. Mais le gouvernement se réfugie dans le silence institutionnel de son Code du travail qui, il le sait, est totalement impuissant dans ce conflit. Code dépassé, vermoulu, inutile, qui permet à l'employeur de réduire à zéro pour le syndicat le rapport de force équilibré sur lequel le Code se fonde.

Il faut lire le journal de Péladeau durant quelques jours pour constater comment celui-ci n'est plus qu'une circulaire dont la plupart des textes sont repris, repiqués, voire plagiés. Les pigistes de renom jouissent joyeusement du droit légal d'être des briseurs de grève, heureux de ne pas vivre l'odieux de traverser physiquement un piquet de grève. La quinzaine de cadres qui façonnent le « journal » planchent sur des sites Internet et réussissent à publier leur gros catalogue sans sortir de leur bunker. Des journalistes virtuels qui ne rencontrent personne. Quelques artistes intrépides refusent de parler au quotidien de la rue Frontenac, mais leurs propos à TVA ou leurs photos dans *Sept Jours* sont repris intégralement dans *Le Journal de Montréal*. Quand la pieuvre Quebecor ne réussit pas à se saisir d'un acteur de l'actualité, elle reprend un article publié dans un autre quotidien.

Les journalistes du bunker font aussi semblant d'assister à des conférences de presse en reprenant intégralement ou presque les communiqués de presse. Ce fut le cas cette semaine pour la conférence de presse durant laquelle le gouvernement a dévoilé le nouveau coût du CHUM. Les citoyens qui se plaignent deviennent automatiquement des journalistes du quotidien. À preuve, la manchette dramatique du journal hier matin : « Guerre aux guirlandes, la poste menace de ne plus livrer le courrier. »

*   *   *

Vous serez peut-être aussi surpris de lire autant d'informations dans *Le Journal de Montréal* sur la ville de Québec et son maire hyperactif. Puisqu'il faut remplir les petites colonnes autour des publicités, les cadres du bunker se tournent vers les articles publiés dans *Le Journal de Québec* et les reprennent intégralement. Absurdité surréelle : des journalistes qui furent en lock-out durant un an deviennent des briseurs de grève involontaires pour permettre à Péladeau de maintenir durant deux ans des confrères en lock-out. Les grands journalistes du bunker poussent même l'indécence jusqu'à plagier des textes de *Rue Frontenac,* le journal virtuel des syndiqués en lock-out. C'est la conclusion à laquelle en est venu le Conseil de presse il y a quelque temps à la suite d'une plainte du journaliste Martin Bisaillon. Dans sa décision, le Conseil de presse «blâme pour plagiat M. Stéphane Malhomme, le site Argent, l'Agence QMI et *Le Journal de Montréal* ».

En fait, on assiste impuissant à la domination insolente d'un empire voyou, certain de pouvoir intimider tout le monde et de demeurer impuni. J'ai beau me creuser les méninges depuis des mois pour trouver un moyen de rétablir un juste rapport de force, j'arrive toujours à la même conclusion : impossible d'y parvenir sans boycottage de l'Empire lui-même. Mais comment boycotter ce qui nous fait vivre ? C'est le cas des artistes, par exemple. Nul disque, nul film, nulle tournée, nul spectacle ne peuvent, sans souffrir grandement, se priver de l'appui promotionnel des médias Quebecor. Il en va de même des politiciens qui ont besoin de cet empire en passe de devenir totalitaire. Cause perdue d'avance ? Je le crains bien. Faut-il s'incliner et faire avec ? Non. J'en parlerai un peu ce soir sans trop d'espoir de trouver une réponse, sinon celle que je connais déjà : il fallait légiférer contre la concentration de la presse quand il en était encore temps. Mais déjà péquistes et libéraux tremblaient et ils se contentèrent de commissions parlementaires verbeuses.

Je sens qu'il en sera de même avec la fermeture d'Électrolux. Au lieu de mettre en place comme cela existe ailleurs des mesures qui rendent très onéreuses les fermetures justifiées seulement par une plus grande rentabilité, on planchera sur des programmes de reclassement et de formation. Reclassement comme «associés» chez Wal-Mart, formation de livreur pour service de courrier ou gardien de nuit.

Joyeux Noël. Non, j'oubliais : joyeuse célébration d'une naissance soulignée par les chrétiens, par les commerces et par les voyous.

Le parfum du jasmin

22 janvier 2011

La Presse, le plus grand quotidien de la Tunisie, était la vitrine principale du président Ben Ali, une feuille de propagande qui n'avait rien à envier à la *Pravda* de l'Union soviétique. Au début de la semaine, pendant que le peuple affirmait son pouvoir dans la rue, le quotidien se dotait d'un comité de rédaction autogéré et devenait, sans heurts ni violence, un véritable journal libre. Nul règlement de comptes, une transition pacifique qui se fait avec un sourire narquois comme seul signe de victoire. Pragmatiques, les journalistes laissent entrer l'ancien directeur, celui qui recevait les ordres du dictateur dont la photo ornait la une chaque jour. Il signe les chèques de paie des journalistes puis repart chez lui sans être inquiété. Au même moment ou presque, dans les bureaux de la principale compagnie d'assurances du pays, cadres et employés montrent poliment la porte au directeur. Ses services ne sont plus requis. Dans un autre quartier, le directeur du lycée Louis-Pasteur enlève l'affiche qui indique que l'établissement est fermé. C'est l'armée qui était venue fermer l'école il y a six ans pour que l'établissement ne fasse pas concurrence au Lycée international que venait de fonder la femme du président. À la bêtise aveugle et brutale de l'ancien régime, on répond par le calme, l'intelligence et une sorte de raffinement, toutes choses qu'on associe rarement à une révolution.

Pourtant, c'est bien la révolution. La rue est vigilante et souvent noyée dans les gaz lacrymogènes, mais elle persiste pacifiquement et dit à ceux qui tentent une timide transition qu'elle pourra s'embraser si on ne coupe pas les ponts avec le passé. Le pouvoir transitoire en prend acte, instaure la liberté de presse, déverrouille Internet, annonce une amnistie générale pour les prisonniers politiques et déclare que tous les partis pourront participer aux élections, y compris le parti islamiste Ennahdha. Bien sûr, il y a des pillages, mais ceux-ci sont marqués de la même intelligence stratégique; seules les entreprises liées au clan Ben Ali sont touchées. Pour le reste, les comités de vigilance de quartier assurent l'ordre et le calme en collaboration avec l'armée, qui jusqu'ici a choisi d'appuyer la transition vers la démocratie.

Voilà comment avance résolument la « Révolution du jasmin », la fleur nationale de la Tunisie. L'odeur de cette petite fleur prisée par les grands parfumeurs est délicate, raffinée mais persistante et tenace. Difficile de trouver meilleure description des événements qui se déroulent actuellement en Tunisie.

*   *   *

Pourtant, c'est dans une odeur âcre de chairs carbonisées que la fleur fragile a planté ses racines. Dans la chair de Mohamed Bouazizi, jeune diplômé universitaire qui, faute d'emploi, vendait des fruits et des légumes à la sauvette. La Tunisie produit plus de 60 000 diplômés comme Mohamed chaque année, mais seulement 25 000 parviennent à se trouver un emploi. Probablement parce que le jeune homme n'avait pas payé le bakchich coutumier, la police avait détruit son petit étal. Dans ce petit pays, l'image du jeune martyr fut relayée par tous les téléphones intelligents, les blogues, les réseaux sociaux et les soucoupes satellitaires. Le parfum du jasmin commença à imprégner le pays tout entier.

Depuis le début de la « Révolution du jasmin », l'Algérie a connu des émeutes pour protester contre la cherté des aliments de base. Le gouvernement a réprimé violemment la colère populaire et annoncé des baisses de prix. Six personnes en Égypte, quatre en Algérie et une en Mauritanie se sont immolées par le feu, reprenant à leur compte l'expression du désespoir de Mohamed Bouazizi.

Il n'est pas surprenant qu'on se soit demandé rapidement si le parfum du jasmin n'allait pas envahir d'autres pays de la région. À première vue, l'Égypte, le Maroc et l'Algérie ont beaucoup en commun avec la Tunisie. Ces trois pays sont dirigés par des régimes autoritaires, pour ne pas dire dictatoriaux. Ils sont appuyés par les États-Unis et les principaux pays occidentaux, qui ferment les yeux sur la répression et la corruption parce que ces pays mènent une lutte incessante contre l'islam radical et le terrorisme. C'est au nom de cette lutte que tous ces pays ont appuyé les militaires algériens en 1988 quand ils ont annulé les élections démocratiques qui avaient donné la victoire au Front islamique du Salut. On connaît la suite. Dix ans d'éradication, de disparitions, de sauvagerie. Les survivants du maquis islamiste algérien ont maintenant formé al-Qaïda au Maghreb, qui a revendiqué des dizaines d'enlèvements dans les pays du Sahel.

Les trois pays, comme la Tunisie, sont rongés par la corruption, la mise en coupe de l'économie, par des clans près du pouvoir en Égypte et au Maroc, par l'armée en Algérie. Dans ces trois pays, le chômage chez les jeunes est endémique. Mais là s'arrêtent les comparaisons. En Algérie et en Égypte, l'armée, les services de renseignement et de répression ne font qu'un et sont beaucoup plus efficaces et puissants. Au Maroc, le roi dose habilement pouvoir et parfum démocratique. Mais surtout, contrairement à la Tunisie, la grogne sociale et économique dans ces pays ne se traduit pas en revendication politique. Le lien entre le politique et le social n'est pas encore fait.

Cela ne signifie pas que les autres régimes arabes ne craignent pas la propagation de l'odeur du jasmin. Ils savent qu'ils sont en sursis, pour quelques années peut-être, mais en sursis malgré tout.

Les dromadaires de Moubarak

5 février 2011

Laissez-moi vous raconter la triste et exemplaire histoire d'Ayman Nour en guise d'illustration de la cruelle perversité du régime égyptien. C'est la descente aux enfers d'un petit homme courtois et blagueur qui s'est déjà décrit comme «le poil à gratter» de Moubarak. Brillant avocat et journaliste, Nour devient député en 2004 et fonde le parti libéral laïque el-Ghad quelques mois plus tard. Malgré son immunité parlementaire (salut la Constitution!), il est emprisonné en 2005, accusé d'avoir fabriqué de faux documents lors de la fondation de son parti.

Libéré quelque temps plus tard, il se présente à la présidence lors des élections de 2005. Malgré un programme un peu fumeux, il séduit les jeunes éduqués par son franc-parler et son audace. Il ne récolte que 8 % des voix contre les 89 % de Moubarak. Pas de quoi énerver un dictateur. Et pourtant. On reprend le procès pour faux et, à l'issue d'une grossière mascarade, Ayman Nour est condamné à cinq ans de prison ferme.

L'homme a une santé fragile, mais malgré son diabète et un cœur fragile, il entreprend une grève de la faim qui le mènera à l'hôpital. Même alité ou emprisonné, l'homme dérange. Des incendies ravagent en 2007 les bureaux de son parti, de la fondation qu'il préside et de son cabinet d'avocats. En prison il est torturé. Il réussit à faire sortir des messages et des articles qui décrivent le traitement ignoble dont il fait l'objet. Il dépose 1 200 plaintes. L'intervention personnelle de Barack Obama assure enfin sa libération, ce qui en fait automatiquement un «homme de Washington», étiquette largement maudite en Égypte.

Libéré, il poursuit le ministère de l'Intérieur pour qu'on lui rembourse le coût des dommages causés lors des incendies. Le gouvernement réplique par une poursuite pour impôts impayés et dépose les dossiers de vingt-trois Ayman Nour, dont un propriétaire de garderie et un autre fournisseur d'Internet. Deux millions et demi pour l'avocat qui ne travaille plus et qui ne parvient pas à toucher son héritage, gelé par des tracasseries administratives.

Nour retire sa poursuite et les autorités oublient la leur. Il est privé de droits civiques, interdit bancaire et, quand des universités l'invitent à prononcer des conférences, les invitations sont annulées mystérieusement sans aucune explication. « Le poil à gratter » de Moubarak ne baisse pas les bras malgré sa femme qui n'en pouvait plus et qui l'a quitté et bien qu'il doive survivre en vendant le peu de biens personnels qu'il possède encore. On l'a vu sur la place Tahrir.

Cette histoire illustre trop bien comment cette dictature mène la lutte contre l'opposition ; combattre les idées, certes, mais surtout attaquer les personnes dans leur corps et leur âme. Tenter de les priver de dignité, de briser leur résistance et celle des personnes qui les entourent.

C'est cette même tentative de destruction de la fibre humaine que décrit l'écrivain égyptien Naguib Mahfouz, Prix Nobel de littérature, dans son très court roman *Karnak Café*, traduit récemment en français. Écrit en 1971, le livre décrit avec tendresse et tristesse la vie de quelques jeunes idéalistes que la machine répressive transformera en loques humaines. Toujours d'actualité.

*   *   *

Moubarak ne veut pas rester au pouvoir. Il est fatigué et ne souhaite que le repos bien mérité du guerrier amoureux de sa patrie. C'est lui-même qui l'a dit cette semaine lors d'une entrevue au réseau américain ABC. S'il reste, c'est pour sauver l'Égypte éternelle et l'empêcher de tomber dans le chaos.

Mercredi après-midi, les manifestants profitaient du soleil sur la place Tahrir. Tout était paisible. Puis soudainement le chaos. Une horde de chevaux et de dromadaires foncent à travers la foule. Les cavaliers brandissent des gourdins et tabassent les opposants. Comme dans un film surréaliste. Ils se présentent comme des guides qui travaillent aux pyramides de Gizeh et qui, faute de touristes, sont privés de leur gagne-pain.

Tous les guides aux pyramides travaillent en collaboration avec le ministère de l'Intérieur. Ils sont employés, informateurs, collaborateurs. Ce sont des petits insectes de la jungle sécuritaire. Nuit de mercredi. Le chaos que prédisait Moubarak. Des manifestants pro-Moubarak attaquent les manifestants anti-Moubarak avec des pierres et des bombes incendiaires. Des centaines de blessés. Ce sont presque tous des policiers en civil et des agents de la sécurité qui se livrent à ces agressions.

Oui, Moubarak a raison, c'est le chaos. Le ministère de l'Intérieur compte 1,7 million d'employés, sans compter les informateurs. Ils sont partout, entre autres dans les hôtels qui entourent la place de la Libération, là où les journalistes habitent et sont victimes de harcèlement et d'intimidation. Ce sont ces sbires qui, les caméras étant toutes braquées sur le centre du Caire, ont investi le Centre juridique Hisham Moubarak. Plusieurs personnes ont été arrêtées, dont deux représentants d'Amnesty International et des représentants de Human Rights Watch.

Pointe maintenant un autre visage du chaos que Moubarak n'a pas précisé. On commence à le nommer : les islamistes des Frères musulmans. Tout ce qui existe de pro-Moubarak dans le monde (Israël en premier lieu) s'alarme. Il n'existe pas d'opposition structurée pour combler le vide que produirait un départ rapide du raïs. C'est vrai en partie. Mais ce vide, c'est précisément Moubarak qui l'a créé en profitant de notre silence diplomatique et intéressé. Sur la place Tahrir sont présents des centaines d'Ayman Nour. Pas certain qu'ils abandonnent leur révolution à une faction, même bien structurée.

Les chemins de la liberté

12 février 2011

Comme la volonté divine, les chemins de la liberté sont mystérieux et tortueux. Quant à leur destination finale, elle est encore plus imprévisible et incertaine. La liberté se meut comme un électron libre et la difficile tâche de ceux qui la poursuivent est de la canaliser vers la liberté.

En mai 1989, la frontière électrifiée qui séparait la Hongrie de l'Autriche fut mise hors service par le gouvernement parce qu'elle était défectueuse. Quelques campeurs est-allemands en profitèrent pour passer à l'Ouest. Dans la foulée, des milliers de citoyens est-allemands se ruèrent vers la liberté à travers cette brèche. Dorénavant inutile, le mur de Berlin tombait en novembre 1989 et le chancelier ouest-allemand Helmut Khol déclarait : « Le sol sur lequel repose la porte de Brandebourg est hongrois. »

En décembre dernier, le jeune Tunisien Mohamed Bouazizi s'immolait par le feu pour protester contre la dictature tunisienne. Il n'était qu'un chômeur diplômé parmi des dizaines de milliers, mais c'est sur sa tombe que poussèrent les fleurs de jasmin qui chassèrent Ben Ali.

Il y a trois semaines environ, un jeune cadre égyptien de Google ouvrit une page Facebook intitulée « Nous sommes tous Khaled Saïd », du nom d'un jeune manifestant battu à mort par la police. De retour en Égypte, le jeune homme est emprisonné durant douze jours. Son témoignage à sa sortie de prison galvanise les manifestants de la place Tahrir alors qu'on craignait que la contestation s'essouffle. Bien sûr, il n'y a rien de magiquement spontané dans ces événements, car ces étincelles se seraient éteintes dans la nuit si un brasier ne couvait pas. Elles agissent comme l'apport d'air dont un feu naissant a besoin pour s'embraser et réchauffer toute la pièce.

En 1979, ils étaient des dizaines de milliers dans les rues de Téhéran, portant la même flamme que les manifestants de la place Tahrir, assoiffés de la même justice et de la même dignité. Le shah, comme le raïs, abandonna la partie. On croyait la liberté triomphante. Elle fut confisquée par les théocrates et assassinée dans les mêmes rues en 2009 quand des centaines de milliers de personnes protestèrent contre les élections truquées et la réélection du président Ahmadinejad.

*   *   *

C'étaient les pensées qui m'habitaient dans la nuit de jeudi à hier, quelque temps après les discours de Moubarak et de son vice-président. La liesse des heures précédentes s'était transformée en incompréhension et en colère sourde. Parlant de lui à la troisième personne, le président s'était présenté comme l'incarnation de la nation et le dernier rempart de sa stabilité. Il avait demandé aux manifestants de lui faire confiance pour instaurer ce qu'il avait combattu durant trente ans. Le vice-président avait ajouté qu'on avait compris les revendications et qu'il était temps pour les jeunes de rentrer à la maison. Il était quatre heures du matin ici et quand je me suis résigné à aller dormir, c'était avec les pires scénarios en tête. Des colonnes de manifestants se dirigeaient vers le palais présidentiel et le siège de la télévision d'État. Mohamed el-Baradei avait déclaré qu'il craignait une explosion. Les spécialistes évoquaient la possibilité d'une provocation délibérée qui forcerait l'armée à intervenir contre les manifestants. Pour ma part, j'y voyais une autre manifestation de l'inconscience absolue des dictateurs, de leur incapacité totale de vivre sur la même planète que leur peuple. Je n'étais pas rassuré sur la suite des choses et craignais de tragiques débordements lors des manifestations qui suivraient la prière du vendredi.

Comme tout le monde, j'avais sous-estimé la force tranquille et la confiance que confère parfois l'appropriation de la liberté. J'avais aussi mal évalué l'intelligence profonde qui animait ce mouvement et sa capacité de maintenir cohésion et ordre dans un mouvement qui, en apparence et en réalité, n'était ni structuré, ni hiérarchisé. Si les téléphones portables, les réseaux sociaux et les télévisions satellitaires avaient pu animer et remplir la place Tahrir, les rues d'Alexandrie et de Suez, ces nouveaux vecteurs de la parole libérée pouvaient aussi contribuer à maintenir la cohésion et le choix délibéré du pacifisme comme stratégie. Et c'est en partie ce qui s'est passé. Le peuple égyptien a répondu à la provocation par la défiance tranquille. « Nous ne partirons pas tant que vous ne partirez pas ! » À mon réveil, la place Tahrir ne résonnait pas de coups de feu, mais du sifflement et des lumineuses explosions des feux d'artifice. Comme par hasard, on apprenait que l'Iran avait fermé les serveurs Internet et brouillé les ondes des télévisions étrangères. Les chemins de la liberté sont parfois technologiques.

Rien n'est vraiment gagné pourtant. La liberté peut encore être confisquée. L'armée n'est pas un parangon de vertu démocratique et son adhésion aux principes démocratiques ne s'est pas faite la joie dans le cœur. Comment pour l'opposition maintenir la vigilance et surtout la pression pour que la transition démocratique se réalise ? C'est le prochain défi du mouvement de protestation. Quand la place Tahrir va se vider, les télévisions et les journalistes vont partir à la recherche d'une nouvelle crise. Or, c'est maintenant que l'Histoire commence. Si ce redoutable appareil répressif a dû s'avouer vaincu, c'est bien sûr à cause du courage des Égyptiens, mais aussi, contrairement à l'Iran, parce que le monde entier regardait la place Tahrir. Peut-être est-il trop tôt pour tous, Égyptiens, télévisions, ONG, pour quitter la place de la Libération.

Dans un pays près de chez vous

9 avril 2011

Il en va ainsi dans les pays autoritaires, les monarchies du Golfe et anciennement dans les pays communistes. Le chef, le leader, le monarque, quand il s'adresse au peuple, prend bien soin de choisir méticuleusement son peuple. La télévision qui retransmet l'événement ne doit montrer que sourires admiratifs, mines épanouies et ovations unanimes. Toutes les précautions sont prises pour que le peuple (par définition ignorant) saisisse la portée salvatrice du message du premier d'entre tous, le Guide vert ou bleu, c'est selon. Si le chef doit annoncer quelque subvention aux pompiers volontaires, il arrivera en camion de pompier et sera entouré de braves figurants en uniforme qui s'efforcent de calculer combien de tournois de balle-molle et d'épluchettes de blé d'Inde ils pourront organiser grâce à cette manne inattendue.

Le protecteur de la nation, celui qui nous protège des hordes criminelles qui hantent les grandes villes maudites par Dieu, ne s'inquiète pas de la qualité de son discours. Il sait, car c'est indiqué dans son texte, qu'il sera applaudi dix-huit fois et, comme prévu, aux dix-huit pauses qu'il fait, des meneurs de claques lancent dix-huit ovations bien senties. Il ne craint pas la contradiction ou le murmure désapprobateur, car il parle dans un cocon précautionneusement tissé. Le peuple a été choisi parmi les membres du parti. Chacune des personnes a dû s'inscrire quelques jours plus tôt afin que les sbires de la garde rapprochée du leader puissent consulter les registres policiers, les blogues, les comptes Twitter et Facebook, afin de débusquer (officiellement) un désaxé ou un assassin potentiel, mais en réalité c'est pour empêcher qu'un citoyen ne pose une question comme : « Pourquoi acceptez-vous que vos ministres mentent au Parlement ? » Ou encore : « Le taux de criminalité baisse depuis dix ans ; pourquoi construire des mégaprisons ? » Le premier d'entre nous, celui à qui Dieu a conféré la sagesse infuse, n'aime pas les questions, sauf celles sur les Beatles, qu'il adore. Cependant, comme le meilleur de nous tous aime bien passer pour un démocrate, il a généreusement permis aux journalistes de poser des questions, quatre questions par événement, pas une de plus. Auxquelles, bien sûr, il ne répond jamais.

Le monarque poursuit ainsi la tournée de son peuple choisi, examiné, scruté à la loupe. Il ne fréquente jamais les trottoirs ou les marchés publics, endroits dangereux où on croise parfois un méchant socialiste éloquent ou, pis encore, un diabolique séparatiste poli qui porterait un chandail des Nordiques.

*   *   *

Et c'est impunément que le grand théâtre menteur du premier manipulateur se promène de ville en ville, plus ou moins toléré par les médias qui jouent le jeu, critiqué par l'opposition dans une sorte d'indifférence générale sur l'enjeu fondamental de cette élection, un choix entre deux pays radicalement différents. Un Canada doté d'une bonne dose de solidarité collective, de respect pour les droits fondamentaux et d'une conscience réelle des enjeux globaux qui nous confrontent, ou un Canada qui divise villes et régions, qui affirme la suprématie de l'individualisme et qui propose une version nordique du rêve américain. Un Canada gouverné par ses citoyens ou par les dépositaires de la parole divine. Car, il ne faut pas se leurrer, tel est l'enjeu réel de cette élection, même si les partis d'opposition n'osent pas le dire franchement, de peur probablement de « faire peur au monde ».

C'est peut-être parce qu'elle voulait se renseigner sur les véritables enjeux de cette élection qu'une jeune fille de dix-neuf ans, étudiante en sciences politiques à l'Université de Western Ontario, décida avec une copine d'assister aux assemblées des trois partis. Awish Aslam ne résista pas à l'envie de se faire croquer le portrait en compagnie de Michael Ignatieff. C'est ainsi que sa quête d'information prit un curieux tournant. Dûment inscrite, grâce à un parent membre du PCC, elle se présenta à un rassemblement du premier d'entre nous. Mais sa photo innocemment publiée sur Facebook la désigna auprès du KGB de Harper comme un élément dangereux, à moins que ce ne fût son foulard islamique. La jeune fille, qui se livrait à un exercice louable auquel bien peu de gens prennent la peine de se livrer, fut expulsée pour avoir commis le sacrilège d'avoir posé avec l'ennemi. Elle ne faisait pas partie du peuple choisi, mais du peuple mécréant.

Sur le coup, je me suis dit que cet incident galvaniserait peut-être les jeunes. Je me suis aussi dit que les jeunes ne voulaient pas de ce pays frileux et replié sur lui-même que leur propose notre monarque mino- ritaire. Puis, je me suis souvenu que seulement 38 % des jeunes de moins de trente ans avaient voté aux dernières élections fédérales et de mes récentes visites dans des cégeps. Des propos entendus, on pou- vait facilement conclure que, si ces gens votaient, Harper ne serait jamais élu. Mais je pouvais aussi en déduire que leur indifférence était telle, que leur ignorance quasi satisfaite des enjeux était si pro- fonde qu'ils seraient bien peu nombreux à prendre la peine de se déplacer pour exprimer leurs sentiments confus d'opposants, laissant cette tâche ringarde aux vieux.

Depuis, je me demande pourquoi, si on juge essentiel de leur enseigner toutes les formes d'au-delà, tous les dieux et toutes les croyances, du chamanisme au rite nestorien, je me demande pourquoi on n'a pas encore compris qu'il serait encore plus essentiel de leur enseigner dès leur jeune âge l'abc de la politique et de la démocratie, ces rites citoyens qui organisent, améliorent ou détruisent nos vies.

Des devoirs pour le NPD

7 mai 2011

Que ce soit sur les réseaux sociaux, dans les « vox pop » à la télévision ou dans les lettres de lecteurs qui s'expriment sur le tsunami orange de lundi, on remarque que beaucoup de Québécois ont passé la journée de mardi à se pincer pour savoir s'ils étaient réveillés. Dans beaucoup de commentaires, particulièrement ceux provenant des circonscriptions de la Mauricie, on entend une sorte de « si j'aurais su, j'aurais pas venu ». De toute évidence, des dizaines de milliers de Québécois ont voté avec une insouciance et une légèreté renversantes, comme s'ils participaient à une sorte de « guerre des boutons » pour adultes oisifs en mal de divertissement. Cela est particulièrement vrai dans le cas de Ruth Helen Brosseau. De tous les poteaux du NPD, c'est le seul qui avait fait l'objet d'un examen rigoureux et exhaustif de la part des médias. Toute la province savait qu'elle habitait Gatineau, qu'elle ne parlait pas très bien le français et qu'elle jouait dans les vidéopokers de Las Vegas. Il est un peu tard pour dire « si j'aurais su, j'aurais pas venu ». Les électeurs de Berthier-Maskinongé savaient très bien qu'ils votaient pour un fantôme.

On a proposé aussi des explications en apparence rationnelles. On aurait assisté à un réalignement gauche-droite, à un vote agressivement anti-Harper (comme si voter pour le Bloc ne l'était pas autant) ou encore à un rejet réfléchi du Bloc indiquant que les Québécois avaient décidé de prendre à nouveau un « beau risque » avec le fédéralisme. On a évoqué l'effet rassurant et rafraîchissant du « bon Jack ». Aucune de ces explications ne me convainc totalement.

Pour qu'on ait dans plusieurs endroits voté massivement pour des fantômes sans s'inquiéter semble-t-il des conséquences, il fallait certes de la légèreté et de l'insouciance, mais il fallait surtout une impression généralisée de désenchantement, de désillusion. Le sentiment d'évoluer dans une situation bloquée et sans issue autre qu'un grand bond, les yeux fermés, dans l'inconnu. Gouvernement corrompu à Québec, PQ sans âme, trou noir conservateur à Ottawa, Bloc en apparence figé dans une opposition historique mais redondante, municipalités faisant l'objet d'enquêtes, CHUM encore sur la planche à dessin, nids-de-poule en croissance, pétrolières milliardaires… Ce n'était pas la petite vie, c'était une sorte de grisaille qui refusait de faire place au printemps. Alors, les Québécois ont fait un peu comme les Arabes : ils se sont fermé les yeux et ont dit : « Un, deux, trois, soleil ! » Et ils se sont donné un printemps en rejetant tout ce qui pouvait être lié au ciel noir du passé. Les grands bouleversements politiques tiennent plus aux coups de cœur qu'aux réflexions rationnelles. C'est après la révolte que la raison reprend sa place, pour mieux canaliser et organiser le changement. Voilà le dur travail qui attend le NPD.

*   *   *

On a beaucoup parlé, généralement de manière dérisoire, de cette marée de néophytes qui constituera dorénavant la très grande majorité du caucus néodémocrate. Néophytes, certes, des règles et coutumes parlementaires, mais pas de la vie collective. Les nouveaux élus que j'ai entendus ont démontré une compétence citoyenne remarquable et nous sommes loin des improbables députés emportés dans la vague de Mulroney ou de l'ADQ, ou encore de l'actuelle députation conservatrice du Québec.

Le dilemme de Jack Layton et de son parti est complexe et en même temps emballant. Comment (à cause du nombre d'élus québécois) devenir à la fois la voix du Québec dans le fédéralisme et celle du Canada au Québec ? Quatre ans pour refonder la dynamique interne de la fédération. C'est une occasion historique qui risque de ne pas se représenter.

Le premier obstacle est l'ambition de devenir dans quatre ans le prochain gouvernement, avec comme seule chance l'obligation de faire des gains importants en dehors du Québec puisqu'ici le plein est fait. La tentation sera grande de sacrifier un peu de Québec pour beaucoup d'Ontario ou de Nouvelle-Écosse.

En fait, le NPD a devant lui quatre ans pour apprendre le Québec et inscrire ses demandes dans un débat serein sur le fédéralisme canadien. Les sociaux-démocrates de tous les pays, y compris le PQ, ont été historiquement des centralisateurs. Cela est dû en bonne partie au fait qu'ils craignent que les particularismes régionaux ne battent en brèche les objectifs d'égalité et d'universalité qu'ils inscrivent dans les programmes sociaux.

Mais ce réflexe traditionnel des partis de gauche évolue de plus en plus vers une reconnaissance des bienfaits de la diversité affirmée dans la marche d'un pays. De plus en plus on reconnaît que la gouvernance de proximité est préférable à la politique du mur à mur. Le NPD a flirté parfois avec les voix de l'asymétrie fédéraliste : dans les années 1960 avec le fédéralisme coopératif et plus récemment avec le droit des provinces de se retirer d'un programme fédéral avec pleine compensation. Reste à développer autour de ces sujets une nouvelle approche globale qui ne soit pas perçue comme une menace à l'unité canadienne par le ROC, mais comme un progrès dans son fonctionnement harmonieux. Ce n'est pas une mince tâche, mais c'est un beau risque.

Au Québec enfin, le NPD doit transformer ce vote émotif en adhésion réfléchie. Cela requiert de la part des nouveaux élus une présence exceptionnelle dans leur circonscription et de la part du parti tout entier quatre années de pédagogie intensive pour transformer le vent de révolte en révolution tranquille. Sinon, le Bloc, tel un sphinx, renaîtra de ses cendres.

La fatigue du rêve

25 juin 2011

Lors de leur caucus qui devait prendre la mesure de la crise que vit actuellement le Parti québécois, l'ensemble des députés semblent s'être entendus pour s'enfermer dans un déni dangereux. À écouter les commentaires des fidèles, ce n'est là qu'un de ces passages difficiles dont le parti a l'habitude et dont il s'est toujours sorti au fil des années. À cet égard, les propos du doyen du parti, François Gendron, étaient assez éloquents. Il n'y voyait qu'un « petit mal de ventre » ou, encore mieux, « un petit guidi qui fatigue ». Somme toute, une crise d'eczéma de quelques ados boutonneux. Pauline Marois, plus sobre que son coloré collègue abitibien, a résumé la situation en concluant que tout rentrait dans l'ordre et qu'il fallait dorénavant « tourner la page ». Voilà un commentaire peu perspicace qui évacue la réalité. Car plus qu'une page qu'il faut tourner ou un chapitre qu'il faut clore, c'est peut-être un tout nouveau livre qu'il faut écrire.

On a beaucoup dit que ces crises épisodiques étaient normales pour un parti qui constitue une large coalition. Cela était vrai il y a longtemps. Aujourd'hui, c'est certes une coalition entre indépendantistes pressés et indépendantistes stratégiques, mais pour le reste, le PQ depuis Lucien Bouchard a cessé d'être une coalition animée par le changement et le progrès pour se transformer en bloc politique d'alternance. Ce parti a perdu son âme, sa capacité d'indignation profonde, ses liens étroits qu'il entretenait avec les grands groupes syndicaux et collectifs. Ce n'est pas sans raison que Pierre Curzi a autant insisté lors de son assemblée de mardi sur la nécessité de faire la politique autrement. Il sait fort bien que ce n'est pas cette supposée relève du PQ qui le fera. Pour cette vingtaine de clones pragmatiques et technocrates, faire de la politique autrement signifie faire alliance un jour avec Régis Labeaume et un autre avec Karl Marx, si cela peut faire avancer la cause.

*   *   *

Le PQ a historiquement la capacité remarquable de préférer tuer son chef plutôt que de se remettre lui-même en question. Encore une fois, pour expliquer la crise, on invoque l'incapacité de Pauline Marois à mener le parti vers la victoire. Personne ne se demande si ce n'est pas le parti lui-même qui n'arrive pas à réunir les conditions gagnantes. Dès que la tourmente se lève, on cherche le capitaine charismatique qui évitera au navire de se fracasser sur les rochers. Or le Québec a changé. Faut-il rappeler le sort qu'ont réservé les électeurs à Gilles Duceppe, le politicien le plus aimé et le plus populaire du Québec? Et faut-il rappeler qu'il n'y a pas moins charismatique et emballant comme homme politique que François Legault?

Il n'existe pas de meilleur exemple du changement profond qui s'est produit dans les dernières années que le résultat renversant des dernières élections fédérales. Le premier sentiment des électeurs est une envie fondamentale de changement qui exprime le besoin d'un nouveau rapport avec la politique et un bouleversement des priorités qui justifient l'adhésion à un parti politique. Les Québécois n'ont pas cessé d'être nationalistes magiquement; ils ont dit: les temps changent et notre sentiment de fierté peut s'exprimer sans que la recherche de l'indépendance soit l'unique mesure de tous nos choix. Il n'y a pas qu'une seule formule pour progresser, construire et développer un monde meilleur. « Nous voulons garder toutes les portes ouvertes », pourrait-on résumer.

*   *   *

Ce sont les mêmes sentiments et la même démarche qui poussent maintenant 40 % des Québécois à déclarer qu'ils appuient la Coalition de François Legault alors que seulement 17 % appuieraient le PQ si des élections avaient été déclenchées la semaine dernière. Cette popularité qui s'affirme maintenant de manière constante ne tient certainement pas à la personnalité plutôt réservée de l'ancien ministre péquiste, ni à de grandes réalisations passées que de larges tranches de la population auraient encore en mémoire comme une sorte de «bon vieux temps». De toute évidence, ce ne sont pas non plus ses propositions plutôt modestes et peu connues sur l'économie, la santé et l'éducation qui en font un futur premier ministre. Le déplacement des voix dans les derniers mois du PQ vers la Coalition toujours en gestation de Legault se lit comme une évidence. C'est du Parti québécois que viennent la majorité de ses appuis, donc d'une tranche de la population qui se considérait comme assez nationaliste pour appuyer Pauline Marois il n'y a que quelques mois. Difficile de ne pas faire le rapprochement avec la débandade du Bloc québécois le 2 mai. Cette remise en question de l'urgence nationale, de la priorité nationale, s'exprime comme un phénomène profond et constant. Rien d'autre que cette mise en cause des paramètres de la question nationale n'explique la popularité de Legault et la déconfiture annoncée du PQ.

Ce n'est ni le chef, ni ses méthodes qui expliquent cette déroute et ce désarroi, c'est une nouvelle société québécoise qui émerge et qui ressent un besoin avide de sortir des anciens cadres fermés et absolus, des anciennes formules dogmatiques, une société encore prête à se mobiliser pour des rêves, mais pour des rêves plus immédiats. Appelons cela la fatigue du rêve. Dans les années 1970, c'est la même désillusion qui transforma le Parti communiste français de premier parti du pays en groupuscule impuissant.

L'odyssée de Youssef

(Fragment inédit)

Selon le Haut Commissariat aux réfugiés des Nations unies, le nombre de réfugiés a augmenté de 15 % en 2006. Ils sont 1,5 million d'Irak à avoir pris les chemins qui mènent à la Jordanie et à la Syrie, plusieurs centaines de milliers à avoir quitté le Darfour pour le Tchad ou la République centre-africaine. Et il y a ceux qu'on ne nomme pas, qu'on voit parfois à la télévision qui quittent les côtes du Sénégal pour les îles Canaries, qui s'embarquent sur des esquifs, des canots pneumatiques et qui tentent de traverser du Maroc ou de la Libye, vers l'Espagne. Leurs cadavres tordus s'étendent parfois sur des plages paisibles ou se fracassent sur des rochers pointus. Du Pakistan sont revenus heureux et pleins d'espoir des centaines de milliers d'Afghans, attirés par les promesses de paix depuis la chute des talibans. Des Kurdes de Turquie ne choisissent pas le Kurdistan irakien, pourtant pratiquement auto-nome, pays relativement pacifique dans le pays irakien. Ils ne sont pas attirés par Mossoul. Ils traversent le Bosphore et tentent de se glisser dans la foule anonyme européenne.

Ils viennent de partout et nul n'est terroriste. Du Mali et du Tchad, de la Turquie, du Myanmar, du Pakistan, du Sri Lanka. Ils arpentent la planète à la recherche de filières secrètes qui leur ouvriront non pas les portes du bonheur, mais celles de la dignité. On les retrouve en Albanie tentant de traverser vers l'Italie. Ils vivotent dans la clandes-tinité en Espagne, en Serbie, en Allemagne. Les plus chanceux, c'est-à-dire les plus riches et les mieux instruits, font la ligne devant les ambassades canadiennes ou américaines de ces pays. Ils accumulent des points devant des fonctionnaires impassibles et attendent plu-sieurs mois ou des années pour apprendre leur libération ou leur emprisonnement. Puisqu'ils ont quelques moyens, ils ne meurent pas dans leur prison, mais ils y souffrent et ils y pleurent. Ils ne sont pas heureux. Le bonheur n'est pas inscrit dans la Charte des droits de l'homme. L'humain a le droit au logement, à l'alimentation, à l'éducation. Il est protégé contre toutes les formes de discrimination, comme les enfants sont interdits d'exploitation, mais lorsque l'humain cherche un lieu où il peut vivre de ces droits, il doit franchir des frontières impénétrables. L'homme pauvre du Sud qui veut être libre et atteindre le bonheur qu'il imagine est condamné à la clandestinité et à la criminalité. C'est un triste paradoxe.

L'Occident seul a décrété ce que sont les droits de l'homme. La France en 1789, puis la Société des Nations et finalement les Nations unies. Des esprits chagrins lui reprochent d'imposer des valeurs culturelles qui seraient plus coloniales que libératrices. Comme si en Afrique, l'égalité de la femme avec l'homme devrait s'organiser autrement que dans l'égalité, comme si une certaine forme d'infériorité culturelle pouvait mériter le respect et qu'il fallait, pourquoi pas, l'endosser. Comme si un système de droit et de justice était parfaitement normal en Europe, mais que dans les pays pauvres il fallait se contenter d'une justice inférieure. Pour cause d'atavisme, peut-être?

Pour mieux organiser et légitimer notre bonne conscience collective, nous inventons des catégories, des classes, des hiérarchies de catastrophes et de catastrophés.

Il y a par exemple les malheureux de la souveraineté, les damnés venus au monde dans le mauvais pays, les rejets de l'histoire et de la géopolitique. Les millions au Zimbabwe qui croupissent sous la férule d'un dictateur sénile et mégalomane, quelques autres millions aussi au Myanmar, les Tchétchènes. En d'autres temps, ce furent les Éthiopiens de Mengistu, les Ougandais, les Tibétains, tous sacrifiés dans le silence des règles de la communauté internationale. Tous corvéables à souhait, tous menacés de prison ou de mort, tous sacrifiés au nom de la souveraineté des nations. Nous constations et nous dénoncions, puis nous passions à table.

Depuis Mitterrand et Kouchner, la souveraineté nationale a pris un peu de plomb dans l'aile. Le droit d'intervention, sans égard à la volonté du gouvernement local, a acquis une légitimité intellectuelle et morale. Mais, là encore, existe une hiérarchie. Les Marines vont certes violer la souveraineté de la Somalie et d'Haïti, les Britanniques celle de la Sierra Leone et encore les Américains celle du Liberia, au nom de principes indiscutables et universellement acceptés : le droit de vivre en paix, de ne pas être embrigadé de force pour faire la guerre, de ne pas perdre un bras parce qu'on refuse. Quelle différence entre la Tchétchénie et le Liberia ? La nature et le statut de l'assassin. Dans la hiérarchie de l'intervention, tout est dicté par la taille et l'importance de l'État souverain, jamais par la hiérarchie de la souffrance et des exactions. Le moteur interventionniste ne carbure pas aux douleurs, il carbure à l'absence de risques.

Il fonctionne aussi selon une échelle graduée d'intérêts géopolitiques et économiques. Le Darfour fait aujourd'hui l'objet de tous les ressentiments. Les États-Unis allèguent le génocide. Nous n'en sommes pourtant qu'à 200 000 morts en trois ans. Qu'on me pardonne cette phrase idiote, mais je les mets en perspective avec les 800 000 morts du Rwanda en cent jours et avec les 5 millions de morts en République démocratique du Congo. Le Soudan n'est pas le Rwanda, et un Soudanais, pour un membre de la communauté internationale, est un être humain plus précieux qu'un Rwandais. Le Rwandais est aussi triste et pauvre que le Soudanais, mais il ne parcourt pas un désert qui cache des millions de barils de pétrole. Selon cette échelle, le Rwandais n'est pas un homme qui peut prétendre aux mêmes droits, il est un sous-homme, une sorte d'espèce animale moins digne de protection que la baleine ou le phoque. Le Soudanais, quoique supérieur au Rwandais, n'égale en rien la grandeur et l'importance du Bosniaque de Sarajevo qui mourait en allant chercher ses tomates au marché ou en traversant le pont sous le feu des *snipers* serbes pour aller rencontrer sa fiancée. On ne bombardera pas Khartoum pour que des amoureux s'embrassent, mais Belgrade, oui. Dans la hiérarchie des droits, des douleurs et des atrocités, Sarajevo et la Bosnie se situent au sommet de l'échelle, puis vient le Soudan et finalement, tout en bas, l'inacceptable absolu, le Rwanda. Dans la réalité, on a sauvé Sarajevo, on parle du Darfour et on a fermé les yeux sur le Rwanda. Soyons francs, nous avons dit : « Qu'ils meurent, ces nègres qui ne possèdent rien », et nous disons : « Si on peut sauver le pétrole soudanais, tant mieux, mais si ce gouvernement veut tuer tous les nègres, on le laissera faire. » Pour Sarajevo, le monde s'est ému. On bombardait des bibliothèques, des salles de concert, des lieux historiques. Des musiciens fous, beaux et héroïques continuaient à interpréter des symphonies sous le sifflement des balles et le grondement des obus. Des gens brûlaient des classiques de la littérature pour se chauffer, et une petite vieille était admonestée par des voisins parce qu'elle s'apprêtait à abattre avec une toute petite hache un tout petit arbre qui était le seul de la rue. C'étaient là des gens comme nous, chez nous, dans notre espace culturel, qui devenaient victimes des barbares. La civilisation était en jeu. La nôtre. Notre supériorité et notre rectitude, notre exemplarité et notre moralité. Nous avons frappé le barbare avec toute la puissance dont nous disposions. Quelques mois plus tard, 800 000 Rwandais étaient assassinés sans qu'aucun vrombissement d'avion supersonique ne trouble le ciel, sinon celui de quelques gros porteurs venus évacuer des Blancs, des gros porteurs qui refusaient tous les Noirs, sauf ceux qui avaient mis en place le mécanisme du génocide.

Dans l'échelle de l'intervention règne aussi la couleur, une catégorie jamais dite, mais toujours déterminante.

Nous avons aussi créé d'autres classifications pour expliquer ou excuser notre cécité et notre inaction, mais disons-le aussi, notre indifférence absolue. Ainsi, les réfugiés ne sont pas tous des réfugiés, ceux qui fuient leur pays pour vivre, je ne dis pas pour vivre heureux ou riches, je dis simplement pour vivre, ces gens ne sont pas égaux, et même, certains d'entre eux sont des gens dangereux, des criminels alors que les autres sont des victimes de la rapacité des barbares et des dictateurs.

Le Somalien démocrate qui se présente à la frontière, qui a un diplôme, même mineur, une bonne gueule, dans sa besace quelques articles jaunis et poussiéreux dont il est l'auteur, des articles qui parlent de démocratie et qui taillent en pièces les islamistes radicaux, devient un réfugié politique exemplaire. À n'importe quelle frontière occidentale. Celui qu'on a accusé en Algérie de faire ses cinq prières et qui ne faisait que cela, cinq prières et qui est disparu dans une prison humide durant cinq ans seulement parce qu'il avait répondu oui au policier algérien qui lui demandait s'il faisait ses prières, celui-là qui craint de retourner en prison car il se prosterne toujours vers la Mecque, celui-là n'est pas un réfugié politique, il est un suspect, un criminel potentiel car il prie et vient d'Algérie. Il prierait tout autant et aurait un diplôme jordanien qu'on lui ouvrirait grand les portes.

Ceux dont l'ONU parle dans son dernier rapport, ce sont les vrais réfugiés, les réfugiés officiels, légaux et permanents. Les victimes de conflits, de catastrophes naturelles, des déplacements de population, des nettoyages ethniques. C'est le réfugié palestinien qui a perdu sa maison à Jérusalem et qui vit depuis 1948 en banlieue de Beyrouth. Sa tente s'est transformée en abri, puis en cahute. Aujourd'hui, c'est une maisonnette de blocs de ciment, sans fenêtres, mais avec l'électricité. Il travaille un peu, ses enfants fréquentent l'école et il reçoit des médicaments gratuits. Il se sent maintenant chez lui au Liban, plus un exilé qu'un réfugié. Il parle encore de Jérusalem, mais comme on parle d'un lieu irréel. Il ne s'inquiète pas trop, le Haut Commissariat aux réfugiés de l'ONU s'occupe de lui et de son camp, ce camp qui est maintenant une ville.

Les camps de réfugiés du Darfour qui s'allongent sur la frontière avec le Tchad ne font pas des villes, ni même des villages. Ce sont des amas de toile et de paille dans lesquels croupissent des centaines de milliers de personnes. Les victimes du tsunami furent mieux nanties, la générosité des Occidentaux ayant été décuplée par le fait qu'ils avaient vu à la télé des cadavres blancs, suisses ou français, rouler sur les eaux furieuses. La couleur de la mort détermine notre générosité et notre engagement.

Mais on a beau célébrer les réussites et la persistance du HCR, il n'en demeure pas moins que cette louable organisation de l'ONU fonctionne comme une ONG quémandeuse qui accuse des déficits permanents. Les contributions des États sont volontaires et non pas statutaires. Et nous ne sommes pas nombreux parmi les pays riches à payer l'écot réclamé. Même quand les réfugiés sont officiels, qu'ils correspondent à une indiscutable définition juridique, nous comptons nos sous, comme nous comptons nos soldats et nos morts. Que vaut la mort de ces pauvres? Pas beaucoup, si ce n'est rien. À moins que les images de la télé soient tellement effroyables que seuls des dons et des promesses puissent redonner à nos petits écrans la bêtise quotidienne dans laquelle nous ancrons notre sommeil satisfait ou notre indifférence avouée. Alors on donne, pays et individus, pour ne plus voir ces ventres ballonnés ou ces corps exsangues. La morbidité de la mort ne fait plus partie depuis longtemps de notre quotidien. La mort se doit d'être anonyme, aseptique et lointaine.

Et puis, il y a tous ces réfugiés qui prennent le large pour mieux vivre. Ces gens sont des criminels et des clandestins, non pas coupables de vouloir être riches, nous voler nos biens, mais seulement de vouloir partager un petit morceau du gâteau de la planète. Avant la télévision et les satellites que nous leur avons donnés, ils ne savaient pas que l'Europe était pavée d'or. Les Honduriens et les Mexicains ne savaient pas qu'à quelques centaines de kilomètres les gens les plus ordinaires possédaient deux voitures et deux télévisions. Avant CNN, la planète ne savait pas que tous les Américains étaient riches et heureux, maintenant ils en sont convaincus.

Ces gens dont je parle, j'ai envie de les appeler les « réfugiés de l'information et du village global ». En général, on les qualifie de « clandestins ». Aux États-Unis, on érige un mur le long de la frontière mexicaine, on déploie la Garde nationale, des patrouilles dotées de fusils mitrailleurs. Des milices viennent appuyer les troupes pour contrer cette affluence incontrôlable de microbes sud-américains, car c'est bien ainsi qu'ils sont perçus, des virus qui viennent attaquer le système immunitaire de la société américaine. En Amérique du Nord, ces assoiffés de normalité, de travail, de salaire décent, d'écoles et d'hôpitaux, ces moins que rien qui désirent vivre une vie normale passent pour des drogués, des violents, des voleurs de jobs que personne ne veut occuper. Une nouvelle plèbe, une sorte de peste. Relire *La Peste*.

*   *   *

Youssef, qui vit dans un village à cent kilomètres de Niamey, a vu depuis tout petit le sable avancer. Il adore le sable et s'y roule après s'être aspergé d'eau pour montrer comment son corps brun devient doré. Il faisait cela quand il était petit et rieur. Maintenant, il regarde le sable avancer au point qu'il atteint maintenant son lit au fond de la case qu'il habite avec ses sept frères et sœurs, sa grand-mère et ses deux parents. Les vaches maigrissent, et le prix qu'on peut en tirer au marché ne vaut même plus la peine de les y amener. Le puits du village est sec. Il faut marcher six kilomètres pour aller quérir de l'eau. Les aînés se demandent s'il ne faut pas déménager. Plus rien ne pousse, les pâturages sont trop éloignés.

Youssef, qui est un garçon fier et fort, bâti comme un arbre qui résiste aux tempêtes, s'obstine à piocher et à arroser un petit lopin de terre qui lui donne parfois quelques oignons et des haricots minuscules. Youssef a fréquenté l'école primaire d'un village voisin qui a fermé faute d'élèves. La sécheresse a convoqué tous les enfants aux champs. De tout le village, il est le seul à savoir lire et surtout à s'exprimer correctement en français. C'est lui que les aînés ont choisi pour sauver le village. Ça n'a pas été facile, car il est le plus vaillant et aussi le plus généreux. Ce n'est pas sous un baobab que les vieux sages ont palabré, car le grand arbre du village est devenu rachitique et ne fournit plus l'ombre indispensable à de longues discussions. Ils l'ont fait dans une grande case fumante. Ça n'a pas été facile de recueillir les mille euros, mais avec les villages environnants et quelques cousins éloignés qui gagnaient un peu leur vie à Niamey, ils y sont parvenus.

Youssef, en allant travailler en Europe, sauvera le village. Une forme d'invasion économique pour cause de survie locale. Youssef ne part pas pour devenir riche, pour nous dérober nos emplois. Youssef entre dans le monde de la clandestinité et de la criminalité pour que son village ne meure pas. Là-bas en Europe, il gagnera beaucoup d'argent qu'il fera parvenir chez lui. Ils sont si peu nombreux, ceux qu'on appelle les réfugiés économiques, à vouloir s'acheter une auto, posséder un pavillon ou un appartement, des vêtements qui ne sont pas d'occasion, à partir seulement pour conquérir le bonheur de la consommation. On choisit rarement l'exil et le risque de la mort pour des breloques et la pacotille de la civilisation de consommation.

On lui a fait une fête avec le peu qu'on avait, mais il s'est dit qu'on avait mis beaucoup dans les écuelles. Un cousin de Niamey lui a apporté un veston et un pantalon des années 1980, comme on en trouve sur les marchés africains qui sont les dépotoirs de nos modes successives. Il les a mis dans un sac Nike des années 1990, avec quelques effets personnels, la brosse à dents, un stylo, une photo de la famille, un cahier et des enveloppes pour écrire des lettres, quelques paires de chaussettes et un savon.

Au Bar des sportifs, ils sont une dizaine à vouloir tenter l'aventure. Certains l'ont déjà fait plusieurs fois. Youssef les a interrogés longuement, des heures et des heures. Il a pris des notes, réfléchi sur les chemins et les moyens. Il a rapidement éliminé le chemin du Sénégal et des esquifs qui mènent aux Canaries. Il n'a jamais vu la mer. Il ne sait pas nager, il n'aime pas l'eau et il lui semble d'après la télé que c'est la route la plus meurtrière. Il a vu un reportage à TV5 sur les jeunes Marocains qui tentent de s'accrocher aux essieux des camions qui partent de La Ciotat sur les traversiers en direction de l'Espagne. Il ne se voit pas courir comme un ado après un camion pendant que des policiers marocains courent pour les rejoindre et que tous ou presque sont repris. Après avoir beaucoup parlé, discuté, évalué, Youssef choisit de se rendre en Libye et de tenter la courte traversée de Tripoli jusqu'aux îles italiennes de Lipari. Dans les reportages, les Italiens semblent gentils et accueillants. Ce n'est pas une route facile selon les cartes.

Arrêt sur image de Youssef qui marche dans une tempête de sable et qui a dû donner cinquante euros à un chamelier qui prétend se diriger vers la Libye. Sur les plages de Miami et de Fort Lauderdale, la population, les députés, les télés accueillent glorieusement des petits bateaux qui s'échouent et qui dégorgent des Cubains triomphants. Ils étaient tous plus riches que Youssef, mais ils choisissent la liberté contre le mal castriste, ce sont des héros à qui on tend des couvertures, des victuailles. On les conduit dans des camps bien équipés, on les nourrit, on les soigne même s'ils sont en bonne santé, car le système de santé cubain est bien plus efficace que le système américain. Réfugiés de la liberté.

Arrêt sur image encore. Les mêmes petits bateaux, les mêmes garde-côtes, mais ce sont des Haïtiens qui débarquent ou dont on découvre les cadavres qui roulent sur les plages policées de Key West. Personne pour les accueillir sinon des policiers et des prisons. Les Cubains incarnent la liberté, les Haïtiens annoncent la criminalité. Dans l'échelle des réfugiés, il faut aussi venir de la bonne dictature, celle que le pays d'accueil veut détruire. Les Cubains vivent en dictature, mais ils ont accès à l'école, à l'hôpital. Les Haïtiens et les Mexicains ne connaissent même pas l'aspirine gratuite, mais quand ils se présentent aux portes du paradis de la liberté, on les enferme et les retourne chez eux.

C'est comme Youssef qui ne vient pas de la Somalie ou qui ne se bat pas pour Salman Rushdie au Pakistan, qui ne connaît de l'islam que les cinq prières et qui a depuis longtemps oublié la polygamie, car

pour avoir plusieurs femmes, il faut assurer leur subsistance. La polygamie meurt avec la désertification. Youssef, avant même d'entre-
prendre son voyage de sauveur, est un homme traqué. Comme des
milliers de ses semblables, il brille comme un petit point sur l'écran
radar des grandes agences de sécurité. On l'attend de pied ferme, on
tend des pièges tout comme s'il était un terroriste ou un passeur de
drogue. Au large du Sénégal, une armada de navires de guerre français
et espagnols patrouillent les côtes pour intercepter les pirogues et les
barques chargées de Youssef qui veulent atteindre les Canaries, territoire espagnol. On appelle cela une frontière avancée, une sorte de
frontière préventive. En Méditerranée, ce sont des vedettes rapides
espagnoles ou italiennes qui tentent sans succès d'empêcher Tcha-
diens, Nigériens, Sénégalais, Albanais d'aborder les côtes de la terre
promise. Si on veut à tout prix empêcher ces petits poissons maigrelets
de venir frayer dans nos eaux, c'est bien pour une raison. Ils menacent
l'équilibre écologique de nos eaux riches. Ce sont des espèces parasites
étrangères, des prédateurs voraces et sans scrupules qui risquent de
détruire la stabilité et la pureté du milieu comme ces moules tigrées
qui ont emprunté des carlingues de navires asiatiques pour venir peupler les Grands Lacs et obstruer les prises d'eau des municipalités rive-
raines. Ce sont des corps étrangers, des virus.

Nous ne le disons pas souvent ainsi, mais certains le font, comme
Le Pen, Berlusconi, Sarkozy, Bush, pas nécessairement toujours dans
ces mots, mais toujours dans ce sens. Alors, en même temps que les
pays riches parlent d'ouverture pour les denrées et les services, ils
installent la fermeture pour les humains. La démarche européenne
et celle des USA à cet égard ressemblent étrangement à toutes ces
communautés de riches qui foisonnent aux États-Unis. Ce sont
des enclaves ceinturées par des murs de protection, patrouillées par
des milices privées lourdement armées, et on ne peut y résider que si
sa candidature est acceptée par l'ensemble de la communauté. On ne
fait pas de périphrases pour justifier l'existence de ces enclaves:
l'homme qui a réussi n'a pas à vivre dans la crainte de tout perdre, de
ne pas jouir de la vie, de ne pas vivre comme il l'entend. L'homme qui
a réussi ne doit rien à personne. Sa réussite l'exclut du monde où
règnent la maladie, la misère et la violence. Il ne fait pas partie de cette
humanité et il fait tout pour s'en protéger.

J'ai évoqué la Tchétchénie et le Tibet, mais il faudrait aussi mentionner l'invasion de la Grenade ou celle du Panama par les USA. On ne sanctionne pas les atrocités commises par les grands et les puissants. Plus encore, depuis une dizaine d'années, tout le discours sur les droits de la personne est devenu, relations commerciales obligent, un triste vaudeville et même une farce grotesque. Trois pays bénéficient d'une impunité totale dans leur comportement avec leurs propres citoyens ou avec les étrangers. La Chine, la Russie et les États-Unis. Google a accepté de se plier à la censure chinoise. Les homosexuels sont tabassés par la police devant les caméras par la police moscovite, Garry Kasparov est arrêté, on harcèle les partis d'opposition, on assassine des journalistes, la mafia et des sbires de Poutine contrôlent une grande partie des institutions financières, Bush ne dit mot. En Chine, des millions de travailleurs sont au travail forcé, les derniers esclaves, des entreprises contrôlées par des proches du Parti s'adonnent à la contrefaçon, des dissidents sont régulièrement acheminés dans des camps de travail où ils fabriqueront des pulls pour Wal-Mart. Bush ne dit mot, pas plus que Sarkozy ou Stephen Harper.

Dans le discours des grands, la démocratie et la liberté sont des denrées pour les pays faibles et pauvres. La démocratie est la clé du progrès économique en Afghanistan, mais pas en Chine.

*   *   *

Nous sommes riches et heureux. À l'intérieur de nos pays riches et heureux, nous pestons, protestons, renversons les gouvernements pour cause de chômage ou de baisse du pouvoir d'achat. Dans notre bulle riche, nous sommes mécontents de façon permanente. À droite, on dit que le travail et l'initiative individuelle ne produisent pas la richesse à laquelle nous avons droit. À gauche, on dit que la richesse est mal distribuée. Mais nous parlons tous comme si nous étions pauvres et malheureux, comme si l'insécurité réelle parfois menaçait nos vies.

Youssef lit parfois de vieux journaux français et il n'en croit pas ses yeux. Il se frotte les paupières et se dit que ces gens, les Occidentaux, ne comprennent rien à la pauvreté même si, paradoxalement, lui ne se considère pas comme pauvre car on le lui a dit, il ne fait pas partie des gens qui souffrent de sous-alimentation et en conséquence il ne peut profiter du Programme alimentaire mondial. Il ne le sait pas, mais il absorbe la quantité minimale de calories qui signifie qu'un homme est nourri suffisamment. Ce décret ne l'empêche pas régulièrement de se réveiller la nuit au son d'un bruit suspect. Il se calme. Ce n'est que le gargouillement de l'estomac qui réclame. Mais il lit. Dans les pays riches, c'est la crise. Sécheresse aux États-Unis, au Canada et en France. Les sols, disent des cultivateurs qui viennent de manger des steaks et qui en ont le bedon, produisent de moins en moins. Les prix du marché mondial jouent contre eux et bientôt ils devront vendre leur ferme qui vaut des millions et s'adonner à une autre activité. Quel malheur pour ces fermiers, mais quel luxe, s'adonner à d'autres activités. Au Tchad, il n'existe pas d'autres activités. Si tu n'es plus fermier, éleveur, tu ne manges plus et tu meurs. Si tu es jeune, tu peux bien partir pour la ville, comme on le fait chez nous en Occident. Ce n'est pas un choix simple et facile. On abandonne des paysages connus, des parents, des amis, des habitudes. L'exil, même dans son propre pays, est rarement un choix joyeux. L'exil, même dans un pays riche, est un déchirement. On ne part pas en croyant qu'on deviendra riche, on quitte en espérant d'être moins pauvre. Le Gaspésien qui descend ou monte à Montréal abandonne la mer qui l'a bercé pour les «rues sales et transversales». Il quitte l'odeur du sel et des algues pour celle de la gazoline et des fritures, mais il emporte avec lui sa carte d'assurance maladie, ses prestations d'assistance sociale, ses prêts et bourses. L'exilé occidental est malheureux, mais il n'est pas démuni. Si le Gaspésien se fait happer par une voiture alors qu'il fait de l'auto-stop, il sera recueilli par une ambulance, soigné dans un hôpital moderne. S'il ne trouve pas un emploi à Montréal et qu'il ne possède rien, il sera accueilli par la Maison du père, aura une soupe à l'Accueil Bonneau. S'il est très jeune et en fugue, qu'il s'adonne à la drogue, il ira au Refuge des jeunes. Ici, même le démuni est riche et protégé. Ici, le rien de rien possède des ressources. S'il enfreint la loi, on lui donnera un avocat qui le défendra comme s'il était son meilleur client.

Imaginons que Youssef choisit Niamey plutôt que l'Europe. Il partira sans argent car dans le village on sait depuis toujours que Niamey n'est pas le Paradis. Il trouvera un vague cousin, une tante, un oncle, les familles sont si immenses en Afrique. On lui donnera peut-être un peu de manioc bouilli, peut-être un thé quand il y en a, mais il se retrouvera rapidement à la rue, hésitant entre petits boulots et petites arnaques. Affaibli, il contractera la tuberculose ou une autre maladie. Il ne sera pas soigné. Je ne fais pas du mélodrame, je fais de la télé-réalité. Je parle de Youssef qui pourtant fait partie des privilégiés du tiers-monde. Je ne parle pas de Yasmina dont le père est mort la semaine dernière à Gaza lors d'un combat entre le Hamas et le Fatah, ni non plus d'Olga qui voulait être médecin mais qui s'occupe maintenant de ses six frères et sœurs en Tchétchénie, ni de Kamal qui veut poursuivre ses études secondaires, mais dont l'école vient d'être brûlée par les talibans. Si tous ensemble Youssef, Yasmina et Kamal se présentaient à nos frontières, ils seraient rejetés car ils ne sont pas des immigrants rentables et viennent ici comme des brigands voler une partie de notre richesse. Peut-être penserions-nous aussi que, parce qu'ils sont musulmans, ils posent un risque sécuritaire.

Ils ne viennent pas voler, ils viennent demander une partie de cette richesse que nous croyons profondément nôtre, grâce à notre intelligence supérieure, à notre maîtrise des techniques et à notre esprit d'invention. Parce que l'Occident est riche, ses habitants croient sincèrement qu'ils sont non seulement les propriétaires, mais aussi les créateurs uniques de cette richesse. Car en fait c'est, outre le terrorisme, de richesse qu'il est question ici. Une richesse planétaire que l'Histoire a transformée en richesse nationale, et particulièrement en richesse occidentale.

Comment se crée la richesse et d'où vient-elle? Les marxistes l'ex-pliquent simplement. C'est l'exploitation de l'homme par l'homme et la propriété privée des moyens de production. Comment se l'appro-prier? Par la propriété collective des moyens de production organisée par un parti unique qui est l'avant-garde des travailleurs. La chute du mur de Berlin en 1989 a démontré comment, dans la réalité, cette utopie en apparence généreuse avait créé des économies exsangues, des centaines de millions de pauvres et d'opprimés.

En Occident, nous nous accommodons du capitalisme depuis longtemps. Depuis le milieu des années 1950, peu d'intellectuels se réclament du marxisme et dénoncent la démocratie libérale. Ce que nous croyons cependant, c'est que cette richesse est le fruit exclusif de notre civilisation et de notre système démocratique. Notre richesse est la nôtre. Elle l'est sans partage.

C'est en partie parce que nos images de richesse sont médiatiques et personnalisées. Parce que le comportement des riches passionne certains médias, que leur comportement et leurs possessions semblent exemplaires. Nous prenons cette richesse en modèle et tentons non pas de l'atteindre, mais de nous en approcher. Virtuellement, la richesse des riches nous appartient, elle fait partie du possible ou du rêve. Mais qui sont les riches ? Ce sont surtout des hommes qui, de plus en plus, adorent proclamer leur richesse. Dans l'imaginaire collectif occidental, la richesse est méritée, elle est le fruit d'une intelligence supérieure, d'un génie quelconque, d'un esprit d'entreprise hors du commun. On pense aux pionniers du capitalisme moderne, les Ford, les Rockefeller, les Dodge, ou encore à Bill Gates ou aux Rothschild. Ils furent visionnaires certes, audacieux, persistants, mais doivent-ils toutes leurs richesses à eux-mêmes ?

*　*　*

Revenons au village de Youssef. Ce village il y a trente ans ne connaissait pas la pauvreté. Ce n'était pas Manhattan bien sûr, mais tout le monde mangeait à sa faim, ce qui constitue une forme de richesse. Le village possédait suffisamment de vaches et de pâturages pour subvenir à ses besoins, nourrir la population, payer le salaire de l'instituteur. Voilà, tout existait pour assurer la vie tranquille d'un village qui ne réclamait rien que de continuer à être un village où tout se reproduisait comme dans un tranquille cycle de vie.

Puis vinrent le sable et les sauterelles. Le sable était porté par le vent du Sahara, les sauterelles l'accompagnaient. À l'époque, on ne pensa qu'à une sorte de malédiction, une aberration des dieux. On déplaça les troupeaux car, dans cette contrée, on est habitué au « grand dérangement ». Il fait partie de la vie, du cycle des choses normales comme ici la neige en hiver. Dans ce village, la notion de richesse était plutôt relative et elle n'enflammait pas les esprits, ne tiraillait pas le ventre. La richesse perçue était atteignable. Un plus grand troupeau, une bonne saison des pluies, l'école secondaire puis un emploi de fonctionnaire dans un chef-lieu ou peut-être l'université et un poste au gouvernement avec bientôt une voiture minable, mais une voiture quand même, une maison en dur avec des fenêtres et des portes qui bloquent les tempêtes de sable et un mur de deux mètres qui protège l'intimité. La recherche de la prospérité se déroulait en famille et dans des lieux connus. À cette époque, on ne partait pas pour l'Europe pour fuir la pauvreté, on montait dans la capitale, aussi pauvre soit-elle. Niamey, Bamako, Abidjan, Dakar, voilà où existait la richesse atteignable. Je pourrais aussi vous parler du Mexique il y a trente ans où on quittait le Chiapas ou Tepic pour Mexico ou Monterrey, du Guatemala qu'on abandonnait pour le Costa Rica, du Nordeste brésilien qu'on fuyait pour São Paulo, des lieux de richesse atteignable et des lieux familiers, ne serait-ce que par la langue.

Avant l'arrivée de la télévision, avant l'avènement du « village global », la vie était plutôt calme, comme je l'ai dit, dans le village de Youssef. On faisait avec la nature, avec le sable, la pluie, les sorciers menteurs et les devins gentils. On écoutait les griots raconter l'ancien temps. En fait, on ne savait pas qu'on était très pauvres et qu'existaient des lieux de richesse inimaginables. Comment imaginer qu'une ville de plusieurs millions d'habitants soit entièrement pavée (une seule rue était pavée dans la capitale), que des trains rapides se promènent sous les rues pavées, que les pauvres aient droit à des restaurants du cœur, des restaurants gratuits, que les écoles dans ces villes soient gratuites et qu'on ne paie pas pour se faire soigner. Un griot eut décrit un tel pays qu'on l'aurait traité de fou et congédié. Comment imaginer qu'une femme puisse dépenser pour des souliers ce que le village entier avait gagné en deux mille ans? Mais la télévision arriva au Bar des sportifs dans la ville voisine et les jeunes qui fuyaient la monotonie des soirées du village s'installaient devant le petit écran, rêvaient et ramenaient au village des histoires à dormir debout. Être pauvre dans ces pays, c'était être plus riche que le plus riche du village et même que le plus riche de la ville voisine. Même les pauvres de la France et du Canada étaient riches, racontaient les jeunes amis de Youssef à leurs parents incrédules. Comment peut-on être à la fois riche et pauvre? Pourquoi eux et pas nous? Si on en croit la télévision, nous nous éreintons plus qu'eux et mangeons moins.

Il ne faut pas expliquer ces réactions par la naïveté et l'ignorance de peuples primitifs et inintelligents. C'est une erreur que nous commettons trop souvent. L'histoire du monde, celle de notre civilisation, s'est construite en partie sur des rêves de richesses existant dans des contrées lointaines. Au départ, on entendait des rumeurs colportées par des voyageurs dont on ne savait pas s'il fallait prendre au sérieux les récits débordant de curiosités. Mais l'un rapportait une pièce de jade, l'autre une énorme pépite d'or. Dans l'esprit occidental se construisit une sorte d'idée de l'Eldorado qui s'appelait l'Asie. Marco Polo contribua par ses écrits à imposer cette idée aux souverains en mal de richesse. On les appelle aujourd'hui des explorateurs et parfois on idéalise leur esprit d'aventure et leur audace. Il faudrait parler plutôt de prospecteurs, parfois curieux et prosélytes, mais essentiellement engagés dans la poursuite de la richesse pour leurs commanditaires. Des mercenaires de la richesse. Les Colomb, Cartier, Vasco de Gama, Cook n'ont pas pour mission de découvrir des terres inconnues. On ne les emploie pas et on ne les finance pas pour explorer mais pour trouver la route de l'Asie, les gisements d'émeraudes ou de diamants, les mines d'or, les épices rares qui viennent jusqu'en Europe au gré de caravanes sur lesquelles on ne possède aucun contrôle. L'Europe veut s'approprier la route directe de la richesse du monde. Elle part à la conquête de la planète. Les financiers seront des rois, mais aussi et surtout de riches armateurs de Saint-Malo, de Gênes, de Venise ou de Lisbonne, des gens qui rêvent de richesses.

Sur une plus petite échelle, les Italiens du Nord qui ont migré vers la Côte d'Azur il y a quelques centaines d'années étaient animés par les mêmes sentiments que Youssef. Une terre, certes étrangère, mais dotée de richesses qui deviendra la mienne et assurera mon bien-être. La conquête de l'Ouest aux États-Unis s'explique par la même motivation, surtout pas par la volonté de civiliser des espaces sauvages. La ruée vers l'or qui a provoqué tant de morts et si peu de riches illustrera aussi ce rêve permanent chez les humains d'acquérir le bien-être dans un pays de Cocagne dont ils ont vaguement entendu parler ou que des rumeurs ont inventé.

On peut expliquer la majorité des expansions territoriales et des flux migratoires par cette obsession permanente d'une plus grande richesse soit pour les États, soit pour les individus, en tout cas jusqu'à

la fondation de l'Union soviétique qui entraîna une migration idéologique. Mais l'absence d'oppression constitue aussi une forme de
richesse. Ce dont nous parlons finalement, c'est pour les États la
recherche de la puissance économique et, pour les individus, la quête
du bonheur.

L'apparition du village global modifie complètement le processus
de migration. Ce sont les voisins immédiats qui veulent déménager
dans un premier temps. Les Mexicains qui découvrent en bonne partie par la télévision la richesse des États-Unis et leur besoin de main-
d'œuvre se précipitent vers les frontières américaines, puis les paysans
d'Amérique centrale qui fuient à la fois pauvreté et dictature. En
Europe durant les mêmes années ce sont aussi les voisins qui migrent,
les Turcs vers l'Allemagne, les Roumains et les Yougoslaves vers l'Italie
et la France. Avec la chute du mur en 1989, c'est une avalanche qui n'est
plus idéologique, mais strictement économique. De partout dans l'espace immédiat européen, on se précipite vers la richesse disponible.
Dans la majorité des cas ce sont des travailleurs qui rêvent d'un peu
plus de richesse, pas des démunis, des pères miséreux. Ils vivent certes
des situations difficiles, mais ni eux, ni leurs familles, ni leurs villages
ne meurent de faim. Ils sont des migrants du progrès économique et
de l'ascension sociale. Ils font déjà partie de l'espace et du lieu de la
croissance économique, ils en sont le prolétariat. Comme des ouvriers,
ils ne se font pas d'illusions, ils ne pensent qu'à améliorer leur salaire.
Ils ne quittent pas leur pays pour un rêve mais pour un calcul. Le
Mexicain qui s'en va en Californie ne s'exile pas. Il y a tant de tantes
et de cousins. Le Turc qui va en Allemagne quitte bien sûr une culture
et une manière de vivre, mais il les retrouvera en partie à Berlin. Les
Mexicains, les Turcs, les Roumains, les Albanais n'ont pas été coloni-
sés. Le pillage de leur richesse est en bonne partie le fait d'oligarchies
locales, de prédateurs nationaux et de dictatures corrompues.

En Afrique existent les prédateurs locaux et les séquelles de la
colonisation, la corruption et le vol des richesses naturelles qui vont
main dans la main. On explique souvent les conflits locaux, les guerres
« civiles » par des raisons ethniques. Derrière le conflit tribal se cache
toujours la lutte pour la terre chez les petits et celle pour le sous-sol
chez les puissants. Parfois les deux se conjuguent. Ceux qui veulent
s'approprier les diamants utilisent les rancœurs tribales de ceux qui

cherchent la terre pour le pâturage ou le manioc. Dans ces pays, ils ont appris le monde par le FMI et la Banque mondiale. Ils ne savaient pas qu'ils faisaient partie de la grande planète avant qu'on leur réclame des sous pour aller à l'école et des dollars pour se faire soigner. Quand le papa retirait deux filles de l'école, on lui expliquait que les frais qu'il devait payer étaient imposés par les pays étrangers car comment expliquer le FMI à un fermier du Mali? Le Malien sait dorénavant que l'école est gratuite dans tous les pays étrangers qui imposent le paiement de l'école chez lui, dans son village. Il se dit que toute la richesse réside en Occident et il a raison. Il se dit qu'il ne peut améliorer son sort car il ne sait comment lutter contre le désert qui avance, ce sable étouffant que le FMI et la Banque mondiale n'arrêtent pas.

Le père de Youssef et des deux filles qui ne vont plus à l'école s'est mis au coton avec quelques autres voisins dans le village. Ils produisent du coton de qualité exceptionnelle à un prix qui défie toute concurrence, sinon celle du coton américain qui est tellement subventionné que celui du désert semble hors de prix. On vend à perte pour le marché local, on sacrifie une vache au marché pour assurer le mois suivant. On mange un peu moins en attendant que les ballots tout blancs de la coopérative trouvent preneur.

Youssef est un déshérité de la richesse occidentale. Une grande partie de cette richesse a été dans le passé confisquée, pour ne pas dire volée, et son père croit au fur et à mesure que son fils lui raconte la télé que la richesse occidentale est indécente.

Car pour un Africain, la télé est un instrument terroriste. Il a entendu aujourd'hui qu'un seul homme avait joué et perdu cinq milliards d'euros. Il imagine les milliards de francs CFA que cela fait et aussi toutes les filles comme ses deux sœurs qui pourraient fréquenter l'école gratuitement. Il ne connaît pas le budget de son pays, mais il sent, il pense que tout cet argent pourrait construire les hôpitaux manquants. Il suit cette affaire française sur TV5. La banque est tellement riche que, malgré la perte, elle annonce des profits. Il raconte cela à son père qui rétorque: «En France, tu peux perdre le budget d'un pays et encore faire des profits! C'est pas juste, mon fils.»

Et puis Youssef lui raconte le club de Londres où les membres lavent leurs chaussures avec du champagne. C'est un rite…

«Ils ont des chaussures à 500 euros et chaque bouteille de champagne coûte 100 euros. » À la Bourse de Chicago, les prix du coton ont encore baissé et la gamelle de la famille de Youssef se fait un peu plus maigre.

Il y eut donc les « explorateurs » envoyés à la recherche de la soie, des épices et de l'or, puis les chapardeurs chargés de ramener de la main-d'œuvre pour exploiter des terres volées, ceux du rêve américain, de la conquête de l'Ouest, les paumés du Klondike et enfin les réfugiés du stalinisme. L'histoire américaine souligne avec ferveur l'immigration irlandaise comme un élément fondateur, et pourtant il existe peu de différences entre la famine des Irlandais et celle des Mexicains. Irlandais constructeurs de l'identité, Mexicains destructeurs de l'identité.

Quand Youssef quitte son village avec son petit pécule caché dans ses baskets, il se croit investi d'une mission humanitaire. Il fait partie d'un projet communautaire juste et équitable. Il ne cherche pas la route de la soie, ni celle des Indes et de l'or qui s'y cache. Il cherche le chemin du village qui sauvera son village. En plus, il est béni ou ennobli par les anciens du village. Youssef est un missionnaire qui ne veut convaincre personne. Il souhaite seulement que les chèvres possèdent un pâturage, que les vaches pissent du lait, que le manioc pousse.

Voilà le criminel que l'Occident attend, le criminel que l'Occident a en bonne partie produit. Or, Youssef sait tout, grâce à la télé, des périls qu'il va affronter. La traversée du désert, peu importe le chemin qu'il choisisse, celui qui mène en Libye ou l'autre route qui mène au Maroc, sera comme le parcours du combattant. Il sait tout aussi de la malhonnêteté des passeurs, il a vu à la télévision les camps de rétention, les corps d'illégaux refoulés par les flots sur les plages des Canaries, mais il part quand même, investi de son devoir communautaire. Si, conscient de tels dangers et de tels obstacles, un homme sain d'esprit se lance dans l'aventure, il faut bien que la situation dont il tente de s'extirper ou qu'il veut corriger soit insupportable, intolérable et invivable. On ne s'embarque pas dans une telle galère juste pour posséder des vêtements plus élégants et manger un peu mieux. Le désespoir, le sien ou celui de ceux qui l'entourent, doit être si profond qu'une possibilité de suicide se transforme en porte de sortie. Un homme pour demeurer humain choisit le risque de la mort. Youssef connaît tous les dangers et il sait qu'en tant que réfugié «économique», c'est-à-dire prospecteur de richesse, il n'aura droit dans aucun pays à un accueil normal d'autant plus, il le sait, qu'il a la mauvaise couleur. Et malgré cette mauvaise couleur qui déjà le rendra suspect, il doit se glisser dans la peau d'un voleur car c'est ainsi qu'on le désigne déjà à la télévision et dans les discours populistes. Pas facile d'apprendre les réflexes du criminel quand on a toujours été un honnête citoyen.

Les bons citoyens partout dans le monde fonctionnent en respectant un code, celui de la loi ou des coutumes. À l'intersection, on présume que les automobilistes respectent le feu rouge et on traverse en confiance. On ne barricade pas sa maison parce qu'on croit que la majorité de la population est honnête. On n'organise pas sa vie en fonction du mal potentiel mais en fonction d'une sorte de bien commun convenu. C'est le contrat social de civilité. Dès qu'on s'installe dans la marge du contrat social, aucune règle ne tient, dès qu'on devient illégal, nulle loi ne s'applique sinon celle des prédateurs. Quand Youssef, le bon citoyen, quitte son village, il devient une proie pour ceux qui l'accompagneront et un voleur pour ceux qui l'attendent.

Montréal, le 18 août 2011

Table des matières

CRÉDITS ET REMERCIEMENTS

Les Éditions du Boréal reconnaissent l'aide financière du gouvernement
du Canada par l'entremise du Fonds du livre du Canada (FLC) pour leurs activités
d'édition et remercient le Conseil des Arts du Canada pour son soutien financier.

Les Éditions du Boréal sont inscrites au Programme d'aide aux entreprises du livre
et de l'édition spécialisée de la SODEC et bénéficient du Programme de crédit d'impôt
pour l'édition de livres du gouvernement du Québec.

Les Éditions du Boréal remercient *Le Devoir* pour son aimable collaboration.

Photographie de la couverture : © John W. MacDonald

Ce livre a été imprimé sur du papier 100 % postconsommation,
traité sans chlore, certifié ÉcoLogo
et fabriqué dans une usine fonctionnant au biogaz.

MISE EN PAGES ET TYPOGRAPHIE :
LES ÉDITIONS DU BORÉAL

ACHEVÉ D'IMPRIMER EN NOVEMBRE 2011
SUR LES PRESSES DE MARQUIS IMPRIMEUR
À CAP-SAINT-IGNACE (QUÉBEC).